浙江历史人文读本

主　编　张伟斌
执行主编　陈　野

诗渊文薮

吴晶　郑绩　著

浙江古籍出版社
浙江出版联合集团

《浙江历史人文读本》编辑委员会

序 言

中共浙江省委书记
浙江省人大常委会主任　夏宝龙

浙江是中国古代文明的发祥地之一，素有“文物之邦”之称，历史悠久，文化灿烂。数千年绵延不绝的历史积淀，构筑起悠久厚重的历史文化传统，汇聚成我们今天取之不尽、用之不竭的智慧宝库。浙江人民传续至今的爱国情怀、求真理念、务实本质、开拓精神、顽强意志、勤勉品性，是中华民族优秀品质的有机因子；浙江社会曾经承受的自然灾祸、战火硝烟、内忧外患，是中国人民沧桑磨难的共同记忆；浙江大地不屈不挠的卓绝抗争、革故鼎新、砥砺奋进，是民族伟业不朽华章的璀璨篇幅。

读史可以明智，知古方能鉴今。历史是一个民族和一个国家形成、发展及其盛衰兴亡的真实记录，是前人各种知识、经验和智慧的总汇。读一点历史，汲取人类积淀的思想精华，可以帮助我们清心明智；学一点历史，掌握社会发展的基本规律，可以帮助我们明辨方向；用一点历史，回顾中华文明的灿烂辉煌，可以激发我们共筑共圆中华民族伟大复兴“中国梦”的豪情壮志。对领导干部来说，读历史、用历史显得尤为重要。前贤先烈的品德情操、多难兴邦的执著奋斗、治国理政的经验教训，值得我们认真学习、深入思索，以之为镜、资治辅政。正因如此，习近平总书记多次强调领导干部要读点历史。他指出："领导干部不管处在哪个层次和岗位，都应该读点历史，通过学习历史不断深化对人类社会发展规律、社会主义建设规律和共产党执政规律的认识，不断丰富自己的历史知识，这样才能使自己的眼界和胸襟大为开阔，认识能力和精神境界大为提高，使自己的领导工作水平不断得以提升。"

历史文化只有走近今天、走向大众，才能更好地传承和弘扬。浙江省社会科学院作为我省从事哲学社会科学研究的综合机构，组织编写"浙江历史人文读本"丛书，是推动浙江历史大众化、普及化的探索和创新，是建设文化强省的实际举措。该丛书八个分册，系统梳理、精心选取了浙江历史上有重大意义、重要成就、突出影响、鲜明特色的精华材质，内容翔实丰富，具生动性又不失真实性，具通俗性又不失学术性，是活化浙江历史的精品力作，是了解浙江人文的"百科全书"。希望大家抽出时间来看一看这套丛书，爱历史、学历史、知历史、用历史，在共筑共圆"中国梦"的征程中，留下我们无愧于先人、造福于后世的浓墨重彩。

2013年4月2日于杭州

导言：构建公众视野中的历史世界

历史是曾经鲜活的生命、已然过往的生活、陶炼积淀的业绩，是纷繁的思绪、驳杂的心境、丰富的情感。它们随时间的流逝，翻落进文明的深处，累生而成一个我们谓之为“传统”的世界。在那里，思想的绿树常青，智慧如繁花盛开，气象万千，人文璀璨，厚重而灿烂。

然而，对于这样一个已成往昔的世界，如果我们不回首，便不得见。因为它在我们匆匆前行的身影后面，绚烂之极，归于平淡；它在远离我们当下人生的时间彼岸，兀自静默，莫能与语。

回望历史，是一种人性的光辉，因为它是对先人的礼敬；是一种博大的胸怀，因为它是对文化的包容；是一种理性的力量，因为它是对规律的揭示；是一种勇敢的担当，因为我们探究来路的目的，是为了更加坚定地走向未来。

因此，我们愿意站在今天的浙江，做一个历史的眺望者，穿梭万年的时空，打量这块土地上连绵不绝、波澜壮阔的前尘往事；做一个历史的梳理者，秉持理性的烛火，将沉落于往昔世界的影像重投于时间的光影之墙；做一个历史的思考者，博学审问、慎思明辨，探寻其与当下社会的关联；更重要的是，做一个历史的传播者，让历史走出尘封的书海和学者的案头，走向社会大众，让来自历史的智慧，充实心灵的世界，照亮今天的生活。

一、浙江大地承载着深厚的历史传统和光辉的文化精神

2006年，时任中共浙江省委书记习近平在为《浙江文化研究工程成果文库》所作总序中指出："千百年来，浙江人民积淀和传承了一个底蕴深厚的文化传统。这种文化传统的独特性，正在于它令人惊叹的富于创造力的智慧和力量。"浙江历史的变迁和文化传统的形成，并非同一文化要素的简单累加和重复，而是在其精进图强的历史步伐中，通过开拓创新的创造活动得以实现，并因此自然地生发出十分鲜明的勇于开新造大、敢为天下先的文化价值取向，且已成为浙江文化传统中最具地域特色的精义。如果我们深入地去探究，可以看到如下种种鲜明的文化特征。

1. 在浙江的文化精神中，充溢着捍卫主权、反抗侵略的爱国主题

"夫越乃报仇雪耻之乡。"在浙江历史上，爱国主义是浙江文化的生命线，捍卫主权、反抗侵略、抵御外侮是浙江人民的优秀传统。在爱国主义价值观的哺育下，爱国英雄们在国族危难、大厦将倾之时，有的挺身而出，最终以身殉国；有的在重重困难之中，不放弃信念和理想，知其不可而为之。陆游"位卑未敢忘忧国"；于谦为了力挽狂澜于既倒，不惜牺牲一己的仕途乃至生命；抗倭名将戚继光在浙江招募和训练"戚家军"，在台州九战九捷，平定倭患。近代浙江人民在反封建反侵略斗争中前赴后继，可歌可泣。鸦片战争中壮烈

殉国的"定海三总兵"彪炳千秋;"鉴湖女侠"秋瑾"夜夜龙泉壁上鸣"的诗句,激励了无数中华儿女以天下兴亡为己任;嘉兴南湖上的红船,刘英、张秋人、俞秀松、宣中华等革命烈士的舍生取义,更彰显了在中国共产党领导中国人民开展的谋取民族独立、国家解放、人民幸福的革命斗争中浙江儿女的光辉业绩。这些浙江先贤刚健有为、坚贞不屈的崇高气节,谱写了中华民族爱国主义正气歌中的华彩乐章。

2. 在浙江的文化精神中,蕴含着求真务实、经世致用的本质内核

求真务实是浙江文化的本质内核,它贯穿于浙江历史发展的每一个时期,深刻影响着当代浙江人的行为模式和思维方式。求真务实蕴涵着科学求真。越王剑、通济堰、捍海塘、秘色瓷、印刷术、钱江桥,都是浙江科技史上的光辉成就;毕昇、杨辉、李之藻、李善兰、茅以升,都是浙江科技史上的著名人物。其中,最为人所称道的,当推北宋沈括及其《梦溪笔谈》。英国学者李约瑟将沈括称为"中国整部科学史中最卓越的人物",《梦溪笔谈》则是中国科学史的里程碑。求真务实蕴涵着思想求真。东汉王充对当时散布虚妄迷信的谶纬之学、虚论惑众的经学之风的严厉批判和抨击,明代王阳明对理性自由和人性解放的要求,晚清章太炎"学所以经世,固非空言著述"的主张,无一不是浙江文化精神中"追求真理""实事求是"本质内核的体现。

经世意识在浙江文化中有突出的表现。例如以陈亮为代表的永康学派,反对朱陆空谈义理和心性,提出修实政、行实德、建实功、改革社会、变弱致强的主张;近代佛学大师太虚、印顺回溯佛法本源,积极推进佛教革新。

这种独特的一脉相承的经世致用思想，体现了传统知识分子以思想、学术、知识认识改造世界的不懈努力和价值关怀，是浙江对中国文化的独特贡献。

3. 在浙江的文化精神中，聚合着义利双行、达观通变的商业伦理

义利文化观是浙江历史文化精神的一大特色。宋代以叶适为代表的永嘉事功学派倡导“义利双行”，用道德伦理引导对现实功利的追求，用现实功利检验主体对价值观、道德信仰理解的有效性。“义”与“利”由此成为辩证统一的有机体。在这种“义”“利”文化观的熏陶下，浙江人及其商业活动，用经营生产造福社会；同时又以“道义”规范经营生产行为，保持了悠久的“讲信修睦”的传统，哺育出许多誉满海内的老字号、老品牌。

“义利双行”的商业伦理观念，给浙江人带来了达观通变的经济发展理念和市场行为。宋元以后盛行浙地的长途贩运，使浙江成为当时全国客商趋之若鹜的货物集散地，增进了区域之间的经济交流，扩大了商品流通，促进了商人货币资本的大规模积累。明代中叶以后，雇用大量工人的手工作坊与手工工厂在浙江普遍出现，促进了市镇自由劳动力市场的形成。它们虽不足以定论为资本主义的萌芽，但无疑是对传统生产关系的变革，是对我国长期处于封闭状态的传统自然经济具有历史意义的重大突破。

4. 在浙江的文化精神中，闪烁着批判自觉、创新开拓的理性智慧

浙江是历史上盛产具有创新精神的思想大师之地。我们可以毫不夸张地说，浙江文化的思想创新，多次起到了“导夫先路”的先锋作用。陈亮、叶

适的事功之学，王阳明的心学，黄宗羲的政治学说，章学诚的“六经皆史”之论，龚自珍的变革启蒙思想等等，都是浙江文化富于创新性的表现。被誉为“清初三大思想家”之一的黄宗羲，猛烈批判和否定整个封建君主专制制度，破天荒地喊出了“为天下之大害者，君而已矣”的口号，提出了用“天下之法”代替君主“一家之法”的法律平等思想、“人各得自私自利”“贵不在朝廷，贱不在草莽”的人权平等原则以及近似近代议会民主的政治理想。在明清之际的中国，可谓空谷足音。其大无畏的批判精神和创造性的思想贡献，成为清末维新志士的思想法宝，也是现代革命者用以反对、批判封建专制制度的精神武器，启迪和影响了浙江的近代化进程。

作为新文学运动的奠基人和五四新文化运动的主将，鲁迅敢于直面惨淡的人生，对吃人的封建礼教和制度作猛烈地揭露和批判，进行不屈不挠的斗争；勇于以社会批评和文明批评为己任，以一生精力和独立人格进行充满韧性的奋斗和努力，为浙江文化传统增添不屈的风骨、独立的人格、批判的精神和自辟新路的理念与勇气。他不仅为中国文化开拓了新路，也为家乡人民留下了一份创新进取的宝贵思想财富。

5. 在浙江的文化精神中，融铸着兼容并蓄、自强自立的个性品格

凭借濒临大海的地理优势，浙江文化在持续的中外文化交流中逐渐成熟，培养出兼容并蓄的海洋个性。我国古代早期对外交流以贸易为主，浙江生产的茶叶、丝绸、青瓷等物品成为文化向外输出的物质载体，进而带动人与文化的交流，既引导了外部世界对中国文化的认知，也是浙江文化自我更新、自我丰富的重要途径。马可·波罗、利马窦、卫匡国、马戛尔尼等西人纷纷来到浙江，天台山佛教文化、径山茶文化、温州华侨、留日学生群体等等，都是浙江文化走出去的典型。

兼容并蓄并不意味着主体性的缺失，自强自立同样是浙江的品格。自然资源稀缺的压力，让浙江人具有强烈的危机意识，肯定个体的独立、欲望与利益，崇拜竞争拼搏、不等不靠、自我奋斗的精神。发轫于南宋、鼎盛于清乾隆年间的“龙游商帮”，凭借不畏艰难、自强自立的精神，“多向天涯海角，远行商贾”，人称“无远弗届，遍地龙游”，为浙西南的经济崛起作出了巨大贡献。这种“虽千万人吾往矣”的“拼劲”、一往无前的“冲劲”、无孔不入的“钻劲”,与中国传统文化的个体“义务”本位、儒家文化的“温良恭俭让”、老庄哲学的“夫唯不争，是以不去”等等主流思想，有着极大的区别，是对中国文化传统的一种很好的补充与丰富。

6. 在浙江的文化精神中，体现着澄怀观道、现实关切的审美情操

浙江是一块洋溢着文学才情、艺术灵性的土地，王羲之、骆宾王、赵孟頫、黄公望、徐渭、吴昌硕、郁达夫等等，都是在中国文学艺术史上具有熠熠光彩的著名人物。他们在诗词、书法、绘画、小说、戏剧、建筑、工艺、文艺理论等各个领域，都撰有开一代新风的里程碑式作品，百代标程，至今传颂。

中国文艺传统讲究“文以载道”。综合起来看，这个“道”，既有儒家美学讲求的仁、爱、礼、义，“善美一体”的伦理德性之道，也有道家追求虚

静简远的任顺自然之道、玄学任性率真的个性放逸之道，还有现实生活层面对时代潮流、社会变革、世道人心、国计民生的人文关切之道。浙江的文学艺术很好地体现了中国文艺独特之“道”的各个方面。王羲之等魏晋士人洒脱旷达的艺术境界，黄公望等文人画家的山水情怀，龚自珍《己亥杂诗》对制度的批判、国运的担忧、思想的启蒙，抗战文艺的蓬勃兴旺，兰溪诸葛八卦村、浦江郑氏义门、俞源太极星象村等古村落的建筑形制，都向我们展示了浙江文化艺术的深厚内涵。她既在哲学思辨的境界里升华，澄怀观道，为中国文艺传统提炼和奉献了众多具有中国特色的美学概念、范式、结构形式、表现手法，又在现实生活的沃土中扎根，观照现实，直面人生。

7. 在浙江的文化精神中，孕育着天人合一、人我共生的人文情怀

浙江文化既能够“登山则情满于山，观海则意溢于海”，与和风细雨的大自然和谐相处；同时也极善回应来自大自然的挑战，在变动的自然环境中成长。浙江漫长的海岸线及其潮汐侵蚀之下的变化、破坏性热带风暴的侵袭，都是大自然发出的挑战。对此，浙江人同样以“天人合一,万物一体”的整体关怀，通过各种努力与方式，追求人与自然的和谐。

为了降伏不羁的大自然，浙江人民修建了庞大、复杂的水利系统，孕育了发达的水利文化。如果说大禹疏导治水是追求与自然和谐意识的萌动与最初实践，西湖的开发则是浙江人民在发展中改造自然、在改造中保护自然的典范。西湖经钱镠、李泌、苏轼、白居易、杨孟瑛、阮元等人的疏浚治理，呈现出旖旎秀丽的韵致，以其精致和谐的人文风情，构筑成人间天堂的特色。

河姆渡原始艺术中精美神秘的“鸟日同体”纹饰，良渚文化中繁缛威严的神人兽面纹，都体现了浙江人热爱自然、赞美自然和融入自然的美好情愫。

8. 在浙江的文化精神中，彰显着知行合一、事上磨炼的哲学思维

思想学术丰富深刻的浙江，必然具有自己独特的哲学思维。这就是王阳明的哲学观点。“知行合一”强调知即是行、行即是知。人不仅要对自己的行动负责，而且要为自己的思维活动负责。正确认知的最终确立，须得以付诸实践检验为终点。“致良知”认为个体的“知”只有通过与社会事物的复杂关系的展开，体验情绪的冲击、思维的跳跃，通过实践检验其“致良知”的进展与效果，也即“事上磨炼”，才是真“良知”。由此，方能从道德范畴的“修身”出发，逐步实现“齐家、治国、平天下”的社会理想。

“知行合一”是浙江文化在哲学层面上的思考，因此也是最高、最抽象、最具有概括力的思考。浙江文化的其他内涵，都与“知行合一”这个核心命题存在着密切的逻辑联系。

二、浙江人民具有鲜明的历史意识和高度的文化自觉

中国疆域辽阔，在长久的历史岁月和特定的地域范围里，形成了众多具有地域特色的文化小传统，以别具一格的文化样态、特征和成就，为包罗万象、气度恢弘的中华文明奉献着日新月异的源头活水。因此，从区域历史文化入手，梳理文化现象、提炼文化精神、反思文化弊端、传承文化基因，可以清晰地把握到中华民族精神历史运动的脉搏。浙江文化具有丰富的表达形

式、鲜明的思维层次、完整的逻辑结构，是具体而微的中国文化。我们梳理浙江的历史传统和文化精神，正是深入了解中国文化、研究中国文化、发展中国文化、创新中国文化的有效途径。

从 1999 年至今，在全省范围组织开展的关于浙江历史文化和精神的梳理提炼，一直贯穿于浙江人民的文化生活中。

1999 年，经过 20 余年的改革开放，浙江社会经济迅猛发展，总量和人均产值均列全国第四位。浙江并未满足于取得的发展成就，而是积极探索取得这种成就的深层原因，总结出“走遍千山万水，吃尽千辛万苦，说尽千言万语，想尽千方百计”的创业精神。2000 年，时任中共浙江省委书记张德江提出“研究浙江现象，总结浙江经验，提炼浙江精神”的要求。省委认真总结经验，认为浙江快速发展的原因，就在于其悠久的历史和灿烂的文化及其与当今时代发展的有机结合，提炼出了“自强不息、坚韧不拔、勇于创新、讲求实效”的浙江精神。这是 20 世纪八九十年代浙江人民精神面貌的生动体现、浙江经济发展的真实写照和浙江经验的高度概括。

2005 年，省委高度重视总结提炼新时期的浙江精神。根据时任省委书记习近平关于“深入研究浙江现象、充实完善浙江经验、丰富发展浙江精神”的指示精神，经过“与时俱进的浙江精神”的调查研究，正式公布了新时期浙江精神内涵的具体表述——“求真务实、诚信和谐、开放图强”。习近平同志发表了署名文章《与时俱进的浙江精神》，高度评价了改革开放以来浙江创造的宝贵精神财富，肯定了“自强不息、坚韧不拔、勇于创新、讲求实效”

的浙江精神，同时着眼未来，立足发展，对“与时俱进的浙江精神”做了深刻阐述。“求真务实、诚信和谐、开放图强”的浙江精神，既是对历史的总结与传承，更是对现实发展的鞭策、对未来发展的引领，也是对浙江人民的智慧、活力和创造精神的鼓励和激发。

2011 年 10 月，时任省委书记赵洪祝指出，浙江经济社会持续健康发展背后的“文化密码”“文化基因”，就是“与时俱进的浙江精神”，因此要大力弘扬和提升以“创业创新”为核心的“浙江精神”，为全面建设小康社会提供重要支撑。2012 年 2 月，浙江省开展“我们的价值观”大讨论，提炼出“务实”“守信”“崇学”“向善”四个核心词，确定为当代浙江人共同价值观的表述语，写进了浙江省第十三次党代会报告。这既是对“与时俱进的浙江精神”的继承和坚守，也在新形势和新挑战下赋予其全新含义，更是为构建面向未来的共同价值观所作的前瞻性布局。

习近平同志指出：“具有历史文化素养，最重要的是要具有历史意识和文化自觉，即想问题、作决策要有历史眼光，能够从以往的历史中汲取经验和智慧，自觉按照历史规律和历史发展的辩证法办事。”（习近平同志在中央党校 2011 年秋季学期开学典礼上的讲话：《领导干部要读点历史》，2011 年 9 月 1 日新华网）自 1999 年以来，浙江对历史传统的分析反思、对浙江精神的探寻深化，既是浙江人民历史实践和理论智慧的结晶，更体现了浙江人民高度的历史意识和文化自觉。

三、浙江学者勇于承担传播优秀历史文化传统的崇高职责

习近平同志《领导干部要读点历史》的讲话，既是对领导干部的要求，也向我们人文社会科学工作者，特别是历史学研究者提出了期望，指明了历史学服务社会、与现实生活相结合的方向。这就是：承担起传播优秀历史文化传统的崇高职责，构建一个公众视野中的历史世界。《浙江历史人文读本》（以下简称《读本》）就是我们按照《领导干部要读点历史》的要求，经过一年精心筹划、反复研讨、认真撰写而得的研究成果。通过编写《读本》，我们对优秀历史文化传统的当代大众传播，有了一些实践体会和理性思考。

1. 构建公众视野中的历史世界，需要认识面向大众传播历史文化的重要意义

清代浙江籍著名学者龚自珍曾经说过："欲知大道，必先为史。灭人之国，必先去其史；隳人之枋，败人之纲纪，必先去其史；绝人之材，湮塞人之教，必先去其史；夷人之祖宗，必先去其史。"（《古史钩沉论》）简明深刻地点明了历史具有终极意义的价值。

专家学者为普通读者撰写通俗读本，在西方学术界是一个传统。比如英国哲学家、社会学理论家杰瑞米·史坦葛仑博士主持的"小书大思想"丛书，包括《话说哲学》《哲学家的想法》和《伟大的思想家 A–Z》等系统普及读物；英国 DK 图书公司出版的"目击者文化指南"丛书，由牛津大学、伦敦大学等学校的专家执笔，对哲学、艺术、音乐等进行了大众化传播；英国皇家哲

学研究所开办有面向大众的期刊《思考》，等等。

近年来，逐渐兴起于美国的公共历史学，更是对史学大众化的学理探究和提升。在中国，历史知识的公共传播，一直得到提倡和实践。著名学者钱穆有“不知一国之史则不配作一国之国民”之论，当代学者黄仁宇则欲以历史书写树国民之历史性格。就浙江而言，“社科普及周”“人文大讲堂”，都是影响面大、成效显著的行动。但总体来说，史学大众化尚未成为学者内在的自觉行为，尚未形成蓬勃的气象和畅达的工作格局。求专、求精、求高深的学术观念和学术评价体制，一定程度上制约了人文社会科学的大众化。

人文社会科学研究的根本目的在于推动社会进步。因此，参与社会实践，是发展人文社会科学研究的源头活水；关注现实问题，是深化人文社会科学研究的重要途径。作为从事历史研究的学者，我们都有一种虔敬的“古典情怀”，大多究心于历史文化方面的研究，较少关注当代发展。在《读本》编写过程中，我们通过对领导干部、社会大众、网络媒体和社会生活的访问座谈、沟通交流、查阅学习、观察思考，深切地感受到了浙江大地上生气勃勃、创意无限的现实创造，她是社会不断向前发展的根本动力、文化传统生生不息的源头活水、人类美好生活愿望的实现途径；深切地感受到了社会、大众十分迫切的对精神文化生活的需求、对丰富精神世界的渴望，由此深感面向时代、关注社会、推动进步，同样是我们的职责所在。我们不但要做传统的学问，同样也要心怀敬意地为浙江的当代文化发展做一些实事，以此向生我养我的浙江大地和浙江人民，致以我们深深的敬意，落实我们无比的热爱，奉献我们绵薄的心力。

浙江优秀的历史文化传统丰厚精深、魅力无穷，她是我们深以为傲的文化资本，是我们取之不竭的文化宝库，是我们当代建设的文化资源，是我们屹立于世的文化底蕴。面向大众，从底蕴深厚、资源丰富、优势明显的浙江优秀历史文化传统里搜珍集宝、拾贝掇英，汇聚奉献，正是我们作为人文社会科学工作者必须担当的社会责任。

2. 构建公众视野中的历史世界，需要做好古今文字的通达转换

随着历史的物移景迁，文化的变动发展，特别是五四新文化运动倡导白话文以来，作为中国历史文化传统重要载体的语言表达体系，发生了全新的变化，这成为我们今天继承、弘扬优秀文化传统最为直接的一大障碍。因此，在严谨、规范、准确的学术研究基础上，以清丽简明、深入浅出、短小精悍、雅俗共赏的文字，梳理浙江历史传统、把握浙江历史发展脉络、揭示浙江历史发展规律、汇聚浙江历史知识和智慧，是让历史走向大众的首要工作。

本书中，我们对浙江历史上有鲜明特色、重大意义、突出影响、重要成就的人、事、物进行选择和研究，用清新通达的现代汉语进行重新写作的方式，对或佶屈聱牙，或深奥艰涩，或典丽文雅的历史文献做了现代文字的转换和传达。由此，我国第一部关于海港和海上交通的著作《临海水土异物志》中的久远记述，天台山高僧大德们深奥的佛教思想，充满哲学思辨的南宋朱熹与陈亮的“王霸义利”之辩，影响深远而文字玄奥的王阳明“心学”，等等，得到了浅显明达的表述，让文字不再成为阅读理解的障碍。书中更不乏练达、清丽、蕴藉、深情、知性、洒脱、典雅等等多样化的优美文风，让人读来而起兴会之思、有共鸣之感。

3. 构建公众视野中的历史世界，需要做好陶炼融会的释读阐发

南朝齐梁时的绘画理论家谢赫曾说："师心独见，鄙于综采。"（《古画品录》）意思是说，独具匠心、不拘成法的才是好作品，综合杂凑他人之作的，应受到鄙视。此言甚是！作为反映浙江人文历史的书，切不可成为历史资料的简单汇编、他人研究成果的综合罗列。在写作中，我们根据自己的认识、理解、分析和研究，对重大事件、重要人物及其主要成就做了系统梳理，在择优选取、汇聚、表现历史精华材质的基础上，对古代知识、传统理念、经验教训、智慧感悟、哲学思想等等，做了陶炼思考、融会贯通的释读阐发。比如浙江历史从远古走到今天的文化源流与精神演变，浙江农民是全国最辛苦的农民之一的自然原因，人口要素对科技进步产生深刻影响的历史背景，作为中国传统艺术主流的文人画和水墨山水与浙江的深切关联，"越为诗巢"与中国文学的发生渊源，浙江佳山秀水中"人，诗意地栖居在大地上"的终极理想，四明山抗日根据地的越剧演出对后来越剧改革带来的重大影响，等等，都是我们在浩如烟海的文献资料中披沙拣金、把握精神实质的历史释读。

4. 构建公众视野中的历史世界，需要做好独具新见的研究升华

在社会大众尤其是领导干部的学历教育水平、文化知识修养、阅读鉴赏能力、精神文化需求都日趋提高的今天，陈旧的史料汇编、学术观点、故事叙述、心得体会、情感表达，都不足以引起社会大众的阅读兴趣，不足以达到弘扬优秀传统文化的目的，更不是我们作为历史文化专业研究者的工作职责和目标。充分依托我们已有的研究基础、心得和成果，用新的视野打量历史、深化探究，做出新的独立研究，是我们所有作者遵行的原则和方法，也是《读本》截然不同于其他普及读本之处。比如，我们从人类学的角度解读了千古孝女曹娥身后的越地巫术文化氛围，指出了浙江“丝绸之府”历史美誉的技术成因，揭示了王羲之作为中国“书圣”而超越孟子所谓“君子之泽，五世而斩”这一历史现象足以泽被千秋的文化力量。其间，有对现象的观照，有对原因的分析，有对规律的揭示，有对理论的提炼，有以小见大的深刻领悟，有纵历千年的本质把握，可谓自出机杼，异彩纷呈，尽心竭虑地奉献给各位读者。

5. 构建公众视野中的历史世界，需要做好融会时需的现实关联

如果没有与当下社会和生活恰切而紧密的关联，那么历史只是历史，永远走不出“传统”的范围，只能在时间长河的彼岸，寂寞起舞，乘风而去，与我们渐行渐远。即使形可见，无奈神相离。为此，历史需要走进今天的社会和生活，与今人同声共气，心神交会。只有这样，历史才是有生命的、有意义的、有价值的。

在书中，我们着力发掘笔下历史与眼前现实的关联点，并力图加以自然、准确的表达。比如，“天下第一清廉”陆陇其“清操饮冰，爱民如子”的政治情操，革命者张秋人明知“我的头要砍在杭州了”而临危受命、慷慨赴难的大义凛然，众多施茶会、水龙会、育婴堂、舍材会、路会、义学等民间乡风美德中生发出的无处不在的善行义举，等等，都是我们民族崇高精神、高尚品格、优秀品质、道德情操的生动体现，是我们今天建设社会主义核心价值体系、实现精神富有的思想养料。另如，从东吴政权“亲贤贵士，纳奇录异”中，可以吸取以人才立国的经验；从湖州商帮衰亡中，可以获得今天正确引导民间资本投资领域的启示；从宁波本帮裁缝到红帮裁缝的转变中，可以发掘产业转型升级的经验；龙游商帮“无远弗届，遍地龙游”的精神，为今天浙西南尤其是封闭山区对外开放、转型发展提供了参照；吴昌硕成为艺术领袖的历练之路，为今天文化人才培养提供了借鉴；等等。所有这些都是足可为今天的社会建设、经济建设、文化建设参考借鉴的历史经验。

6. 构建公众视野中的历史世界，我们殷切希望实现的美好愿望和价值旨归

我们殷切地希望，通过一年多来紧张忙碌、全力投入所做的这些与文化强省建设现实需求相结合的系统梳理、存精择优、现实转化、深入浅出等学术研究和大众传播工作，能构建起一座浙江历史文化资源的宝库，从以下这些方面，发挥《读本》的作用，实现让历史走向大众的美好愿望和价值旨归。

一是向社会大众和广大领导干部展示优秀的浙江地域文化传统、光辉的浙江地域文化精神和灿烂的文化创造成就，激发作为浙江人的自豪感，增加责任感。

二是为我省的文化强省建设激活历史信息，提供人文样本，构筑文化底色，丰富文化内涵，为各地开展当代文化建设提供历史资源、内容素材、创意源泉、创作灵感、思想启迪、多彩智慧，实现历史传统从文化资源向当代文化建设资本的成功转换。

三是用浓缩的历史人文精华丰富社会大众的文化知识、充实社会大众的精神世界，提升领导干部和文化从业人员的人文修养，培育开展现实文化建设所需之职业素质。

四是以权威、准确的内容和精致、典雅的形式，供相关部门作对外文化交流。

五是作为供查阅相关史料、事件、人物、数据的案头书，起到浙江历史文化词典的作用。

六是在分册书名、专题名、篇章名以及文内相关篇幅中，精选或化用浙江历代名人格言箴语、诗文名句，以供读者题辞、创作书画作品时参考借鉴。

张伟斌　陈　野

2013年3月

目　录

别一诗国（吴晶）

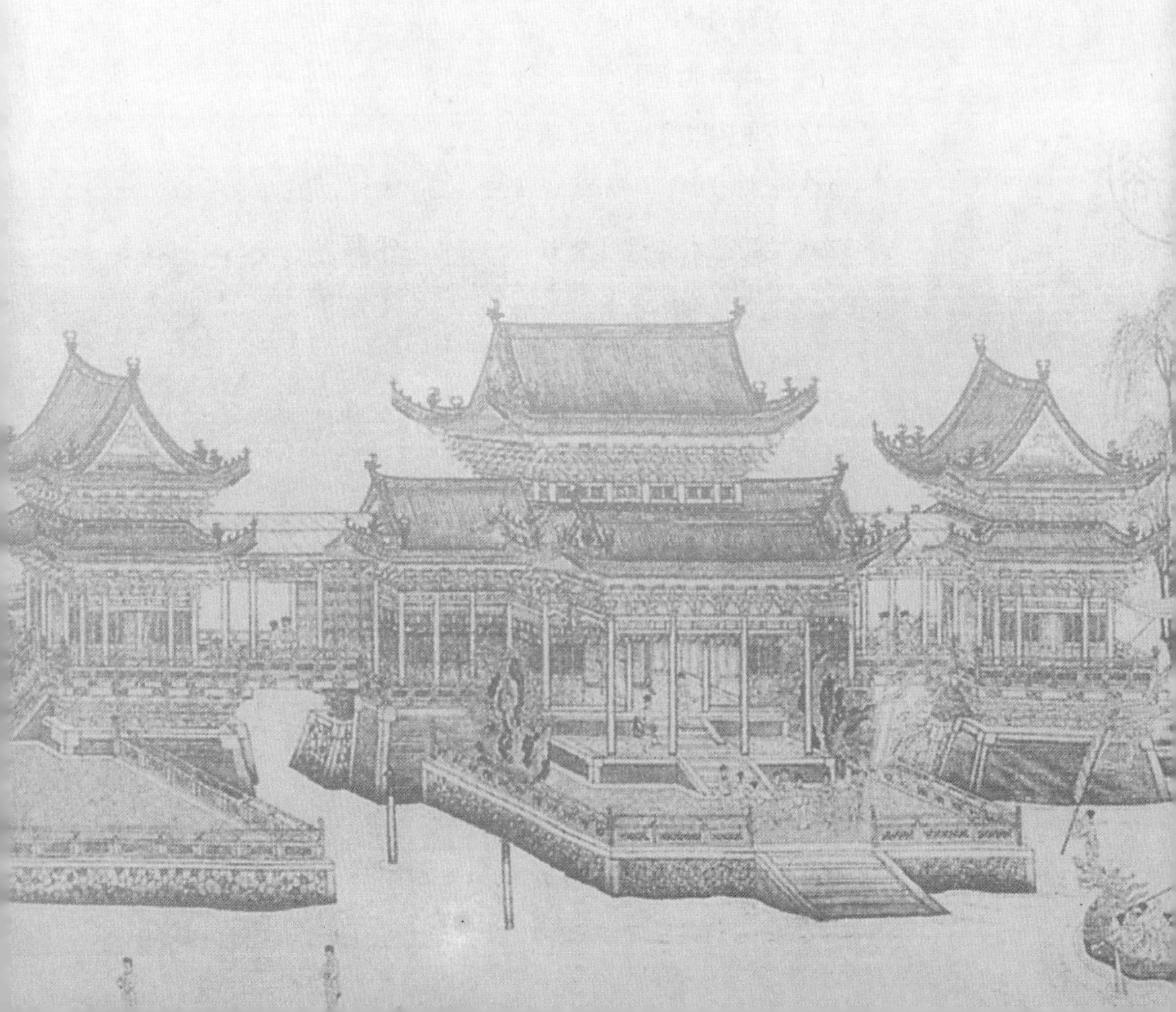

浙为诗巢

诗歌之乡，

诗人之家，

诗意之源。

浙诗是轻灵唯美的，

也是厚重深挚的，

值得细细品味。

引 言

《浙为诗巢》书写了浙江诗歌（古典诗歌部分）的悠远源流、辉煌传统，凸显了自古以来浙地诗之人、诗之篇章、诗之事中最脍炙人口、耐人寻味的诗意瞬间和意象，追索其诗意内涵。

浙地古诗的繁盛时期是春秋末年到秦汉（于越时代）、东晋南朝、中晚唐（包括五代吴越国时代）、南宋、元末明初、明末清初、清末等，因为这也是浙江历史文化的关键发展阶段。

浙江很早就被认为是诗歌之乡、诗人之家、诗意之源。如浙江历史文化发育较早的“越地”（原指春秋时古越国疆域，后指越文化影响区域，以今绍兴一带为中心）向来有“诗巢”之称。而越文化区域之外的钱塘江以北的今杭州大部、嘉兴、湖州等地，历来也是诗章荟萃、诗人辈出、诗意浓郁之地。浙地古诗的内涵极为丰富厚重。本专题撷取的26个篇章，涵括“浙为诗巢”浩如烟海的诗意，只是百里选一，难免挂一漏万，所以不求面面俱到，只望能捕捉到浙诗最有地域特色和时代意义的精华。

这些篇章，有的由人切入，描画了历代浙江著名诗人（包括浙籍诗人，祖籍在别处、出生成长在浙江的诗人，长期客居浙江的诗人，以及曾来到浙江、留下重要诗篇和诗意故事的诗

人）“如诗人生”里的华彩部分；有的以事为主线，叙述了发生在浙江历史上的重要“诗之事”，如与名篇名句有关的掌故逸闻，诗人们的唱和雅集结社等；还有的以物、景为主题，如诞生在浙江的千古诗歌名句，诗人的遗存如故居，以诗为题的书画印作品，诗中的浙江江山胜景如佳山秀水、名楼古塔等。借这些人、事、物与景的诗意意象，勾画出了鲜明的“浙诗”风格特色。

北宋画家李成的山水画《寒林平野图》。南宋浙籍诗人陆游认为李画很有家乡山水意蕴

本专题不但关注那些大众耳熟能详的名字，如谢灵运、骆宾王、贺知章、白居易、孟郊、苏轼、陆游、刘基、徐渭、袁枚、龚自珍、秋瑾等，也给那些同样称得上诗歌史上一流人物、诗歌同样流传深远却因为种种原因人们关注了解不多、名字不够家喻户晓的浙江诗人、诗之事、诗之物象较多篇幅。如被誉为“一代辞宗”、为唐诗繁荣开路的南朝大诗人沈约；中晚唐浙江诗人群和他们笔下写成的“浙东唐诗之路”；写过“国计已推肝胆许，家财不为子孙谋”诗句、毛泽东同志读古诗时圈点最多的唐末五代才子罗隐；有着从末代王子到大诗人传奇身世、五代吴越国末代国王钱弘俶之子、宋初诗坛领袖钱惟演；南宋后期最庞大的诗人群体——江湖诗人群；元代诗坛领袖、一代文豪杨维桢；清初浙江遗民诗人群、才女诗人群等。他们的诗与人生都可演绎无限精彩故事。

此外，还浓墨重彩突出了那些以风骨精神的力量超越艺术评价之上、独具风采

阅读链接：

万斌主编：《浙江文化名人传记丛书》（105 册），浙江人民出版社（部分杭州出版社），2003 年—2008 年间陆续出版。

王嘉良等：《浙江文学史》（浙江文化研究工程成果文库・浙江历史文化专题史系列），杭州出版社，2008 年版。

浙江省社会科学院：《浙江人物简志》，浙江人民出版社，1985 年版。

的浙地诗人和作品，如春秋古越国君臣勾践、文种等人体现“卧薪尝胆”精神的诗；于谦和他的妇孺皆知的《石灰吟》《咏煤炭》等诗。

本专题还格外瞩目了那些在浙江古诗发展史上有里程碑意义的重要“诗之事”。试举较有代表性的两例：其一如山水诗与“诗巢”浙地的奇妙缘分。在中国古诗里居于极重要地位的山水诗就诞生于浙江，其发展更得益于清远深幽的浙地山水颇多。山水诗的鼻祖就是东晋时客居越地的谢灵运。浙地是山水诗巢。

其二如浙地山水诗和书法、绘画、篆刻、音乐等艺术形式的融通共存关系。浙江历来盛产擅长书画、音乐的诗人如林逋等，南宋之后更是多有“诗书画印乐”多种艺术形式兼长的诗人，超越了苏轼说的“诗中有画，画中有诗”的境界。如客居浙地的姜夔，本土文人陆游、赵孟頫、王冕、徐渭等。这也是中国古典文学艺术的最重要特点之一，亦是其趋于成熟的表现。这得力于浙地富于诗意之美的奇秀山水，有书法般的秀美线条清朗轮廓，山水画般的淡雅色彩深沉意境，江南丝竹般的清冽声响和韵律，与浙地孕育的山水诗相得益彰。如北宋诗人林逋写家乡杭州的《西湖》诗说“春水净于僧眼碧，晚山浓似佛头青”，就赞美西湖山水如同山水画卷。还有南宋诗人陆游在《舍北晚眺二首》诗里说家乡山阴（今绍兴）风光是“樊川诗句营丘画”，像晚唐诗人杜牧（樊川）的咏史诗、五代北宋初画家李成（营丘）的山水画，清幽中有乱世的沧桑、苍凉感，体现了深沉的历史忧患感。

浙诗是轻灵唯美的，也是厚重深挚的，值得细细品味。

《候人歌》：越音之始和大禹治水

今浙江一地已被证明是中华文明的起源地之一。浙江历史文化具有独特的发展轨迹。浙江文学也自有悠远传统、鲜明个性。诗歌很早就出现在了浙地，比《诗经》《离骚》更悠远。

浙之越地是中国古诗的重要发源地之一，从上古到春秋时的越地诗歌很丰富。所谓“越风远来”，“越音之始”即现知最早的越诗（也是最早的浙诗）要数上古传说时代贤君大禹的妻子、“越女”涂山氏的《候人歌》，是涂山氏思念“三过家门而不入”的大禹时的心声。身为诗歌背景的舍小家为大家情怀、遭遇困境百折不屈精神则是越（浙江）文化优秀传统的最初根源和最好象征。

《候人歌》是四言诗，只有“候人兮猗”一句，除了“兮猗”这一无意义的象声语气虚词，其实诗的意思只是说“等人呀”，却成为千古名篇。《候人歌》是浙江最早的诗，也是中国南方最早的诗，还是最早的爱情诗，短短四字蕴含折射了上古越地深厚的历史内涵。

据秦汉时的《吕氏春秋》和东汉越地会稽山阴（今绍兴）人赵晔的《吴越春秋》等书，大禹治水经过涂山时，他因忙于事业已成了大龄未婚男青年，怕晚婚影响生育子嗣，加之和当地部落联姻有利治水的想法，便娶了涂山氏女子女娇。涂山在何地说法很多，较有力的一说认为就在今绍兴附近，故女娇是“越女”。

在神话和现实并存的上古历史里，人神同在，文学包括诗歌有丰富而真实的反

映。有传说女娇是只九尾白狐，也有说大禹在涂山遇到代表生育力繁盛和王者之位的九尾白狐，触动心思，以为是良缘兆头。一说当时涂山百姓有《涂山歌》说女娇体态安详美丽，独行无伴，想求佳偶，如果能娶得她，就能宜家宜室、强国强邦。历史上的女娇应是越地以九尾白狐为图腾的部落的女子，大禹选择了她，得以在越地奠定基业。女娇还帮助大禹治水，可见她这“越女”和越地对大禹及浙江上古历史的深刻影响力。

女娇还有另一个重要身份，生育了中国第一个王朝夏王朝的第一个皇帝、真正的“千古一帝”启，被称为夏族始祖神。而且传说中女娇化石后破腹生下启，有强烈的始祖“造人”象征意义，和大禹治水的“创世纪”神话相映成趣。和中原的女娲一样，女娇可谓华夏民族的共同母亲。女娇和很多上古女性一样，身世显赫而生平飘渺，却有幸因为这首寥寥四字的《候人歌》留名诗史，被誉为最早的女诗人和“越诗之母”。《候人歌》的独到处是什么？

据说大禹新婚伊始就决意不“以私害公”，为了“忧民救水”（见东汉会稽文人袁康、吴平所著的越地史书《越绝书》）的治水大业离开妻子，此后还曾多次过家门不入。涂山氏苦等大禹十三年不见，不禁吟唱深情思念，就是《候人歌》。数千年之后来读这首言简意长的诗，坚贞女主角的痴心无悔仍能跃然纸上，而只被侧面描写到的一心为民、不顾小家的男主角形象也呼之欲出。“候人兮猗”和稍晚出现的写爱情的名句如《诗经·秦风·蒹葭》的“所谓伊人，在水一方”、《诗经·周南·关

雎》的“求之不得，寤寐思服。悠哉悠哉，辗转反侧”等诗意相承相通，共同奠定了中国古代爱情诗的典型模式和意蕴：爱情被时空阻隔，却执著不悔。都说中国古代时爱情诗不发达，其实历代都有很多深挚感人的情诗。《候人歌》这一爱情诗之祖对后世情诗如浙诗里的南宋陆游“沈园”系列诗生死不渝的情感表达都有典范意义。

《候人歌》之外，还有一些诗曾被认为是最早的“浙（越）诗”。现都认为我国现存较完整的最早的诗是《弹歌》，见于《吴越春秋·勾践阴谋外传》。《弹歌》是首二言诗，只有“断竹，续竹；飞土，逐肉”八个字，是说用竹子做成弓箭弹丸，去捕捉鸟兽等猎物。一说是远古百姓狩猎劳动的真实写照，有可能发生在越地。

此外，一说舜在越地历山（一说在今余姚）吟唱的《南风歌》是最早的“浙（越）诗”：“南风之熏兮，可以解吾民之愠兮；南风之时兮，可以阜吾民之财兮”。历来有“古有三圣，越占其二”之说，上古三贤君除了尧，舜和禹都和越地有渊源。《南风歌》是借江南气候如南风的温暖和煦、及时应季体现了舜愿为民解忧与愿百姓富足安居的民本思想、博大胸怀。

不过，《弹歌》表达比较朴素，《南风歌》内容较严肃，都不及《候人歌》容易感染人。《候人歌》的过人之处更在于：即使作者抛开王后的外在身份，诗歌卸载掉大禹治水的历史背景，只是写一个越女对恋人的单纯思念；即使形式简单得如同一首用原始乐器率性奏出的无字歌，低低吟唱着近乎简陋的调子，也能奇异地拥有直击心灵的丰沛力量，比后世很多庄严宏大或华美复杂的诗更能让人深切感受到越人性情的天真执著、越地风俗的朴实淳厚。这就是诗的回归本色，就像发源于越地山间的小溪、清泉，隔着数千年的历史尘埃仍流淌闪耀着质朴清澈的真情深致。“大音希声”的原生态朴拙美、“清水出芙蓉”的天然去雕饰美，自然、举重若轻的表现手法，都是《候人歌》被认为是“浙（越）诗”开山之作、女娇被推崇为“浙（越）

诗之母”的重要原因。后世浙诗里还有很多在百姓中口口相传、在民间流传千古的好诗，如骆宾王的《鹅》、贺知章的《回乡偶书》、孟郊的《游子吟》等，都是对“越音之始”《候人歌》的遥远回响、致敬。

智言慧思

惟有门前镜湖水，春风不改旧时波。

——（唐）贺知章《回乡偶书》二首其二

谁言寸草心，报得三春晖？

——（唐）孟郊《游子吟》

阅读链接：

陈稺常：《中国上古史演义》，上海社会科学出版社，2006年版。

姜亮夫等：《先秦诗鉴赏辞典》，上海辞书出版社，1999年版。

徐旭生：《中国古史的传说时代》，文物出版社，1985年版。

《越群臣祝》：卧薪尝胆的前奏

女娇在越地的吟唱远去许久后，她和大禹的子孙又在越地谱下新的诗章。

公元前两千年的春秋末年，大禹的子孙无余在越地建越国，到公元前 222 年秦国以越国故地建会稽郡为止，越地处于于越时代。此间越王勾践时期是于越时代的全盛期，也是浙诗（越诗）的首个高潮，以越国灭吴复国兴盛为主题留下很多诗歌佳篇。

古春秋越国大夫文种墓（在今绍兴）

《越绝书》中写到勾践会见孔子，虽只是想象之词，不过勾践“卧薪尝胆”的春秋末年的确就是孔子整理《诗经》的时代。只可惜越地山水险峻、交通不便，勾践时的越诗盛况没被收入中原的《诗经》成为其中的“越风”，但这并不能影响它的流长扬远。越国君臣的《越群臣祝》等“越诗”可谓越国人民实行“卧薪尝胆”国策的真实心声和群像写照，可从中形象理解越人“置之死地而后生”、坚韧不屈不弃不悔的

精神，见证是越国全民而非勾践一人“卧薪尝胆”才是越国复兴的根本原因。

公元前 492 年即勾践五年五月的一天，古钱塘江（古浙江下游）畔的越国边城固陵城下（一说在今杭州萧山境内，古属越地），正如《吴越春秋·勾践入臣外传》里记载的，与吴国交战战败后即将被灭国的越国君臣正在此演出“临水祖道”的历史性一幕。

北方的燕国君臣曾在易水边上以“祖道”（借祭路神的形式饯行）之名送别刺客荆轲，留下了“风萧萧兮易水寒，壮士一去兮不复返”的悲壮传奇诗意，宛如一出武侠剧。而越国君臣的临古钱塘江“祖道”更像历史正剧，少了冲动激情，多了一份隐忍、理性，越国日后“卧薪尝胆”的大智大勇复国国策已见端倪。来看“临水祖道”的两位主角文种和勾践。勾践（前 497—前 465 在位）和大禹都姓姒，先祖无余就是大禹后代、夏后帝少康的庶子，被封在会稽，就为了奉守禹的祭祀。文种（？—前 472）是楚国人，勾践的重臣。

公元前 494 年的吴越一战，越国大败，只剩数千将士、百里疆土。以“拼死”著称的越人意外地选择了求和。此时，将要到吴国为人质、奴隶的越王勾践心情异常复杂。来送行和将随行的越国官员在大夫文种带领下，进行“祖道”仪式，为将行者祈求平安。文种率先吟唱了《越群臣祝》（《固陵祝词》），是祝福、是宽慰、更是希冀：“皇天祐助，前沉后扬。祸为德根，忧为福堂。威人者灭，服从者昌。王虽牵致，其

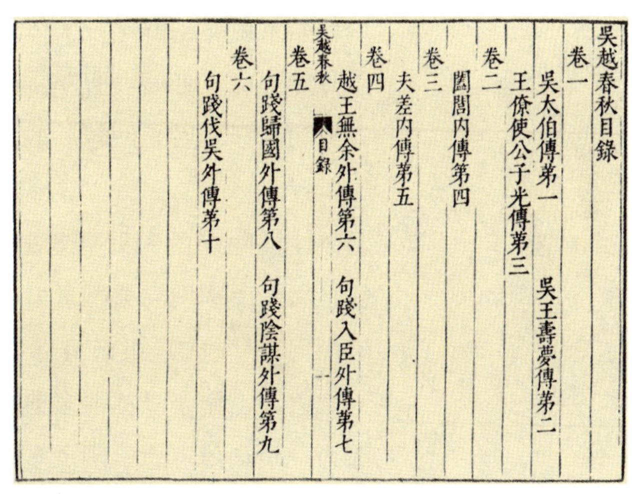

吴越春秋目録

卷一

吴太伯傳第一　吴王壽夢傳第二

王僚使公子光傳第三

卷二

闔閭内傳第四

卷三

夫差内傳第五

卷四

越王無余外傳第六　句踐入臣外傳第七

吴越春秋　目録

卷五

句踐歸國外傳第八　句踐陰謀外傳第九

卷六

句踐伐吴外傳第十

《吴越春秋》书影

后无殃。”说上苍保佑帮助我们的君王和祖国故土吧，他们以往虽有失败日后一定事事成功。祸福向来相倚，希望眼前的灾祸、忧患会转化为孕育德行、滋生福气的土壤。只要顺应历史变迁，加上努力，越国国运就会顺遂昌盛。欺凌别人的人如吴王最终会自取灭亡，顺应时变的人可得平安福气，越王此时虽被俘获，以后不会再遇灾殃了。

文种对越国国运“前沉后扬”“忧为福堂”“服从者昌”“其后无殃”的思考、规划、展望，深刻显示了越地文化貌似平和柔弱实则坚韧强悍、敢于抗争也善于理性顺应时变的特点，正如越地山间看似“山重水尽”却又“柳暗花明”、宛转曲折却涓涓不绝的小溪，钱塘江边看似弱小却自由高飞、辛勤觅食、自在生息的水鸟，还有越地小溪、江流中到处可见的一叶小舟，看似随波逐流、辛苦奔波实则有目标有方向，常遭遇风险却能“沉舟侧畔千帆过”，都体现了圆转自如、明智自在的处世之道和历史智慧，和“卧薪尝胆”一脉相承。这是越文化世代传承的精神，也是越诗（浙诗）的重要内涵。

如果说《越群臣祝》体现了以谋士文种为代表的越国群臣已开始形成“卧薪尝胆”国策的思路，那么越王勾践此时冒险入吴的抉择和后来回越后的作为则是“卧薪尝胆”精神最形象的阐释。

性情隐忍的勾践凭着强烈的家国责任感、越人的刚勇血气，义无反顾地向吴国进发了。眼前是莫测前途，身后是“国破山河在”，如果可亲身体悟勾践的孤寂、疑惧，可知他确是大勇之人。无奈以往很多典籍都受《史记》的影响，将勾践塑造为一个刻薄寡恩、阴沉多疑的人。这当然也有根据，如他后来“兔死狗烹”杀了功臣文种。不过，虽然经历过艰难的生存境地，如冒险忍辱入吴、苟且偷生，也许给勾践性格染上阴暗面，他仍不失为一代英主，尤其他能在当时自然条件比吴地恶劣、离中原更遥远的越地崛起并成为东南霸主（勾践曾名列春秋五霸），是和大禹治水一样了不起的功绩。

入吴为奴，是勾践一生最狼狈潦倒的时刻，也是越国起死回生、吴越两国盛衰转折的重要分水岭。勾践面对严峻的生死考验、更严酷的人格侮辱，为了复国没有选择一死而是毅然忍寻常人之不能忍，此后更是长期“卧薪尝胆”，真可谓有能审时度势、懂得舍小取大的大智慧，他的“置之死地而后生”也是有大勇气。日后越国的转败为胜、起死转霸就在《越群臣祝》诗中埋下精彩伏笔。

和盛名之下的《史记》相比，越地自己的史书《吴越春秋》《越绝书》描画了勾践等浙地历史人物不平面、不单薄的形象，

写了一段看似平实然则传奇的越国历史。记录于《吴越春秋》里的《越群臣祝》诗，反映了当时纷繁复杂的史实，传达了越国君臣的真实心声，无愧于清代诗人沈德潜在《古诗源》里评论的“前沉后扬，吴越初终，尽此四字”，认为文种诗中慨叹的“前沉后扬”是越国乃至吴越两国命运准确的诗意预言和历史概括。当然，也是越国上下合力“卧薪尝胆”的结果。

阅读链接：

（东汉）赵晔著，张觉译注：《吴越春秋全译》（历代名著全译丛书），贵州人民出版社，1993 年版。

（东汉）袁康、吴平辑录，俞纪东译注：《越绝书全译》（同上），贵州人民出版社，1996 年版。

（西汉）司马迁著，吴树平、李零译：《文白对照全译史记》，新世界出版社，2009 年版。

《兰亭》诗：山水雅集、清音秀发

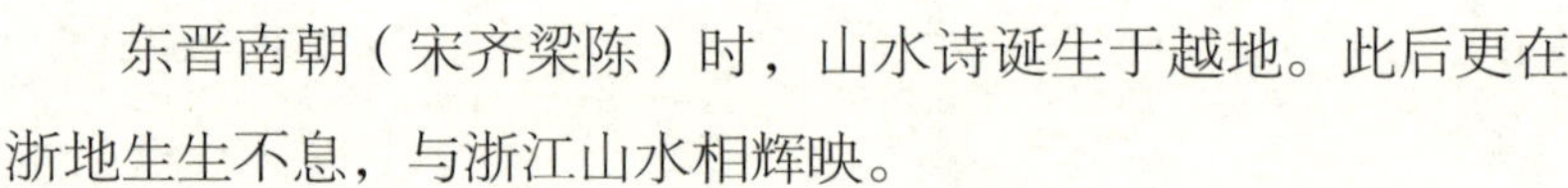

东晋南朝（宋齐梁陈）时，山水诗诞生于越地。此后更在浙地生生不息，与浙江山水相辉映。

越国灭吴后，一说不久就迁都北上了，一说后被楚所灭。越地重归沉寂，到秦朝在此建会稽郡，浙诗迎来了第二个高峰。

会稽郡郡名来自越地中心会稽山（今属绍兴），意为“会计”，与大禹在此地会诸侯、计功绩有关。会稽郡辖境历代多变化，在东晋南朝时辖山阴、始宁、剡等十县，相当于今绍兴和宁波大部、杭州萧山一带，也就是原越国和后来的越文化中心区域。

此外，三国时吴国国君、祖籍吴郡富春（今富阳）的孙权之孙孙皓曾分置吴兴郡，即今苏南和浙北的环太湖流域，治所在乌程（今属湖州）。东晋南朝时，吴兴郡辖乌程、武康等十县，即今湖州、杭州一带，和会稽郡隔钱塘江相对，大致对应唐以后浙地两大文化区：“浙西”和“浙东”（和今浙江东、西部概念不同）。

东晋南朝时，会稽、吴兴两地已成为文华胜地。会稽郡因南迁的北方士族文人多住此，又有古越国的基础，诗歌较早勃兴；吴兴郡继而也借由本土文化的成熟孕育出众多诗人诗作。

两地竞相风流。

“从山阴道上行，山川自相映发，使人应接不暇”，这是东晋著名士族王氏家族子弟、王羲之之子王献之面对越地山水发的赞叹（《世说新语·言语》）。当时南迁文人多有游历或定居越地的，此处的秀异山水助益了他们的玄学思想、山水情怀，更催生了古典诗歌的重要形式和经典——山水诗。最早的山水诗会、王羲之发起的兰亭雅集，由此萌发的山水诗以及山水诗鼻祖谢灵运是此时诗中焦点。越地山水的秀美、充满灵性，和南迁世家名士的历史性相遇，成就了山水诗诞生在越地的传奇。于是东晋南朝成为浙诗的又一高潮期。除客居越地的王、谢家族诗人之外，以沈约为首的吴兴本土诗人群的崛起，更使浙江成为真正的山水诗渊薮。

东晋南朝时，今浙地民风从崇武向崇文转变。今天人们印象中的东晋南朝，是文弱的，其实，东晋南朝也象征乱世对文化的信念与坚守，和浙地人文精神传统的顽强坚韧契合无间。而且，东晋南朝的关键词、典型诗意瞬间和意象如“江南”“王谢家族”“兰亭雅集（王羲之等）”“雪夜访戴（王徽之字子猷和戴逵字安道）”“山阴道（王献之）”“咏絮才（谢道韫）”“沈腰（沈约）”“池塘春草（谢灵运）”“暮春三月，江南草长（丘迟）”“玉树后庭花（陈后主陈叔宝）”等，都和今浙江有关。

王羲之像

且看诗意“兰亭”。作为山水诗萌芽最重要标志、象征的就是在东晋越地发生了最早的山水诗会——兰亭雅集。王羲之是雅集核心人物，他除了著名的文《兰亭集序》，还有《兰亭》诗，都借山水寄寓了对世间万物、历史人生的理解和深思。

北方南迁士族文人的代表人物王羲之（303？—361？）、谢安（320—385）等都曾漫游或隐居越地，

兰亭、鹅池（在今绍兴）
都有王羲之的诗迹墨痕

爱其风土，乐而忘返。充满诗情画意的越地山水，孕育了东晋南朝最精华的艺术和诗意审美精神，如王羲之的书法、谢灵运的诗。王羲之虽不以诗出名,但他的《兰亭》诗是较早的山水诗，值得品味。

当代美学家宗白华在《艺境》中说“晋人向外发现了自然，向内发现了自己的深情”，的确，东晋文人和他们喜爱游赏的山水达到了物我交融，如参与兰亭雅集的诗人孙绰就批评他人说:“此子神情都不关山水，而能作文？”（《世说新语·赏誉篇》）山水在东晋时成了文人寄托深情和沉思、承载诗意与才情的绝好载体。代表江南山水精华的越地山水更当仁不让，兰亭雅集

于是应运而生。多位东晋一代才人都在此将政治失意、人生无常的感慨寄予山水，成就千古诗意。

东晋永和九年（353）三月三日上巳节，王羲之、谢安、孙绰、许询、名僧支遁及王的儿子王献之、王徽之等 42 位名士在会稽山水胜地兰亭（今绍兴城外兰渚山下）集会。这次雅集本是游春祈福，后成为饮酒赋诗的盛会，充分体现了魏晋名士的文人雅趣和潇洒风度。诗人们不只是“一觞一咏”式的边饮酒边作诗，还举行风雅的“曲水流觞”，即在漆木酒杯“羽觞”里盛上酒，放入九曲水道任其漂流，酒杯停下时，对应位置的人就要作诗，不然就罚酒。那一日，11 人如王羲之、谢安都成诗两首，15 人成诗一首，16 人如王献之罚了酒。

兰亭雅集作为文人山水诗会原型，对后世文人雅集有典范意义，也显现了喜好自然、追求自由、善于深思、关怀现世的浙地人文精神的逐渐确定。

雅集后，召集人王羲之将各人的《兰亭》诗编为一册，作《兰亭集序》记叙山水之美、聚会之乐，并表达了美景快事易逝，却能达观万物、看淡得失的情怀。恰与他的《兰亭》诗相通。如王羲之《兰亭》诗中的“仰望碧天际，俯瞰绿水滨。寥朗无厓观，寓目理自陈”，就是《兰亭集序》的“仰观宇宙之大，俯察品类之盛。所以游目骋怀，足以极视听之娱，信可乐也”之意，即自由地欣赏观照，在空阔明朗、无边无际的世间万象中，放开心胸，得到精神愉悦，领悟哲理。这也就是山水诗萌发的原因。“兰亭诗”开启了诗人畅游山水间，与清幽山水之境心有灵犀，遣愁开怀、豁然有得的先声。后世，浙地与山水诗更有不绝的微妙缘分。

阅读链接：

李泽厚：《美的历程》，北京文物出版社，1981 年版。

叶嘉莹：《汉魏六朝诗讲录》，河北教育出版社，2000 年版。

徐斌：《旷古书圣——王羲之传》，浙江人民出版社，2007 年版。

山水诗鼻祖谢灵运：越地客儿

谢灵运像

南朝诗人谢灵运（385—433）小名“客儿”，因为他从小被寄养在吴越间的钱塘（今杭州）。其实，这“客儿”之名恰可借来作为东晋南朝南迁文人群体客居江南包括浙地的贴切身世象征。

谢氏家族曾长期定居会稽、始宁（今上虞、嵊州间）等地，虽然他们还自称或被称为“陈郡（今河南太康县）谢氏”。尤其谢氏家长、灵魂人物谢安在会稽东山隐居不出仕，后谢家子弟谢灵运又在越地山水中找到安顿躁动心灵的所在，都可证明浙地是谢氏的精神家园。

谢氏这一文采华丽的家族在越地滋养了诗的家学渊源、家族诗人群、家族内部唱和传统，和兰亭雅集相呼应。谢安曾和家族里的“芝兰玉树”即出色子侄辈包括侄女、著名女诗人谢道韫谈论《诗经》，很有孔子和弟子论道意味，这是浙江诗之家学的较早记载。谢家常有家庭诗会。据《世说新语》，谢家

人皆能诗。一日大雪，谢安聚众联诗，他先咏雪说：“白雪纷纷何所似？”侄儿谢朗说“撒盐空中差可拟”，将雪比作盐；谢道韫则说“未若柳絮因风起”，说雪更像春风里的漫天柳絮，谢安评定她的诗最佳，传为一时美谈。到谢安的曾侄孙、王羲之的曾外孙、谢道韫的侄孙谢灵运成为山水诗鼻祖，谢家诗风更是名扬天下。

好游山水的谢灵运一生在浙地山水中留下无数他发明的、适于登山涉水的“谢公屐”的痕迹，也留下很多传诵千古的山水诗篇，尤其在他的第二故乡会稽始宁和他出任太守的瓯越永嘉（今温州）。

谢灵运笔下的山水惟妙惟肖且栩栩如生，更是情韵深长，境界高远。如他写温州江心屿《登江心孤屿》的诗“乱流趋正绝，孤屿媚中川。云日相辉映，空水共澄鲜”，准确概括了温州江城风景的奇中见秀、云水氤氲、山川清澈明丽；还有他在温州住所写的《晚出西射堂》诗“连嶂叠巘崿，青翠杳深沉。晓霜枫叶丹，夕曛岚气阴”，细致入微描画了秋日黄昏暮色里远山连绵重叠的阴影、深浓苍翠的色彩，被霜催红的叶子，山岚的明灭变化，微茫苍凉的光影色调令人宛如身临其境；写温州南亭的《游南亭》诗里的“密林含馀清，远峰隐半规”也着眼黄昏茂密的树林、远处的山峰，写它们沐浴暮色余晖的光影，掩映着半圆落日的线条；再如他离开温州后写的《初去郡》诗里的“野旷沙岸净，天高秋月明”，写了秋日旷野水畔、高空明月构成的线条光色的明净之美。谢灵运的诗，描摹景物形状、色彩、光影的精微确切、成熟完美，意味深长，令人遐思，已可与唐代诗人王维、李白、孟浩然的山水名句“大漠孤烟直，长河落日圆”“山随平野尽，江入大荒流”“野旷天低树，江清月近人”等媲美了。

谢灵运笔下的山水还能情景、物我相融通，令人感同身受。比如他写温州池上楼的名句“池塘生春草，园柳变鸣禽”（《登池上楼》），一个“生”字、一个“变”字，看似平淡无奇，实则字中句里草长莺飞、鲜活流动，将江南春天悄然来临、山

水景物细微变化带来的惊喜和因时光无情流逝产生的惆怅交织一起，使这两句据说是梦中所得的诗格外耐读，轻易就能深入人心、引人感慨。与其说这妙手偶得、灵光乍现的诗是神来之笔，不如说是得瓯越灵秀山水之助。再如他写始宁家园的《过始宁墅》诗里说“白云抱幽石，绿筱媚清涟”，《初往新安至桐庐口》诗里说“江山共开旷，云日相照媚”，和“孤屿媚中川”都用“媚”字，加上“云日相辉映，空水共澄鲜”，生动体现了山水景物交相辉映、山水和诗人心灵的对话，就是东晋人说的到了山水间就“觉鸟兽禽鱼，自来亲人”（《世说新语·言语》）的体会。谢灵运的山水诗继承了王羲之的深情厚致，完善了情景交融、物我合一，奠定了唐宋山水诗词的基本面目。后代诗人词家写山水，无不承谢灵运衣钵，如南宋辛弃疾词中说的“我见青山多妩媚，料青山、见我应如是”，就和谢灵运心意相通。

正因如此，当时谢的诗在越地一写成，马上就会传到京城（今江苏南京）。天下人争相传抄传唱，比现在的流行歌曲还要火爆。谢灵运门第高、天分高，得享盛名，算是天之骄子。可惜他不愿只做个诗人，功名心也强，但个性恃才傲物，以致仕途不顺，却又不耐寂寞挫折，最后不免悲剧。谢灵运信佛，他坚信自己的前身是曹植，曾说天下才华一石，曹植独占八斗，自己占一斗，古今诗人共分剩下的一斗；而后人又说他的后身是李白。曹、谢、李三人都是性格率真、文学才华出众却偏以政治人物自我期许、以政治才能自负，他们都因卷入政治斗争受累，不是偶然的。据说毛泽东同志读谢灵运《登池上楼》诗

后在批注中一针见血地指出谢一生的不足就是他诗中说的“进德智所拙，退耕力不任”，即想做大官才能不宜、隐居又不情愿，所以进退失据。谢的山水诗和越地前贤的兰亭诗一样，都是政治失意者的隐逸之思。有曾取得淝水之战传奇大捷、奠定东晋江山的宰相谢安和将帅谢石等家族先辈，谢灵运自有复兴家族的强烈愿望，但他最终只能借山水诗慰藉因改朝换代（由晋入宋）带来的地位下降、仕途不顺的种种失落。谢灵运留在历史中令人熟悉的身影，仍只是一个诗人。

谢灵运留下的诗，山水诗占半数之上，大都写于今浙江，涉笔越地风光的尤多。他虽只是越地“客儿”，却与此间山水有着宛如前生今世的难解之缘。南朝诗人鲍照赞美谢诗“如初发芙蓉，自然可爱”，大概就是因为谢诗与浙地清丽山水心灵契合的缘故。

谢灵运其人其诗成为后世山水诗中的不朽经典和值得追寻的传奇。在唐诗中，谢和谢诗的意象就常常出现。如谢灵运在《登石门最高顶》诗里说“共登青云梯”，李白就慕名来到越地，“脚著谢公屐，身登青云梯”（《梦游天姥吟留别》），亦步亦趋地体验了山水之险。而在李白之后来到浙地、发展了山水诗的白居易在《读谢灵运诗》里说“谢公才廓落，与世不相遇。壮士郁不用，须有所泄处。泄为山水诗，逸韵谐奇趣……”，说谢才情豁达、宽宏，却在当世不得赏识、机遇，这位志向豪壮的名士心中苦闷郁结，才气和忧愁要有发泄的去处，于是，在越地山水中，化为山水诗，有高逸的风韵和奇崛的趣味。真可谓谢的异代知己。唐朝诗人多是山水诗高手，很多人来过今浙江。在越地山水中集体追忆谢灵运其人其诗，是唐诗中的一道独特风景。

阅读链接：

宋红：《天地一客——谢灵运传》，浙江人民出版社，2005 年版。

萧华荣：《华丽家族：两晋南朝陈郡谢氏传奇》，三联书店出版社，1994 年版。

赵昌平：《谢灵运与山水诗起源》，《中国社会科学》，1990 年第四期。

吴兴沈约：诗如江南春草

谢灵运之后的南朝诗坛上，除了他的族侄、和他合称“大小谢”的谢朓，要数吴兴武康（今湖州德清）诗人沈约（441—513）最耀目了。沈约是齐梁文坛领袖，和谢朓等创立了讲求诗歌声韵格律的“永明（齐武帝萧赜年号）体”诗歌，被誉为“一代辞宗”，在后世更被视为格律诗的开创者。沈约其人其诗的象征意义还不止于此，他和吴兴沈氏家族的崛起，还标志着浙地本土文化孕育的诗人、文化望族登上历史舞台，和南迁世家及其子弟谢朓双峰对峙，大有深意，令人遐想神往。

南朝时的今浙江一地，越地除了王谢家族，还有会稽孔氏、虞氏等士族，而越地之外的世家最出名的就是吴兴沈氏。沈约之后，沈氏历代人才辈出，文学名家就有唐代的传奇小说家沈既济、诗人沈亚之和现代诗人沈尹默等，唐诗人沈佺期、清诗人沈德潜、现代小说家沈雁冰（茅盾）的祖籍也是吴兴。吴兴沈氏、吴兴文坛、浙西一域的文学之盛都倚赖沈约的开辟之功。

沈约的成就主要是造就了一种比谢灵运精细雕琢、华美高远的诗风更清新淡雅、自然圆熟的南朝诗风，更接近后世的山水诗风和浙地诗风。

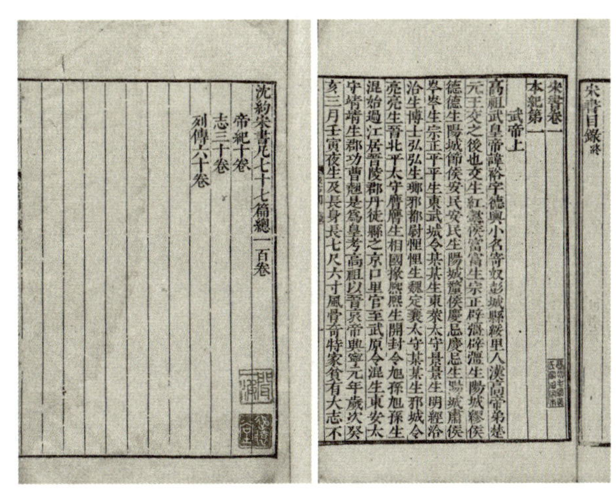

沈约《宋书》书影

沈约不但诗才横溢，还学问渊博、见识高远。他是史学家，曾在《宋书·谢灵运传论》提出对南朝诗歌的见解，体现了强烈的承前启后、开宗立派意识，所以能成为一代诗坛领袖。此外沈约和王羲之、谢灵运等东晋南朝文人一样精研佛经，他由研究梵文写了《四声谱》，将汉字分为平上去入四声，由此开创的讲求诗歌声韵格律规矩和大忌的“四声八病说”对诗歌发展产生了极重要影响。可以说没沈约，就没后来美妙绝伦的律诗。沈约还提倡乐府诗，主张将南朝江南民歌的清新优美、通俗近情引入文人诗创造，提出“三易（平易通俗）说”，即不用深奥典故、化用典故不生硬，不用难字，追求音律美、琅琅上口，继承并开拓谢灵运的“池塘生春草，园柳变鸣禽”传统，主张一种内容和形式都和江南春草萌生、万物苏醒一样清丽自然的诗风。如他的山水诗“山嶂远重叠，竹树近蒙笼。开襟濯寒水，解带临清风”（《游沈道士馆》），写了江南有山有水有树有竹的清幽风景，隐士沉醉山水的清雅情怀、潇洒风神，上承王、谢山水诗风，对唐诗影响更深。

再看沈约文友谢朓。谢朓一生多不在越地，但仍是谢氏子弟。沈、谢同为齐代

阅读链接：

唐燮军：《六朝吴兴沈氏及其宗族文化探究》，中国社会科学出版社，2007 年版。

林家骊：《一代辞宗——沈约传》，浙江人民出版社，2006 年版。

梅毅：《华丽血时代：两晋南北朝的另类历史》，华艺出版社，2008 年版。

竟陵王萧子良身边的“竟陵八友”，诗风相似，谢朓主张“好诗圆美流转如弹丸”，说好诗应该如“大珠小珠落玉盘”，追求意韵灵动、音律和谐，和沈约“三易说”相近。他的山水名句如“余霞散成绮，澄江静如练”说晚霞如绚丽多彩的绮罗、清澈宁静的江水像一匹白绸，概括了江南山水兼得艳丽和清雅之美；“天际识归舟，云中辨江树”借思念者认出天际遥远的归舟、归乡者认出家乡大树的描写，传达了江南是游子家乡的温馨情韵；而“鱼戏新荷动，鸟散余花落”写小荷尖尖角下的“鱼戏莲叶间”、小鸟啄食落花，尽现江南风物的灵秀。小谢的诗和“大谢”谢灵运的诗比，更生动流畅、明丽工整，和沈约的诗一样，是比“池塘生春草”的乍暖还寒、含蓄生涩更和煦融暖、浓郁酣畅的江南春色，影响了后来浙江诗人贺知章等人的山水、思乡诗。谢朓诗的声律对仗、写景状物，有全篇像唐诗的。难怪他受到李白和杜甫的推崇，杜甫说“谢朓每诗篇堪诵”，李白说“解道澄江静如练，令人长忆谢玄晖（谢朓字）”、“蓬莱文章建安骨，中间小谢又清发”、“一生低首谢宣城（谢朓曾任宣城太守）”。

南朝因政权更迭频繁，很多文人都经历多个朝代，命运坎坷。谢朓和谢灵运经历相似，后被诬，死于狱中。沈约虽得善终，一生也多起伏。梁武帝萧衍在拥戴他为帝的功臣沈约去世后，改其谥号“文”为“隐”，否定了这位昔日友人的才德。沈约、谢朓的悲剧是继谢灵运之后浙地文人不智不巧、卷入政治旋涡的典型事例，此后还有骆宾王等人遭遇相似。对照王羲之、贺

知章等人的明智全身，值得深思。

南朝文人多不幸，却创造了美好诗章，可谓苦难里开出的花。

南朝吴兴名士还有丘迟、吴均，丘迟是乌程（今湖州）人，吴均是故鄣（今安吉）人。丘迟善诗，可惜传世不多。吴均不以诗著称，却多有诗传世，如“夕鱼汀下戏，暮羽檐中息。白云时去来，青峰复负侧”写黄昏时鱼儿在池中嬉戏，鸟儿在屋檐下憩息，白云来往、青山不动，“轻云纫远岫，细雨沐山衣”写轻盈白云宛如绣在远处山峰上，细雨像给山峰加了一层衣裳。写江南风景，无不细腻生动亲切，人在景中、物我合一，诗风清雅而通俗，且有地域特色。再如“折荷缝作盖，落羽纺成丝”“山际见来烟，竹中窥落日。鸟向檐上飞，云从窗里出”也很有乐府风味，都体现了南朝诗的雅俗共赏、“圆美流转”。

东晋南朝吴兴沈约、丘迟、吴均，和会稽谢灵运、谢朓，都是江南诗意的重要书写、奠定者。再如丘迟笔下曾有“暮春三月，江南草长，杂花生树，群莺乱飞”（《与陈伯之书》）的江南诗意情韵，引得铁血将军陈伯之思乡情切，投诚南归，成就一段历史佳话；吴均渲染了“绝壁干天，孤峰入汉。绿嶂百重，青川万转”“风烟俱净，天山共色，从流飘荡，任意东西”（《与朱元思书》）的浙西富春江山水之美，使浙江山水、诗意更增添了宛如春天的明亮碧绿底色。这两封信虽不是诗，但近似韵文，且饱含诗意。

后世很多浙江诗人或写浙地的诗都从南朝诗人宛如江南春意般的诗篇里得到灵感或撷取借鉴了其意象。如贺知章《咏柳》诗的“二月春风似剪刀”、《回乡偶书》的“春风不改旧时波”，白居易的《忆江南》词里的“春来江水绿如蓝”、《钱塘湖春行》诗里的“几处早莺争暖树，谁家新燕啄春泥？乱花渐欲迷人眼，浅草才能没马蹄”，南朝诗意一直活泼泼地流转于其中。

初唐之杰骆宾王：任我向天歌

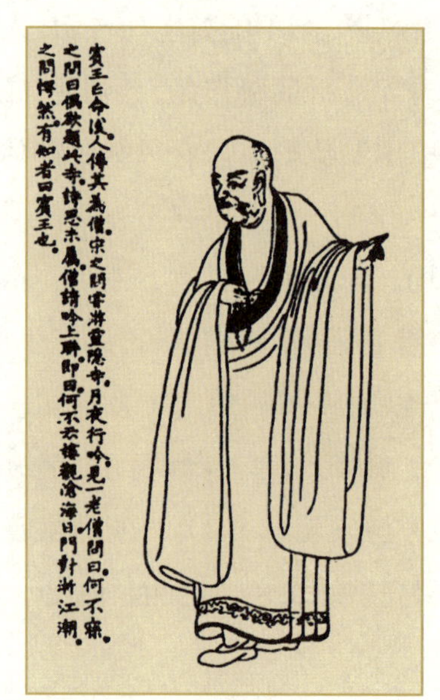

骆宾王老僧像，记述了“门对浙江潮”的诗意传说

前人常把唐代分成“三唐”（初唐、盛唐、晚唐）或“四唐”（初唐、盛唐、中唐、晚唐）。初唐就是唐高祖李渊立国到唐玄宗李隆基登基间的约一百年，期间皇帝换了不少，还出过中国历史上唯一的女皇帝。初唐社会文化风尚和后来进入开元盛世所展现的雍容舒展、丰满安详的风貌相比，像个激进急躁、天真未去的孩子，充满各种可能性。因此，此时的骆宾王、王勃、杨炯、卢照邻这四位被合称为初唐四杰的诗人率真性情、桀骜形象正可代表初唐，而四杰中唯一的浙人、越地才子、婺州义乌（今义乌）诗人骆宾王少时所作《咏鹅》诗的“曲项向天歌”也可作为初唐诗歌和时代风气的象征。

初唐出过很多奇人名士型诗人，如“金龟换酒”的贺知章、

“千金散尽”的陈子昂等。四杰的个性、身世也都很传奇，他们都早慧，性情高傲任性、执拗不谐俗。性格决定命运，所以恃才傲物的他们境遇多坎坷潦倒。现代诗人闻一多在《唐诗杂论》书里以“同情之理解”说四杰是“年少而才高，官小而名大，行为都相当浪漫，遭遇尤其悲惨”。四杰中，除了杨炯做过县令，王勃27岁淹死，卢照邻因恶疾缠身而自杀，骆宾王卷入政治斗争下落不明。不过，四杰都留下了传奇传说，尤以骆宾王故事最多。

骆宾王，生卒年不详，一说生于高祖武德二年（619）即唐立国第二年，几乎和唐王朝共诞生。他的名“宾王”和字“观光”都出自《易》，寓意为国为民，祖辈父辈的期待影响了他的一生追求。骆宾王小时就有神童之名，他的《咏鹅》诗看似幼稚朴拙，实大有内涵。古代很多名人都有小时题咏物诗彰显一生志向的传说：北宋名臣王禹偁幼时对对子“蜘蛛虽巧不如蚕”表达了对朴实人生的肯定，后一生端方；明代杭州籍名臣于谦少时有《石灰吟》《咏煤炭》诗，表达了清白做人、为理想不惜粉身碎骨的志向，后以生命证明了诗意。这些故事有唯心虚构的成分，不过“诗言志”，确可由诗人所咏之物窥见其内心一二。《咏鹅》就让人联想起少年人引吭“向天高歌”、唱出心中理想的形象。

《咏鹅》还让人联想到初唐较早时另一位越地诗人、太宗朝名臣、余姚世家虞氏虞世南《咏蝉》诗的“居高声自远，非是藉秋风”，借高树上的蝉表达了清高保守之姿，和骆笔下这只在越地乡野小溪中自由游憩、充满斗志的鹅，形象体现了初唐社会两大文人阶层的对峙：努力保持士族传统和日渐没落社会地位的世家子弟，借科举、从军等手段奋力进入统治阶层的中下层庶族文人。

初唐是时势造英雄的时代，比起东晋南朝寒族文人不能在社会中取得上升，四杰们已很幸运，但阻力仍有。如骆宾王仕途不顺，几次都只得小官，又被罢。他曾被贬为临海（今属台州）丞。不过挫折后，骆的耿介性格仍没变，他曾写信谢绝大

阅读链接：

（北宋）欧阳修、宋祁：《新唐书》，中华书局，2003 年版。

闻一多：《唐诗杂论·四杰》，上海古籍出版社，1998 年版。

萧涤非等：《唐诗鉴赏辞典》，上海辞书出版社，2004 年版。

将军的推荐，说自己天性质直刚强，不能对权贵谄媚。四杰虽有士族文人缺乏的求取功名和实现理想的热情，但在操守上，骆宾王和虞世南一样坚守耿介不屈的人格，不像同时代宋之问等依附武则天的文人。

四杰多出身社会中下层，又喜欢漫游天下，多曾从军、入幕府。如骆宾王就曾为游侠儿，亲历西域，开边塞诗先声，有《从军行》诗说“不求生入塞，唯当死报君”，还有《送郑少府入辽共赋侠客远从戎》说“不学燕丹客，空歌易水寒”，都体现了血勇侠性。四杰将从南朝文人诗、宫廷诗延续而来的虞世南等人宛如宫中寒蝉的清高低吟，换成了市井巷陌中雄鸡大鹅的声声高唱，江山塞漠里雏凤大鹏的一鸣惊人，给唐诗带来了铮铮刚健风骨、勃勃朝气生机。四杰的歌唱也是盛唐诗歌黄金期的铺垫，有他们，才有后来的李杜诗篇。由于四杰出身不高，又多直抒胸臆，常被认为不够含蓄淡泊清高优雅，诽谤很多。杜甫很替四杰不平，在《戏为六绝句》之二里说“王杨卢骆当时体，轻薄为文哂未休。尔曹身与名俱灭，不废江河万古流”，说四杰创新诗歌，当时有人批评他们轻薄，结果嘲笑声还在，批评者就身名俱灭，而四杰的诗如王勃的“海内存知己，天涯若比邻”（《送杜少府之任蜀州》）、骆宾王的“此地别燕丹，壮士发冲冠。昔时人已没，今日水犹寒”（《于易水送人》）等都犹如万古流淌的长江黄河，世间史上永长存。

杜甫的“四杰”排名是“王杨卢骆”，这应该和四人文学成就高低无关，只为写诗时音律和谐。骆宾王曾因在四杰中存

诗最多、成就最高而被称为“四杰之首”，其英风豪气也可算“四杰之首”。骆宾王曾因上书议论国事入狱，写了著名的《在狱咏蝉》，也以蝉自比。“露重飞难进，风多响易沉。无人信高洁，谁为表予心？”和虞世南咏蝉的“居高声自远”一样张扬了飞翔在现实泥沼之上的飘逸高远的灵魂，却更悲愤激昂。后来他不满武则天废唐自立，追随徐敬业起兵反武，还写了著名的《讨武曌檄》，对武则天的篡位进行了犀利批判：“一抔黄土未干，六尺之孤安在？”说武则天之夫、唐皇高宗去世未久，他的弱小子嗣就被剥夺了皇位，读来真是酣畅痛快。前人评价骆宾王诗文“坦易”即直率通俗，有道理。徐敬业失败后，骆宾王不知所终。关于他的下落，大致有三种说法：第一，《新唐书》说骆逃亡后隐居民间，也许又是一个陶朱公（范蠡）。一说曾为僧人。今南通狼山有墓。第二，亡命海外，清代小说《镜花缘》说骆流落海岛就是根据民间传说。第三，《资治通鉴》说他可能死于乱军。一代才子骆宾王的生死，终成谜局。

来看关于骆宾王的另一个疑案，就是杭州灵隐寺联诗传说、“门对浙江潮”诗句作者之谜。初唐名诗人宋之问来到灵隐寺，见景色无穷，苦吟许久却只得一联，一老僧见状，吟出“楼观沧海日，门对浙江潮”。惊佩之余宋之问发现老僧就是骆宾王，但骆已飘然而去。这故事应是杜撰敷衍的，因为骆、宋是认识的。不过出现这个故事自有原因，如骆宾王是浙人，人们认为他叶落归根在灵隐寺很自然；还有可见人们都认为骆的人品才当得起这两句诗。这故事不足以解开骆的归宿之谜。但不管这两句气势宏阔却又灵机四伏、蕴涵禅意的诗句归属谁，都见证了初唐浙地山水诗的发展，也开启了盛唐宏大气象之门。

寒山诗：千古一诗僧的劝世诗

寒山像

浙江山水清幽，东晋佛教东来后多有僧人在此间建寺院，如灵隐寺、国清寺等，也多出诗僧，如参与兰亭雅集的支遁。到了唐代，江南佛教大兴，浙地名僧辈出，更多诗僧。长期隐居越地（浙东）天台山的寒山（寒山子）是较早、很独特的一个。

寒山的不寻常主要源自身世神秘离奇。寒山生活的年代有多种说法，有说初唐的，有说中唐安史乱之后的，还有认为他长寿活了百多岁，从初唐活到中唐。一说他是隋末皇室杨氏后裔，受家族排挤出家，这就像有人认为李白是唐高祖废太子李建成的玄孙，很有传奇色彩，可备一说，但难以确定。现只能确定寒山曾生活于唐初长安官宦人家，后被迫离家出走。

读寒山的诗，可知他多次参加科举但都落第，受尽家人歧视背叛、世人欺凌陷害。受挫激出他的愤世之念，加之唐人对浙地山水的向往，寒山在 30 来岁时来到天台山的翠屏山隐居。

此山清幽深邃，夏天也有积雪，又名寒岩（寒山）。“寒山”之名就来自于此。

寒山曾说“可惜栋梁材，抛之在幽谷”，说自己是被家庭和社会抛弃、无奈隐居的。不过在隐居寒山多年后，他对寒山、越地产生了深切感情。

寒山的修行经历也很传奇。他在寒岩幽窟里清修多年，忘却了前尘往事包括姓名。正如他在诗中说的，寒岩少人迹，只有白云萦绕着万古寂静的山石，微风吹着青松、幽涧，发出天籁之声，猕猴采摘山果、白鹭在池里衔鱼，是他的邻居。寒山避世山中，是想避开人间丑陋、人性之恶，也是想通过炼药求仙得到科举仕途之外的人生真意，他认为比起长安豪宅，孤寂寒山才是自己的栖身安命所在，山林幽居使自己远离了俗世的讥讽，得到心灵宁静。所以他才有“画栋非吾宅，松林是我家”“寂寂好安居，空空离讥诮”的诗句。

因此，越地“寒山”首先是寒山的避难所。

山中清修岁月虽苦，却是自我救赎的必经之途。寒山在山中，白天漫游青山，或在松下吟诗咏史，晚上酣睡岩下洞穴，或结草成座为书斋来读经，明月是长明灯，正所谓“千云万水间，中有一闲士。白日游青山，夜归岩下睡”。山中的漫漫岁月、四时美景，书中的佛理幽深广大、历史悠远浩瀚，让寒山淡忘了旧怨，心态从偏激变成豁达，终于得到解脱自在。他在诗中说“岁去换愁年，春来物色鲜”“其中半日坐，忘却百年愁”，和前贤王羲之、谢灵运一样，越地山水抚慰了他在现实中受伤的心，所以他能“我自遁寒岩，快活长歌笑”，隐居寒岩，歌咏长啸，快活自在。

“寒山”又是寒山的重生地。

寒山还时常来往于寒山和数十里外的国清寺间，还曾入国清寺僧厨，和弟子拾得都是寺里苦行僧。一说他在天台山住了 70 年后圆寂。此时的寒山已脱胎换骨，不再是长安子弟，而和天台山、浙地血肉相连。心灵修炼过程中，越地文化精神的融通宽和、坚韧不屈特质对他大有影响。如寒山曾在诗中写遭遇绝境，好像在海

上船坏了又遇风暴"海中乘坏舸。前头失却桅，后头又无柁"，他采取了豁达的心态和积极的应对手段"宛转任风吹，高低随浪簸。如何得到岸？努力莫端坐"，任凭风吹浪颠，不空坐抱怨哀叹，努力与风浪搏斗，终于胜利到达彼岸。

寒山从浙地山水、文化中得到新生，那他又留给浙地什么呢？

寒山留在浙地山水中的，一半是清寒高妙、犹如灵隐寺中疑似骆宾王老僧妙句的诗篇，同时也继承发展了浙地文学中支遁之后诗意高僧形象的系列，后继者如皎然、贯休、李叔同等；另一半是嬉笑怒骂的通俗歌谣，还塑造了和浙地民间传奇人物济公一样的奇僧诙谐形象，寒山常头戴木冠，脚穿木屐，一边笑一边咏诗，看似疯癫，实则不乏深意。后世将寒山还有和他诗歌唱和的国清寺诗僧拾得、丰干，合称"国清三隐"。寒山又和拾得被演化为民间的"和合二仙"与财神，主管俗世婚姻和财富。

寒山之奇除了他的传奇身世还在于他诗如其人，自由出入大俗大雅之间，矛盾而和谐。

现存的寒山诗都是他平时有感而发、随口吟咏的，大都没篇名，因随手题刻在越地的石间、树上而被记下来，有三百多首，可分宗教诗和世俗诗两种，的确寒山是出世高人也是俗世智者，思想亦儒亦道、亦僧亦俗；也可只归为一种，即劝善戒恶、警世醒世的哲理诗。

寒山把漫长人生的苦乐、体悟都写入诗中，体现了对人性深刻冷静而不失"同情之理解"的剖析认识，对世情历史超越

时代的概括和展望。如“只取今日美，不畏来生忧。老鼠入饭瓮，虽饱难出头”，是讽刺也是悲悯世人的短视：只贪图眼前安乐温饱或富足荣华，缺乏忧患意识和历史意识。以寒山活到百岁的阅历，心如明镜，隔着辽远时空望去，俗世繁华不过虚妄一瞬或幻境，“朝朝花迁落，岁岁人移改。今日扬尘处，昔时为大海”，只有心底禅境才能永久。所以寒山笔下除了大量愤世嫉俗、针砭时弊、通俗诙谐的现实篇章劝诫人们向善，还有很多借天台山明净山水写心中宁静超逸之境、净化引导人心的诗，如“吾心似秋月，碧潭清皓洁。无物堪比伦，教我如何说”“众星罗列夜明深，岩点独灯月未沉。圆满光华不磨莹，挂在青天是我心”，说自己心灵如寒山上的明月、清潭，心无尘滓，可映照世情人心。

明　蒋贵《寒山拾得图》

由此看，至为重要的，“寒山”还是寒山的诗歌炼丹炉。

最后来看，寒山之奇还因为他的劝世哲理诗的强大传播、感染力。

寒山诗风格鲜明，是口语体白话诗，近似民歌，一些如深山空谷天籁，朴拙天真，一些类似民间乡土的率语、谐语、俚语。共同形成通俗精悍、深刻犀利、实藏机锋

阅读链接：

项楚：《寒山诗注》，中华书局，2000 年版。

张石：《寒山与日本文化》，上海交通大学出版社，2011 年版。

（唐）王梵志著，项楚校注：《王梵志诗校注》，上海古籍出版社，2010 年版。

又妙趣盎然的“寒山体”，所以能广为传颂。

历代对寒山诗的理解接受也多有曲折。如有人曾嘲笑他的诗不合格律，寒山坦然说自己不在意格律，只在意诗意深刻，反嘲讽对方的诗如盲人咏日。寒山还说“凡读我诗者，心中须护净。悭贪继日廉，谄曲登时正”，即自己的诗是讽喻劝世诗，意在纠正不好的人性如吝啬贪婪、谄媚不正。他对自己的诗很自信，“下愚读我诗，不解却嗤诮。中庸读我诗，思量云甚要。上贤读我诗，把着满面笑。……若能会我诗，真是如来母”，说智慧不足的人不理解还讽刺我的诗，智慧平平的人苦思我诗意，智慧高的人会心一笑，如果真的得到我诗精髓，可谓大神通。他在《有人笑我诗》中说自己的诗必能遇到知音、天下流传。

寒山确是智者，他的预言在多年后实现了。寒山生前隐居深山、沉寂无名，身后却历代知音无数，更有海外异域的异代知己，更深入、与时俱进地解读了寒山诗。寒山曾成为历代诗坛大家白居易、苏轼、王安石、黄庭坚、朱熹、陆游的共同偶像，王安石等人都学写过“寒山体”诗。宋人把寒山和陶渊明、李白、杜甫、白居易、苏轼等人的诗并称为“八老诗”。现代文化大家胡适在《白话文学史》中称赞寒山和唐初讽世诗僧王梵志等人是唐代三大白话诗人之一。近现代的海外，日本“俳句”圣手松尾芭蕉、美国现代派诗人群“垮掉的一代”等也都是寒山的推崇学习者。凭借犀利的讽喻、温情的劝诫、明晰的哲理、通俗而富于深意的白话造就的独特诗篇，寒山在海外得到比李白、杜甫更高的声望，如他地下有知，一定会大大歌笑一番的。

狂客贺知章：盛唐真风流

贺知章像

盛唐（高潮在开元年间、天宝初年即安史之乱爆发前）是难得的盛世，也是诗的黄金时期，“诗圣”、“诗佛”应有尽有。但要寻找能真正代表盛唐豪放飘逸气象的诗人，担得起“盛唐风流”四字的，只有创作与盛唐同盛衰的“诗仙”李白（701—762），还有他的忘年交、主要生活在初唐因长寿进入盛唐的越地才子贺知章（659—744，原籍永兴即今杭州萧山，后迁今绍兴，一生多在京城，晚年归去越地）。

来看盛唐历史的忠实记录者——“诗史”杜甫在《饮中八仙歌》诗里深情追忆“盛唐气象”的盛极而衰。诗中塑造了善饮狂放的李白、贺知章、张旭等“酒中八仙”人物群像，书写了盛唐的《世说新语》。第一个就写了贺知章，因为其中他年纪最长，比李白大了 40 多岁，也因为他个性旷达狂放，很有魏晋名士风。杜甫只用两句诗就写出了贺的来历和性情——“知章骑马似乘船，眼花落井水底眠”，说贺是江南越地人善驾舟不善骑马，喝醉后，老眼昏花，坠入井中，就在水里睡着了，以盛唐浪漫诗风写了老诗人的聊发少年狂，也巧妙借用了晋代名士阮籍之侄、“竹林七贤”之一的阮咸大醉骑马如乘船的典故。贺知章自号“四明狂客”，“四明”代指越地，杜诗确切概括了“四明狂客”的内涵。

杜诗接着写了李白之狂，“李白斗酒诗百篇，长安市上酒家眠。天子呼来不上船，

自称臣是酒中仙”。这也和贺知章有关，就是“金龟换酒”故事，也是盛唐气象的典型象征。李白在《对酒忆贺监》诗的小序里讲了和贺知章相遇情景。李白在天宝元年（742）首次来到京城。此时贺已年过八十，是太子李亨（后来的肃宗）的太子宾客（太子东宫属官，贺又称贺宾客），受玄宗器重，加上诗坛影响，可谓地位超然。贺知章对李白很好奇，见面后觉得李白风姿潇洒，又请李白拿诗来看，看了《蜀道难》，还没读完，就多次赞叹，称李白是“谪仙”即天上神仙下凡，李白后被称为“诗仙”就由此而来。贺知章眼光老辣独到，一语道出了李白诗的特点其实就是盛唐气象。贺知章此时豁达豪情和酒量都不减年轻时，酒逢知己，邀李白在长安市井小酒肆痛饮，就像当年高适和王昌龄、王之涣在旗亭（酒楼）饮酒赛诗以及日后李白和杜甫在洛阳酒肆饮酒畅谈，这不是显赫的太子宾客和清贵的新翰林的官场寒暄，而是两位意气相投、相见恨晚的诗人的忘年“相见欢”。所以，贺知章怎么会在意腰间的“金龟”呢？先换了美酒请李白小友才是。盛唐的“金龟”指金制龟符或金饰龟袋，三品以上官员才能用，代表显贵地位，贺知章一则豁达率性，二则年纪已高看淡仕途，才会“金龟换酒”。“金龟换酒”最可象征盛唐气象的意气风发，就是李白《将进酒》诗的“五花马，千金裘，呼儿将出换美酒，与君同销万古愁”，体现了“千金散尽还复来”的豪气，重点倒不在对仕途富贵的鄙视。

贺知章年轻时和李白一样看重仕途，因为由此才可以实现自己的治世理想。他很早就离乡，客居长安多年。当时江南文

人尤其地处偏远的越地文人较少中进士、入朝为高官，他却在武后证圣元年（695）中状元，成为越地、江南较早的科举魁首。唐代科举虽不像后世那样严格，但看重诗赋，所取人数也少，有“五十少进士”之说，足见不易。贺知章36岁中状元，才华可见。后来他又成为前所未有的身兼礼部侍郎、集贤院学士的第一人，还被玄宗任命为太子的辅佐和引导劝谏者，为帝王师，可见才能。李白后来写的很多越地山水诗都包含了对贺知章的追慕。越人贺知章成为山水诗鼻祖谢灵运和李白等唐代山水诗人间的纽带，很恰当，也是神奇的缘分。

《饮中八仙歌》写于天宝五年（746），此时贺知章已归老越地，李白也已被迫离开京城，玄宗朝已是贤臣渐去奸佞渐多，诗歌也渲染了时代阴影。贺、李去后，盛唐长安最华美的乐章戛然而止，真正的盛唐风流从此只留在诗中。贺的离去标志着一个时代的结束。

天宝三年（744），贺知章告老还乡。玄宗赐会稽（今绍兴）“镜湖一曲”给他为隐逸养老之地，还写了送别诗，并让太子和百官去送别。贺知章在多个皇帝手下

明人杜堇《古贤诗意图》中的《饮中八仙》

为官、经过多次动乱变革，50 年平安且无恶声，最后得到殊荣，可谓成功，越人圆融坚韧的族性应多有助益。

此时李白也有《送贺宾客归越》诗“镜湖流水漾清波，狂客归舟逸兴多”，写贺知章这位越地狂客乘舟归去，一路逸兴风发。可惜贺知章回乡不到一年便去世，李白很久后才知道，写了《对酒忆贺监》诗二首，小序里回忆往事，怅然有怀，诗中也说“四明有狂客，风流贺季真。长安一相见，呼我谪仙人。……金龟换酒处，却忆泪沾巾”，说对着美酒想起文采风流的忘年交、越地狂客贺知章（字季真），当年曾赏识过自己，他好酒，如今已去世，只剩自己在“金龟换酒”的酒肆流泪回忆往事。在再次去越地前的《重忆》诗中，李白仍说“稽山无贺老，却棹酒船回”，越地的会稽再没有贺知章，自己去了，和谁共饮呢？

李白说“狂客归舟逸兴多”，其实，贺知章归去故里的心情很复杂，不只是轻松喜悦，他眼中所见的阔别半个世纪的故乡的一切，都有熟悉又陌生的恍若隔世之感，这才有了悲欣交集的《回乡偶书》二首之一“少小离家老大回，乡音无改鬓毛衰。儿童相见不相识，笑问客从何处来”。自己少时离家、暮年回乡，一口越地口音虽没变，鬓发却已稀疏斑白，提醒着其间悄然流逝的光阴。孩子们（可能是贺的亲戚或当年友人的子孙）没见过这个陌生老人，笑着问客人您是哪来的？这个用童稚“越音”提出的简单问题，却让历经宦海波澜、朝上论争而处乱不惊的贺知章难以回答，“我是从长安来的客人”或“我不是异乡客”，

都不能道出时间阻隔造成的百转千回思乡情和“近乡情更怯”。饶得贺知章是出名的清谈高手，善于谈笑，也在孩子们的天真笑容前突然失神失语，等他回过神孩子们已四散而去，只留下他沉浸在回忆里。贺诗看似平淡，实则深刻而温暖，深刻的是诗意地阐释了人们离开家园漫游四方寻求自身发展后、最终却渴望回到故乡这一心灵栖息地的哲学命题，温暖的是诗中充溢着游子回到家乡安顿下驿动心灵、疲倦躯体的安详绵长悠远情韵意境。极浅的文字极深的情感，情到深处反转淡，贺诗成为千古绝唱，并非偶然或浪得虚名。

贺知章之后，历代越地、江南乃至全国各地仍有无数人，少年时离乡外出求取功名、献身国事，晚年才能回乡，这是他们的宿命，所以《回乡偶书》的思乡情怀、“近乡情更怯”微妙情感、人生思考能一直在历代人心底最柔软的地方激起共鸣。如宋人严坦叔《还家诗》有“旧时巷陌浑忘记，却问新移来住人”的诗句学贺诗，不过少了贺诗宛如“不知细叶谁裁出，二月春风似剪刀”的浑然天成气象。

智言慧思

踏遍中华窥两戒，无双毕竟是家山。

——（清）龚自珍《己亥杂诗》

山川磅礴毓奇杰，词坛大振扶舆光。

——（清）平步青《诗巢怀古》

前程兮万里，后福兮穰穰。

——蒋智由《醒狮歌》

阅读链接：

施蛰存：《唐诗百话》，《施蛰存全集》，华东师大出版社，2011年版。

葛晓音：《诗国高潮与盛唐文化》，北京大学出版社，1998年版。

费省：《唐代人口地理》，西北大学出版社，1996年版。

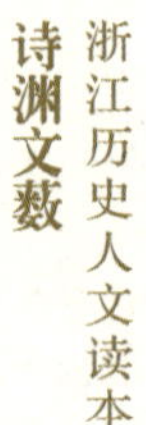

唐诗之路与李杜：脚著谢公屐

隋灭南朝的陈，唐灭隋，从初唐到盛唐，经安史之乱到中唐，今浙江一地的区划及名字几经变化。不过，和东晋南朝时一样，越地会稽郡（一度名越州）、吴越间的吴兴郡（一度名湖州）仍是唐诗里浙东、浙西的中心。

唐时的“浙东”指江南东道的浙东观察使辖区（存在于758—907，即中晚唐五代时），即当时的越、明、台、婺、衢、处、温七州，后演化为一个历史文化地理概念，相当于今浙东、浙中和浙西南大部；“浙西”源起于中晚唐浙西节度使辖区，即润、常、苏、杭、湖、睦六州，大致相当于今苏南、浙北。

朝代更替，帝王们将今浙地地名改来改去，却跳不出“越”“会稽”“吴兴”这些已深入人心的名字，山水间早已有了自己的历史文化格局和色彩。诗歌上，也延续南朝传统，一边是外来诗人受浙地山水和文化吸引，流连不去，丰富了此间的文化和诗意，一边是本土诗人继续崛起，进入诗坛主流，创造更多典范，形成了自己的发展轨迹。

此时来到今浙地山水间壮游的外来诗人中，最出名的就是唐代诗坛最耀目的“双子星座”李白、杜甫，他们都是谢灵运

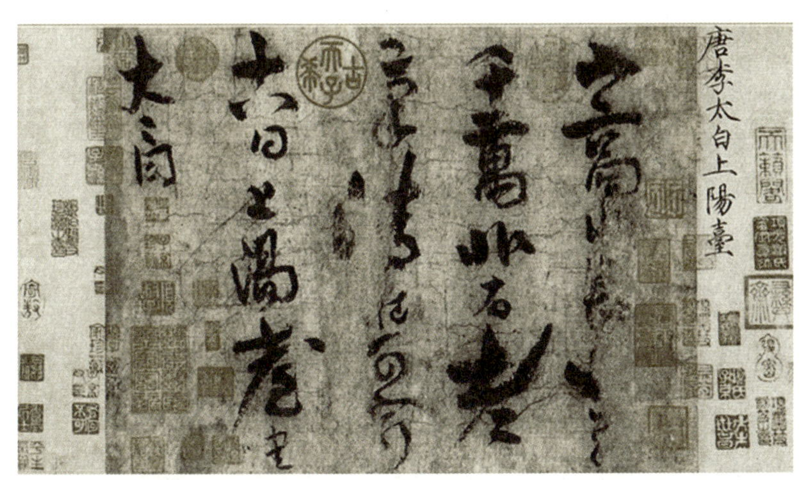

李白现存唯一书法真迹《上阳台帖》

等南朝山水诗人的崇拜者，向往亲身领略越地山水之美。

李白的生平和他的诗一样飘逸，但经考证，他一生至少曾四入越地，三次漫游了谢灵运曾畅游的剡中，就像他说的“此行不为鲈鱼脍，自爱名山入剡中”(《秋下荆门》)。每个诗人心底都有最符合自己艺术理想的那方山水，而李白的，就是越中山水了吧。

唐开元十四年（726）夏，年轻的李白第一次来越地，南下渡过钱塘江到了会稽剡中，正如他说的“借问剡中道，东南指越乡。舟从广陵去，水入会稽长”(《别储邕之剡中》)。他和当年入越寻史的司马迁一样，沿途漫游山水并寻访了许多见证越地山水诗发展的重要历史文化遗存，如王羲之、谢灵运的踪迹，他有《王右军》诗，说王羲之是“右军本清真，潇洒在风尘”，表达了对王羲之得自浙地山水的自然清雅洒脱精神风采的追羡。李白还特意沿着谢灵运当年从家族居住地始宁出发向剡中行进的足迹漫游。他借凭吊勾践遗迹反思越国兴衰的著名咏史诗《越中览古》“越王勾践破吴归，义士还家尽锦衣。宫女如花满春殿，只今惟有鹧鸪飞”就是此时所

阅读链接：

沈松勤、胡可先、陶然：《唐诗研究》，浙江大学出版社，2006 年版。

邹志方：《浙东唐诗之路》，中国文史出版社，2003 年版。

吴洲：《唐代东南的历史地理》，中国社会科学出版社，2011 年版。

作。他还在《越女词五首》之五里说“镜湖水如月，耶溪女如雪。新妆荡新波，光景两奇绝”，赞美了和以西施为代表的越女一样美好的越地山水之美，苏轼后来写“欲把西湖比西子”就受此影响。越国勾践、西施、南朝王谢这些鲜明的浙江历史文化符号，都借着李白的诗，更为生辉。

开元二十七年（739），李白再度来到越地。他第三次来越地是天宝元年（742），有《子夜吴歌·夏歌》等诗缅怀勾践、西施等人。天宝六年（747），李白 47 岁时，第四次来到越地，沿着越地风景最美丽、最有特色的一脉山水（即今人提出的“浙东唐诗之路”）一直来到天姥山，有著名的《梦游天姥吟留别》诗“我欲因之梦吴越，一夜飞渡镜湖月。湖月照我影，送我至剡溪。谢公宿处今尚在，渌水荡漾清猿啼。脚著谢公屐，身登青云梯……”，再次表达了对越地山水的向往和对谢灵运的景仰。越地山水的秀异奇幻更激发了李白身为诗仙的浪漫主义情怀，一首《梦游》诗大有《离骚》韵味。此时入京当过翰林待诏、经历过政治熏陶的李白，诗里多了一份沉郁，那是天宝年间的气息，也显示了他的成长。高高近天的天姥山代表了什么，是高不可攀的政治理想吗？还是和“寒山”一样的隐逸胜地？诗的最后说“安能摧眉折腰事权贵？使我不得开心颜”，和越地前辈诗人王羲之、谢灵运借山水寄托政治失意的山水诗心意相通。

“诗仙”李白第一次来到越地后不久的开元十九年（731），后被称为“诗圣”、此时 20 岁的杜甫也来越地漫游。杜甫虽没能像李白几下越地，但对越地山水、诗歌的向往是和李白一样

的，而且在越地游历时间较长。杜甫探访了大禹、勾践等人在越地的履痕，对谢灵运游历越地山水写作山水诗的种种遗迹也关注有加，三年后才离开。日后杜甫在《壮游》诗里深情回忆了越地山水和人物之美“越女天下白，鉴湖五月凉。剡溪蕴秀异，欲罢不能忘”，和李白的“镜湖水如月，耶溪女如雪”、白居易《忆江南》词中的“江南好，风景旧曾谙。……能不忆江南？”诗意相承。借助李杜的浙地诗歌，越地山水人文之美开始更加深入人心、令人难忘。

越地之游也是李白、杜甫等唐代诗人乃至唐代山水诗富于象征意义的成年礼仪式。年轻的他们来到越地的真实山水中，继续了少时在书卷中对南朝诗人笔下山水的学习模仿，也完成了自身诗歌的走向成熟。此外，李、杜虽不以山水诗著称，却都是山水诗高手，还以自己的越地漫游推进完善了源于越地文人笔下的山水诗。

关于“唐诗之路”的一些细节，还有争议，但位于唐时浙东（越地）的“唐诗之路”借助唐诗和当地遗存的双重证据，已证实它的重要意义。在李、杜同时或之后，唐代的三百年间，大约有近 300 名诗人来到越地，包括孟浩然、白居易、贾岛等大诗人，留下了 1500 多首歌咏越地山水和历史文化的诗篇，也留下了可与王、谢等前贤足迹、故事媲美的新遗迹和新诗话，这是唐诗也是浙江优秀文化遗产的重要一部分。这些诗人大都和李白一样，从钱塘江南岸的今萧山西兴渡口起步，沿着浙东运河西段、曹娥江，溯源剡溪而上。“唐诗之路”不只这近 200 千米的水路，还包括沿途的今绍兴的会稽山，及今嵊州、新昌、余姚、奉化、宁海等地的山水胜景，终点在剡溪源头天台山。这是一条诗意丰沛之路，一条历史文化意蕴深浓之路，纸上诗卷处始于李、杜，真实处就在越地锦绣山水中。

在唐代，越地山水仍是山水诗的重要背景和见证者，而本土诗人的山水吟唱也毫不逊色于李白、杜甫等外来朝圣者。

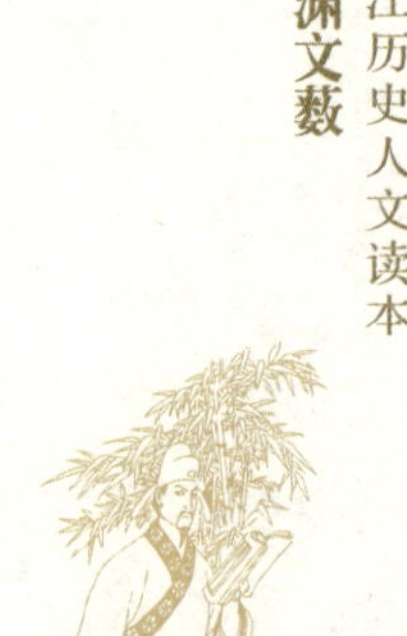

浙西诗人地图：唱和琅琅群星灿灿

白居易像

安史之乱后的中晚唐时，中原因为战乱，破坏甚重，于是，宛如东晋南朝时空轮回，江南又多北方移民和流寓者，再次迎来更大的发展机遇。其中，多有诗人来到浙地。

此时，除了贺知章、寒山和李白、杜甫等人在“浙东唐诗之路”周围闪耀诗意光芒，还有很多诗人云集浙地其他区域。此时的浙地诗坛，已不是早先的孤星高悬，而是群星满空，不再是没有对手的寂寞独吟，处处是“兰亭雅集”般的联句唱和、以诗会友。如此时在吴、越（浙东与浙西）间崛起了都会和文化中心杭州，诗坛领袖白居易和姚合相继来到这一坐标点，两位杭州刺史周围聚集很多诗人，形成了宛如星座的诗人地图奇观，也继续发展了浙诗的主线山水诗。“唐诗之路”外的另一浙地重要山水地标——杭州西湖开始得到诗人青睐，日后更后来居上。

白居易（772—846）在李白之后100年来到浙地，开西湖

钱塘刺史、西湖诗人——今屹立西湖边的百姓送别白居易像

绮丽诗词之境。和李、杜一样，江南是白居易向往的诗意之地，他少年时曾随为萧山县尉的父亲白季庚来到越地，游历江南，对杭、苏钟情尤深。他在数十年后的晚年出任杭、苏刺史，算是了却平生心愿。在北宋诗人、也曾任杭州父母官的苏轼天才地把西湖比作越地绝代佳人西施（《饮湖上初晴后雨》诗说“欲把西湖比西子，淡妆浓抹总相宜”）之前，第一个大量写西湖山水诗词的白居易已屡屡将西湖比作女子了，如《春题湖上》诗的“青罗裙带展新蒲”、《杭州春望》诗的“草绿裙腰一道斜”，都以通俗语言、柔美女性形象生动展现了西湖山水的明媚面貌。这之后，许多诗人都将西湖比作佳人，西湖山水与兰亭、“唐诗之路”等越地山水的清峻幽远大不同，呈现的是城市山林雅俗共赏、可亲可近的风貌，从此，浙地山水诗里出现了与“兰亭雅集”“唐诗之路”唱和的清歌高吟迥异的通俗妩媚诗风，双峰对峙。

51 岁的白居易在穆宗长庆二年（822）秋来到当时虽是东南名郡，但不如长安、洛阳也不如扬州、苏州、越州（治所今绍兴）繁华的杭州，是为了逃离朝中政治旋涡而自求外放，希望能在杭州“中隐”（仕隐）即借做闲散官员隐逸山林、自得其

乐。他在长庆四年（824）夏离杭。短短两年，杭州在白居易生命里留下了比少时更深刻鲜活的印记。写过很多讽喻时事新乐府诗的白居易不但在杭州将济世情怀付诸实施，如治理西湖使之有益百姓，在离任时还殷殷寄语杭州百姓“唯留一湖水，与汝救凶年”。只可惜白居易所筑西湖长堤“白公堤”早已不存，今横亘湖上、与苏轼所建苏堤齐名的“白堤”实是建于南朝的白沙堤，即白居易《钱塘湖春行》诗里的“最爱湖东行不足，绿杨荫里白沙堤”,《杭州春望》诗里的“草绿裙腰一道斜”。今人多以为白沙堤就是白公堤，是个美丽的误会。所幸白公堤仍存在于西湖传说和诗意中。

在唐代众多杭州刺史中，白居易能留名青史，不仅因为政绩，更因他在西湖上的放达潇洒身影和西湖诗。天时地利，机缘巧合，西湖投合了白居易通达自在的个性、雅俗共赏的诗风，他也借西湖山水慰藉了仕途失意，更在其间诗意大兴，“题诗千余首”。西湖虽妙境天成，无奈此前少人题咏，经白居易品题，风景之美渐为世人所知。

白居易此时常与挚友、与他合称“元白”的诗人元稹唱和吴越山水间，因为元稹时任越州刺史。杭、越间，元、白每日以竹筒传诗酬唱。白居易曾有《早春西湖闲游，怅然兴怀，忆与微之同赏，因思在越官重事殷，镜湖之游或恐未暇，偶成十八韵寄微之》诗感叹两人公务繁重，不能携手共游西湖、绍兴镜湖。两人还常为越州与杭州山水哪个美争论，白居易有“可怜风景浙东西，先数余杭次会稽。禹庙未胜天竺寺，钱湖不羡

若耶溪”（《答微之见寄》）的诗句，说浙东、浙西风景皆美，余杭（杭州）比会稽（越州）更美，钱湖（西湖）赛过若耶溪，大禹庙不如天竺寺。他们还请诗友、另一位大诗人刘禹锡作裁判。

白居易还和此时拜入白门的诗人张祜、徐凝等在西湖山水间唱和。杜牧称赞其“千首诗轻万户侯”的名士张祜是北方人，自称“一生所遇唯元白”的徐凝是浙地睦州（今桐庐）人。白居易让两人赛诗，徐凝借主场地利人和胜出，成为佳话。

白居易等人在西湖上唱和后 10 年，诗韵犹存山色空濛、波光潋滟间，晚唐文宗大和六年（832），原籍吴兴（今湖州。一说陕西人，不确）、与贾岛合称“姚贾”的诗人姚合来任杭州刺史。白居易有《送姚杭州赴任，因思旧游》诗赠姚，可见对西湖的留恋，以及对后继者姚合掌管浙地诗坛的殷殷期盼——“且喜诗人重管领”。

姚合在今天名气不如白居易，但在当时，姚的诗歌信徒广布江湖，比号称“广大教化主”的白居易还多得多。姚合来杭州为官，学白居易抱仕隐之心，说“钱塘刺史谩题诗”，借题咏山水诗排遣心情。姚合周围，也聚集了一群山水诗人，多浙地诗人，如杭州诗人郑巢，睦州青溪（今淳安）诗人方干，睦州寿昌（今建德）人、姚合女婿李频等。曾得同乡徐凝传授诗律的方干初来杭州拜谒姚合时，因貌丑兔唇被轻视。姚合看到他的诗才改容，留他住下、与之把臂游西湖，宛然又是一个贺知章和李白的故事。姚合在当时被尊为“诗宗”，以诗坛盟主地位张扬了浙地山水诗，他没有辜负白居易的期待。

姚合及身边的诗人们所擅长的晚唐山水诗风，其实就是谢灵运的山水诗传统，以精思苦吟、字斟句酌，发掘山水中的灵秀气韵、幽微之境。以西湖山水诗为代表的浙地山水诗再次与时代精神、地域文化相契合，并大有发展。

此外，比白居易稍早，中唐大历、贞元年间，浙西湖州，还有颜真卿为首的“湖州文人集团”（浙西诗人群）联吟唱和。名臣、书法家也是诗人颜真卿为湖州刺史五年（772—777），交往的文人至少有 85 人，包括皎然、张志和、孟郊等湖州诗人及寓居湖州的刘长卿、陆羽等名士。颜真卿和"茶圣"陆羽及自称谢灵运十世孙的诗僧皎然（长兴人）还在湖州乌程杼山建亭饮茶吟诗。时逢癸丑岁癸卯月癸亥日，亭子被命名为"三癸亭"，颜真卿的书法、陆羽的亭、皎然的诗更被称为"三绝"。这也是"兰亭雅集"、谢灵运山水诗的历史回音。

智言慧思

宁可枝头抱香死，何曾吹落北风中？

——（南宋）郑思肖《寒菊》

愿君此心无所移，此树终有开花时！

——（南宋）谢翱《冬青树引》

阅读链接：

严杰编：《白居易诗集》，凤凰出版社，2006 年版。

许总：《论贾岛、姚合诗歌的心理文化内涵及文学史意义》，《江西师范大学学报》，1997 年第 1 期。

嵇发根：《颜真卿湖州联句与中唐"吴中诗派"》，《湖州职业技术学院学报》，2005 年第 3 期。

诗与进士：浙地诗人崛起一途

诗盛于唐有很多原因。科举兴起和唐代成为诗歌黄金时期大有渊源。

科举始于隋，打破了高门士族子弟对文化包括诗歌的垄断。隋短命，到唐代时科举才成气候，从此成为天下文人生命里最重要的部分，至今未变。科举的形式虽早已于清末消亡，但它对国人价值观的影响犹存，高考之类可谓今天的“科举”。

来看科举尤其进士考试如何成就唐诗。

唐代科举和后世科举不同，分进士科、制科，还有童子科等。进士科最被看重，因较难，三年一次，全国只有二三十个名额，所以有“三十老明经，五十少进士”之说，认为三十岁中明经（制科的一种）就算晚了，但五十岁中进士也不算迟。高中进士，名列榜首，进入尊贵的翰林院，成为仙人般的翰林学士，这是唐代乃至后代无数文人包括李白、杜甫的梦想。唐人得中进士后还需经过吏部铨选即吏部主持的考试，考“身书言判”即考察面貌、书法、言论、文章等，通过后才能被授予官职，有点像今天的公务员考试。进士所授官职较优，日后升迁也较快较顺。所以考中进士是没有门荫的寒门子弟通往仕途的必经路和重要敲门砖。

而唐进士科主要就考诗与赋，要写一首命题五律，难怪唐代举国重诗。

唐代科举不像后世是糊卷匿名考试、一考定音，要高中，自身名气、考官是否赏识也都很重要，所以参考者事先都要拿得意诗文去拜谒考官和当时文坛领袖，希望得到赞誉赏识、推荐援引，这一风气称为“行卷”。如李白虽不屑参加科举，但

他给贺知章看《蜀道难》诗也类似“行卷”。

来看唐代浙地诗人崛起和进士考试不离不弃的渊源。唐时浙地，离都城和文化中心较远，中进士者数目远不如南宋以后，但其中多有诗名卓著者，侧面佐证了科举和唐诗之兴间相互促进的关系。

骆宾王是唐代浙地最早的著名诗人，曾多次参加科举考试落第，所以自称“江东布衣”，还说自己不屑于拜谒权贵所以科举失意。骆后来参加了制科中的策论考试终于登第，因为不是进士只得到品阶较低的官职，不过进入仕途仍给他带来视野襟怀上的开朗拓展，对他的诗歌大有助益。

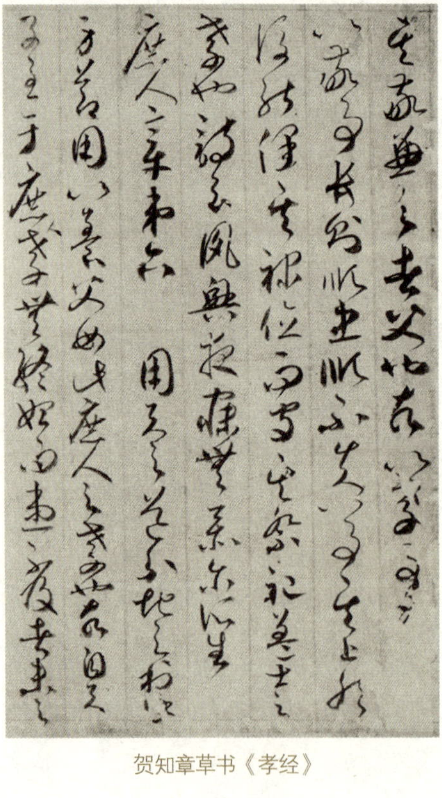

贺知章草书《孝经》

贺知章是唐代浙地较早的进士，中武后证圣元年（695）进士第一名。虽然这个进士第一和后世的状元难易、意义都有不同。但在初唐，一个来自偏远越地的文人成为“状元”是很难得的，这和他的诗才、诗名出众很有关系。贺因此成为翰林学士，并为礼部侍郎，进入统治阶层，实现了文人梦想，也最终成就了其人其诗的雍容大度、豁达超脱。

再如寒山，虽非浙地本土文人，不过他因科举屡屡失意出家为僧的身世值得注意。一说他曾在进士登第后的吏部铨选时因“身言书判”考核中“身不足”，即身高不达标、相貌不佳未被录取，命运和民间传说中的钟馗相似:晚唐时钟馗得中状元，因貌丑被罢，愤然自杀。可见唐时的“公务员考试”也存在身高歧视。不过寒山的落第，朝中只少了个可有可无的官，历史上却多了位不可替代的诗人，科举不遂对寒山是祸是福？正如他的诗里所言值得深思。

到了中晚唐时，随着江南经济发展、交通来往方便，浙地人参与科举的更多。如中唐湖州诗人孟郊和贺知章一样为前途较早就离乡远赴他地，但科举屡试不第，46 岁时才因文坛领袖韩愈赏识得中进士。孟郊中第后写了著名的《登科后》诗“春风得意马蹄疾，一日看尽长安花”，如果了解他科举的艰辛会理解诗中一时忘形的“春风得意”。

中唐湖州诗人谢清昼即诗僧释皎然，也和寒山一样，自视甚高却科举屡试不中，因此愤而出家。他自称是谢灵运后人，一次落第后有《述祖德赠湖上诸沈》诗，对也是湖州望族的沈氏友人（沈约一族后人）倾诉了希望通过科举重振谢氏家族声望未遂的失落。后来，皎然的复兴家族责任感和热情，和先祖谢灵运一样，都注入了山水诗。

和皎然同是吴兴人的晚唐诗人沈亚之就是“湖上诸沈”一脉，他在 815 年 36 岁时中进士。沈曾以出色的诗和传奇小说干谒（拜见游说）文坛名流，他中进士和这大有关系。

晚唐的“台州第一位进士”项斯，也曾多次落第，有《落第后寄江南亲家》等诗，表达了在异乡落第后思念越地家乡之情。后他听说国子祭酒杨敬之最爱才、喜欢提携后辈，就带诗去拜谒，杨对他的诗很是赞赏，题诗“到处逢人说项斯”，项斯诗名大振，次年就登进士第。“说项”也成为千古佳话。

唐末诗人、新城（今富阳新登）人罗隐，因喜欢以诗文抨击时政、讽刺权贵，10次上京应进士试都不中，愤然改名“隐”，和寒山遭遇相似。罗隐后入吴越国朝中为官。罗隐的咏史诗借题发挥，抒发了许多不得志、感觉不公的郁闷，达到和寒山诗一样的深度，都和他们早年遭遇有关。

来看顾况和白居易的故事。中唐苏州郡海盐（今属浙江）诗人顾况在至德二年（757）登进士第，虽日后官位不高，但诗名显著，一度是中唐诗坛领袖。浙籍清溪（今淳安）人、古文家、韩愈得意弟子皇甫湜曾为顾况写诗集序赞美他生于吴越之地、得山水之助，诗风奇特如“穿天心，出月胁”，还说“李白杜甫已死，非君将谁与哉”！白居易少时初到长安，曾以诗拜谒前辈顾况，个性放达诙谐的顾况还拿白的名字调侃他“长安物贵，居大不易”，说长安是都城物价很高，想立足不容易，但当他看到白按科举考试要求写的五律《赋得原上草离别》，读到“野火烧不尽，春风吹又生”的警句时，却连连赞赏，说有这样的诗，住长安没问题。白居易一夜成名。正如贺知章是李白的伯乐，顾况就是白居易的伯乐，白居易爱写新乐府诗，也是受顾影响。

再看一则著名的唐诗轶事，也是说浙地诗人的山水诗与科举带来人生转折。主角是“大历十才子”之首、吴兴诗人钱起和他的五律《湘灵鼓瑟》。

“大历十才子”是中唐10位诗人的合称，他们多写山水隐逸诗，继承了谢灵运等人南朝山水诗的特点。“十才子”多有

生于浙地或长期寓居浙地的，其中最著名的“钱刘”两人，刘长卿是“湖州文人集团”成员，钱起是吴兴人。钱起《湘灵鼓瑟》诗的最后两句“曲终人不见，江上数峰青”是千古名句，体现了中国古诗的最高境界：含蓄蕴藉、余韵不尽。这首诗据说和钱起科举关系非浅，虽然诗的故事有可能是后人根据诗意虚构的，却仍可鲜明从中窥见科举对诗人人生的深刻影响及与唐诗的微妙关系。据《旧唐书》，天宝九年（749），钱起夜宿旅舍，月夜下听见有人吟咏“曲终人不见，江上数峰青”的诗句。第二年，钱起参加省试，见试帖诗的题目是“湘灵鼓瑟”，就把两句诗写入卷子。考官很赞赏，以为“必有神助”。钱起就此中第，后又中进士，从此诗名大噪。

科举尤其进士考试和诗，是说不完的话题。到了宋代尤其得地利的南宋，浙地科举鼎盛，据说《宋史》有传者，浙籍入仕为官者数目为各地第一。南宋文学包括诗词盛于浙地，也和这有关。而这一切，都始于唐。

智言慧思

我劝天公重抖擞，不拘一格降人才。

——（清）龚自珍《己亥杂诗》

落红不是无情物，化作春泥更护花。

——（清）龚自珍《己亥杂诗》

阅读链接：

程千帆：《唐代进士行卷与文学》，上海古籍出版社，1980 年版。

傅璇琮：《唐代科举与文学》，陕西人民出版社，2007 年版。

邓乔彬：《进士文化与诗可以怨》，《文艺理论研究》，2007 年第 4 期。

孟郊：郊不寒

孟郊像

孟郊（751—814）是一个被历代人误读和低估了的诗人。

说起孟郊，很多人会马上想起北宋苏轼的“元轻白俗，郊寒岛瘦（《祭柳子玉文》）”说，于是对孟诗先入为主地有了内容单薄、格局不大、感情淡漠、形象干瘪的印象。“郊寒”之说虽深入人心，但其实多数人并没有通读过苏轼原文，对“郊寒”的理解属于断章取义。苏轼的重点不是想说孟郊等人的诗不好，而只是随手拉来四位唐代大诗人白居易、元稹、孟郊、贾岛衬托亡友柳子玉的文采，夸张地显示唐人的不足，只是为了赞美友人。柳子玉的诗文成就和孟郊、白居易并无可比之处，说“郊寒”即说孟郊诗风寒酸狭小也不能代表苏轼对孟郊等人的真实全面评价。其实，苏轼还是比较喜爱白居易、孟郊等人的。

“郊寒岛瘦”一开始只是一个随意的说法，后来却影响颇大，连朱熹也说“岛瘦郊寒”。到了金代诗论家元好问更是由诗及人，说孟郊是被苦吟束缚住的“高天厚地一诗囚”，是才学气魄不

大的穷酸书生,“诗囚”之名从此就和其他唐代诗人的名号如“诗仙”“诗圣”“诗鬼”“诗魔”“诗佛”“诗豪”等一起留在了诗史和人们印象中。其实，孟郊其人其诗是丰富多面的，人并不如“囚徒”，诗也并不一味的“寒”。

虽然孟郊个性耿直，不够圆通随俗，而且他一生穷愁，所以平时不免有点牢骚，如:“出门即有碍,谁谓天地宽？”但他确实并不穷酸狭隘。孟郊为人正直,崇尚儒学，生前很受尊敬,去世后还被私谥为贞曜先生,“贞曜”就是说他品德高尚、磊落光明。孟郊还和韩愈是主张奇崛古雅诗风的“韩孟诗派”的主将，孟诗和韩诗里都有一腔浩然正气,正如他说的“天地入胸臆,吁嗟生风雷。文章得其微,物象由我裁”(《赠郑夫子鲂》)，还有《游终南山》诗说“南山塞天地，日月石上生……山中人自正，路险心亦平”，不但不“寒酸”，而且是气象雄奇宏阔，正气凛然。

当然，苏轼的话也不是全无道理。孟郊其人其诗有时确给人“寒”的印象。一是因为他生活环境清寒贫穷。孟郊一生常有饥寒交迫的经历，他本身就是居于“寒地”的“寒者”，所以笔下多有“寒”意，如他“哀民生之多艰”的《寒地百姓吟》诗里的“霜吹破四壁，苦痛不可逃”就是他生活的真实写照，感受格外真切。二是诗中意象的寒硬。因为个性方正硬气、学问高深古雅，诗如其人，孟诗常写金石般冷硬有质感的物象,呈现奇崛不同寻常的意韵,就是韩愈说他爱写的“横空盘硬语”，如孟郊在《秋怀十五首》里写秋天是“冷露滴梦破，峭风梳骨寒”，把冷峭凄寒的秋风秋露比喻为尖锐坚硬的器物，显得脱俗凛然。不过，这些“寒”只是外在局部表现，孟郊的内心和诗歌内涵温暖而宽广，所以诗歌外在整体格局意蕴也并不狭隘冷漠，如他的诗中表现出的对“寒者”的同情，对家人的爱。

孟郊有很多写世事民生的诗篇,并不逊色于杜甫、白居易,如反映藩镇割据之恶、战争之苦的《征妇怨》《感怀》《杀气不在边》《伤春》等，关心百姓疾苦、痛斥贫富不均的《织妇辞》《寒地百姓吟》等，都体现了他的阔大胸怀、深挚情感。如他

在《织妇辞》里感慨“如何织绔素，自着褴褛衣”，说劳动妇女们辛苦纺织美丽的丝绸，自身却穿着破烂衣服，俨然是以“寒者”即贫苦底层百姓的代言人自居，感同身受他们的痛楚苦涩并加以深刻真切同情。难怪清人潘德舆要说“人谓寒瘦，郊并不寒也”（《养一斋诗话》），以为孟郊并不迂腐寡淡、薄情无趣。

孟郊最可贵的地方不全在他能写“横空盘硬语”，而是他和所有伟大的诗人一样，不但能以诗人的敏锐寻找到人生和世间那些深刻细微的直觉情感，还能表达得清楚平易、温暖感人，这是非常难得的，唐人中只有杜甫等几人做得到。如孟郊有《怨诗》写女子思念爱人：“试妾与君泪，两处滴池水。看取芙蓉花，今年为谁死？”看似平淡寒素，实则深刻厚重华美。连苏轼也被感动，说孟郊“诗从肺腑出，出辄愁肺腑”（《读孟郊诗》）。这样的功力和孟郊的性情才华学问有关，也和他“语不惊人死不休”的追求、“苦吟”努力有关，孟郊曾说自己“一生空吟诗，不觉成白头”，还说“夜学晓不休，苦吟鬼神愁。如何不自闲？心与身为仇”，一生日夜不停地苦吟，对自己的无限苛求，太多的心血汗水，终使孟郊的诗之花在生生死死间灿然绽放，而且化清寒刚硬为温暖柔和。

孟郊诗中传诵最广的是写家人的篇章，因为最真挚感人。如他的《结爱》诗借当时离别时妻子为丈夫衣襟打结寄托希望对方早日归来的习俗，“始知结衣裳，不如结心肠。坐结行亦结，结尽百年月”，委婉写尽女子的深情忠贞；还有他写小女夭折的《杏殇》，“零落小花乳，斓斑昔婴衣。拾之不盈把，日暮空

德清县武康镇春晖街的孟郊祠

悲归”，将还是婴儿就夭折的女儿比作凋零的杏花花蕾，看着妻子昔日满怀希望做成的小儿花衣，无奈爱女已逝，留在手中的只有几个宛如女儿般幼嫩的陨落小花蕾。孤独悲伤的父亲在夕阳中茫然地走回家，家中还有一样悲伤的母亲。语句含蓄平淡，读来却令人心痛入骨，朴素文字里自有大深情、大天地。

正因如此，孟郊这位一生苦吟不倦的诗人最出名的一首诗是诗意字句都非常浅显平易的《游子吟》。“慈母手中线，游子身上衣。临行密密缝，意恐迟迟归。谁言寸草心，报得三春晖”，和贺知章《回乡偶书》一样是极浅的文字极深的情感，却能在 20 世纪仍名列最能打动人心的古诗第一名。这两首浙地诗人的诗是中国文化记忆里最温暖感人的部分，《回乡偶书》写家乡，《游子吟》写母爱，都关系到人的精神家园、终极目的，所以成为浙地古诗中最没有时代局限、最富历史生命力的两首。

《游子吟》有注“迎母溧上作”，可见写于贞元十七年（801）。这一年 50 岁的孟郊，中进士后终于等到吏部铨选后释褐（脱去平民衣服），出任溧阳尉（县官属官）。生

阅读链接：

程千帆、莫砺锋、张宏生：《被开拓的诗世界》，上海古籍出版社，1990年版。

叶嘉莹：《叶嘉莹说中晚唐诗》，中华书局，2008年版。

［美］宇文所安：《中国“中世纪”的终结：中唐文学文化论集》，三联书店出版社，2006年版。

活稍好转，孟郊就去将老母接来安度晚年，希望能弥补以往不在母亲身边尽孝的遗憾。他在《游子吟》里写了往昔为功名无奈离乡时母亲为自己制作寒衣的回忆，表达了深深的愧疚。孟郊很喜欢借衣服的意象寄托与亲人的亲密关系与情感，如写母亲的“临行密密缝”，写妻子的“千回结衣襟”，写女儿的“斓斑昔婴衣”，都是朴素中见深意。

十年后，孟母去世。世上再无“慈母手中线”，空留“游子身上衣”。“谁言寸草心，报得三春晖”终成诗谶。这两句诗是惭愧自己不能报答母亲的生育大恩，化用了《诗经·小雅·蓼莪》篇的“欲报之德，昊天罔极”诗意，说想要报答您，但您的恩德就像天一样的浩瀚无边，难以答谢。《韩诗外传》里还有“树欲静而风不止，子欲养而亲不待”的话也是相近之意。幸而孟郊已以一曲《游子吟》让母亲知道了自己的心意。

孟郊最好的诗不是那些宛如金石般冷峭奇崛、语不惊人死不休的诗，而是那些看似貌不惊人、平淡无奇实则深挚厚重、温暖感人的诗。虽然苏轼可能不是他的知音，但千载以来他的知音无数。

罗隐：毛泽东圈点最多的诗人

罗隐像

毛泽东同志是诗人，他尤爱“三李”即唐代诗人中诗风奇丽的李白、李贺、李商隐。不过，他圈注诗作最多的古代诗人，不是“三李”或杜甫，而是晚唐五代浙江诗人罗隐。

罗隐（833—909），新城（今富阳新登。一说今余杭或桐庐）人，本名横，字昭谏，自号江东生。据《毛泽东批阅古典诗词曲赋全编》一书，毛泽东圈阅过较多的古代诗人诗作，李白 72 首，李贺 82 首，李商隐 27 首，杜甫 75 首，而罗隐有 91 首。毛泽东藏书中还有罗隐的诗集《罗昭谏集》和《甲乙集》，多有圈点，很多诗是密圈到底，有注解，且不是一次而作，可见读过多次。

毛泽东爱看罗隐的什么诗？是咏史怀古诗。毛泽东爱看史书，这众所周知，不过他为什么特别喜爱罗隐的诗呢？应该是因为罗隐善于写别出心裁、翻出新意又顺理成章的咏史怀古诗，构思奇巧、语言流畅、见解独到、思想深刻的“罗氏”咏史怀古诗正投合爱在旧史料中发现新问题的毛泽东的口味，使他常有同感，受到启发。他们才成为异代知己。

古诗中常见的怀古诗和咏史诗很相似。主要差别在于怀古诗是诗人亲身登临古迹，有感而发思古幽情，如中唐刘禹锡的《西塞山怀古》诗；咏史诗是诗人读史后、

或因现实某事某人有感而发历史感慨，如晚唐李商隐的《贾生》诗借汉人贾谊和汉文帝的典故讽刺当时的皇帝唐宣宗和汉文帝一样只关心求永生不关注民生，所谓“不问苍生问鬼神”。

在古时的封建社会里，最能翻陈出新、显示卓见的莫过于表现对女性的不同凡俗态度，相比很多古代诗人对女性的保守庸俗见解，罗隐就多有颠覆“红颜祸水”迂腐之见的真挚见解。他在《西施》诗中说：“家国兴亡自有时，吴人何苦怨西施？西施若解倾吴国，越国亡来又是谁？”西施一直背负导致吴国灭亡的莫须有罪名，李白、王维都曾给予“同情的理解”，但给西施翻案翻得这么干脆的还数她的这位老乡。罗隐说国家兴亡自有历史规律，西施一介弱女子哪有那么大能耐？如果吴国灭亡了怪西施，越国灭亡了又该怪谁？他以浅显利落的语言、清晰明白的逻辑，轻轻一个反问，就轻松驳斥纠正了千载以来深入人心的谬见，可谓高超之极。再如杨贵妃这个被认为是唐代衰落、安史之乱祸首的女子，罗隐也为她辩护，《帝幸蜀》诗和《西施》的思路是一样，“马嵬山色翠依依，又见銮舆幸蜀归。泉下阿蛮应有语，这回休更怨杨妃”，诗中借当时唐末僖宗为避黄巢起义军到蜀地避难，成为玄宗之后又一个逃到蜀地的唐皇一事，讽刺说这次难道又怪杨妃女色误国吗？真是痛快，不迂腐不糊涂不拖泥带水，现代人也未必有这么犀利通达的见解，难怪毛泽东喜欢他的诗。

两首咏史诗之后，来看一首罗隐的怀古诗，也是毛泽东密圈到底的，是别样解读秦始皇焚书坑儒的《焚书坑》：“千载遗

踪一窖尘，路旁耕者亦伤神。祖龙算事浑乖解，将为读书活得人。”这和《帝幸蜀》一样，是评论历史，也是影射时事。才华出众而十试不第的罗隐在诗中以反讽口气，说秦始皇（祖龙）真太不聪明了，只想到焚书坑儒可以消灭读书人。现在（唐末）广大书生科举无路、求仕无门，只能意志消沉，皇帝手段比秦始皇高明多了，可谓杀人不见血。这讽刺异常辛辣深刻，却以平淡婉转口气说出，显得富有卓见又中肯不偏激，难怪罗隐被赞为“后代应难继此才”（见《吴越备史》），说他的才华后无来者。罗隐友人章碣（今桐庐人）也有著名的《焚书坑》诗说“竹帛烟销帝业虚，关河空锁祖龙居。坑灰未冷山东乱，刘项原来不读书”，借历史的荒谬讽刺秦始皇机关算尽、弄巧成拙，说他杀读书人无非想保自己的江山万世无恙，不料后来起义的刘邦、项羽都不是书生。章诗诗意新奇，也曾被毛泽东赞赏。罗隐还有一首《始皇陵》诗，说“六国英雄漫多事，到头徐福是男儿”，也是一样别出心裁。秦始皇为求长生让术士徐福渡海去求不死药。求仙本是虚妄，秦始皇苦心痴迷，徐福却一去不复返，始皇死了，秦国灭了，灭秦的也许正是徐福。真是高见。罗隐诗里的史识卓见，是乱世环境也是十试不中的逆境磨砺造就了他的一双慧眼。鲁迅激赏罗隐的杂文集《谗书》，认为都是“抗争和愤激之谈”，是晚唐“一塌糊涂的泥塘里的光彩和锋芒”（《小品文的危机》），这移来说罗隐的诗也适合。

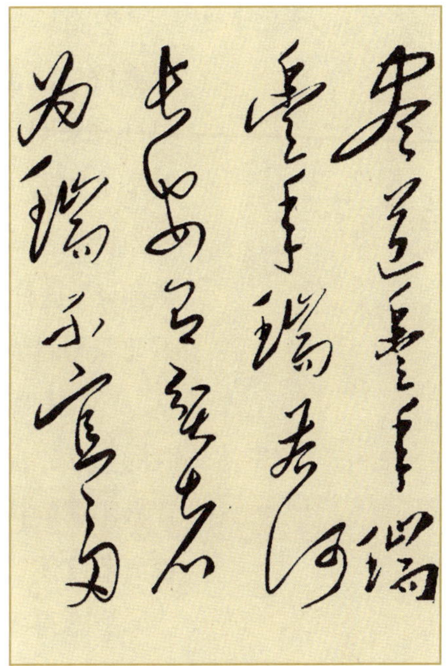

毛泽东同志书写的罗隐《雪》诗。“为瑞不宜多”体现了忧国忧民、悲悯民生情怀

罗隐早年曾长期怀才不遇，不过他并不一味小肚鸡肠、愤世嫉俗，这也很可贵。他除了《自遣》诗“今朝有酒今朝醉，明日愁来明日愁”、《嘲钟陵妓云英》“我未成名君未嫁，可能俱是不如人”（毛泽东对这两首诗也曾加圈点）、《蜂》“为谁辛苦为谁甜”等牢骚诗之外，也有“国计已推肝胆许，家财不为子孙谋”这样正气严肃、体现历史责任感的诗，主张要献身国事，不要只想着为自家子孙谋财富利益。

“文学哭秋风，途穷江左罗昭谏”，这是曾国藩所撰一副对联的上联，但实际上罗隐并非一生潦倒不遇。身处乱世，这个狂傲不羁的诗人还算幸运，晚年峰回路转，在归乡后得遇唐末镇海节度使、后来的吴越国王钱镠，受到器重，做过钱塘令等。

罗隐得到钱镠赏识不是靠运气，他不是“百无一用”的书生。毛泽东在《通鉴纪事本末》中圈点了一段见于《资治通鉴》的故事，说钱镠为备战修筑护卫内城的杭州罗城，掌书记罗隐提议罗城城楼要面向里而建。毛泽东评说罗隐也有谋略。而且罗隐对钱镠也不是一味依附讨好，他“吟诗罢征鱼”的逸事流传甚广。据说钱镠爱吃西湖鱼。渔民每天都要送鱼给他，名“使宅鱼”，成为杭州百姓负担。一日钱镠请罗隐为画了姜子牙垂钓的《磻溪垂钓图》题诗，罗就写“若教生在西湖上，也是须供使宅鱼”，说画中的鱼如果长于西湖里，也会成为盘中餐，钱镠马上下令停止送鱼。这和罗隐早年《感弄猴人赐朱绂》诗里“何如学取孙供奉（指猴子），一笑君王便著绯”的批评精神一脉相承，说宫廷里玩猴把戏的人因能惹君王一笑就穿上朝

服获得封官，只是辛辣讽刺换成了委婉巧妙的劝谏。

诗画兼长的晚唐五代诗僧贯休（婺州兰溪人）和钱镠的故事与罗隐的有相似处。贯休忧国忧民，爱憎分明，《偶作》诗“一春膏血尽，岂止应王赋”，就表达了同情百姓赋税深重、厌憎社会不平的情感。他也是咏史高手，《读唐史》诗就是他反思唐代历史的记录。据说钱镠称吴越王，正住在灵隐寺的贯休拜见他，献诗“满堂花醉三千客，一剑霜寒十四州”，赞其麾下人才众多、武力强盛，雄霸江东。不料钱镠不满足，要贯休改成四十州。贯休不愿意作谄媚不实之辞，也厌恶警惕钱镠想要天下的野心，说“州既难添，诗亦难改”，还说自己好比孤云野鹤，何处不可飞？飘然而去。唐代浙地诗僧多不凡者，贯休不肯依附权贵，是其中豪者。

阅读链接：

［美］宇文所安著，贾晋华、钱彦译：《晚唐：九世纪中叶的中国诗歌（827—860）》，三联书店出版社，2011 年版。

毕桂发主编：《毛泽东批阅古典诗词曲赋全编》（上、下），工人出版社，1997 年版。

薛亚军：《江东才俊——罗隐传》，浙江人民出版社，2007 年版。

林逋：诗画合一、梅妻鹤子

到了宋代，浙地山水诗的两大主题中，越地山水如“唐诗之路”的主要地位开始被西湖山水取代。西湖山水诗除了白居易等外来诗人的贡献，本土诗人也开始多有开拓建设，如北宋杭州隐逸诗人林逋就开创了“西湖如水墨山水画”“西湖如隐士”的崭新诗意，并造就了浙地山水诗“人诗如一”“诗画合一”之境。

同是写西湖，和白居易以女性意象突出西湖的自然美、通俗妩媚不同，隐居西湖幽静处孤山半生的林逋重在体现西湖的人文美、清雅幽远。他的《西湖》诗“春水净于僧眼碧，晚山浓似佛头青”，说西湖像老僧，春天湖水的明净颜色比胡僧的眼睛还蓝还清澈深邃，黄昏夕阳下湖边群山的形状宛如胡僧的发鬓，色彩宛如胡僧头发的青黑色，生动刻画显现了西湖春草如碧、春花烂漫之外的另一种面目。

此外，林逋善画，他笔下的“佛头青”还有另一层意思，指绘画专用的石青。林逋笔下的西湖山水，如诗亦如画，充满人文气息。如他的《孤山寺端上人房写望》诗写孤山秋暮景色，也用画、棋等人文意象作比喻，“阴沉画轴林间寺，零落棋枰葑上田”，说林间佛寺宛如色彩暗淡的古画卷，湖上的葑田（江

南水乡特有景色，水生植物葑草菱叶等腐化为泥，湖水干涸后成为田地）像星罗棋布的围棋棋盘；还有《孤山后写望》诗说“水墨屏风状总非，作诗除是谢玄晖”，也写孤山的夕阳返照、暮色长烟和僧人隐士等清幽之境，一幕幕宛如水墨画屏风，但湖山风色清远，难描难画，大概只有山水诗人前贤谢朓的慧眼诗笔才能细致入微、真切妥帖地勾勒出这微妙光影。林逋眼中，西湖山水无非他擅长的琴棋书画诗。

说西湖如画，最早的是白居易《春题湖上》诗里的“湖上春来似画图”，说春日西湖宛如唐人笔下精巧鲜明的青绿金碧山水画。宋代后，诗人说西湖似画的更多，如林逋的“混元神巧本无形，匠出西湖作画屏”就说西湖宛如天工造化画成的山水屏风，只不过早换了宋代流行的水墨山水画。唐宋的水墨山水画，本来就多得益于江南包括浙地的清幽奇秀山水，也与山水诗的清雅意境相通，就是苏轼赞美唐代诗人兼画家王维的“诗中有画”。林逋多才多艺，他的山水诗是“诗中有画”的范例，如《北山写望》诗“晚来北山景，图画亦应非。村路飘黄叶，人家湿翠微”，写西湖北山风光清丽如画，色彩和谐，光影美妙，还通过和王维名句“坐看苍苔色，欲上人衣来”“山路原无雨，空翠湿人衣”一样的微妙通感，让人仿佛能如入画中，身临其境。唐代后的山水诗里还有一种特殊的写景手法，就是将难以摹写的山水，比成一种诗或画的高超技法或大家名作。比如说某山像绘画中的树皮皴。林逋诗中，除了“作诗除是谢玄晖”，还有“巨然（北宋山水画大师）名画在屏风”。林逋之后，提出“诗画本一律，天工与清新”的苏轼对“诗中有画”的意象意境更多开拓，西湖诗多写雨中、月下清景，如“山色空濛雨亦奇”等诗境就与水墨山水相通无碍，都是受到林逋影响。

白居易和林逋，这两位西湖诗的开山者也是浙地山水诗的开拓、承前启后者，白诗发掘了浙地山水世俗的妩媚气息，林诗则传承发展了浙地山水的清思幽韵，各有千秋，不过明代绍兴名士张岱就在《西湖梦忆》里说白居易不如林逋能得浙地山

水内涵。

林逋是浙地本土第一个在生前就很著名的隐士诗歌名家，他学习同乡前辈谢灵运、孟郊、姚合等人诗歌，如苏轼就说他“诗如东野（孟郊）不言寒”，完善成熟了浙地山水诗平远、清旷、空灵、闲雅、幽逸、深邃的风格和“诗画合一”的特点。他还综合诗章、逸事、人格精神奠定了浙地隐逸诗人的范式。他是浙地隐逸山水诗意文化的卓越代表。

林逋，钱塘（今杭州）人。他是孤儿，早年曾漫游天下，中年后隐居孤山不出仕。他性情恬淡，不慕虚荣，家贫至衣食不足，仍能安详自在。他不娶妻，以梅鹤为伴，时称“梅妻鹤子”。相传林逋曾20年足迹不入城市，但他与陈抟等合称宋初四大隐士，更是当时名望最高的隐者诗人，不免常有名流显宦来拜访、酬唱。甚至真宗也要征他入朝当官，因其不肯，便赐他“和靖处士”之称。于是有人说林逋是假隐士。其实不然。宋代是一个士大夫以天下为己任的时代，林逋虽是隐士，也仍关注现实。这也是许多北宋官员和林逋相交相知的重要缘故，是互相欣赏吧。

如说过“先天下之忧而忧，后天下之乐而乐”的范仲淹，曾三次到浙地的睦州、明州、越州和杭州为官。范仲淹尚未显达时就因上万言《上执政书》言民间疾苦得到林逋的赞赏。范来杭后更常拜访林逋，两人成为忘年交，多有唱和。宋初著名诗人梅尧臣也与林逋交好，林逋以《世说新语》中王徽之（字子猷）雪夜访友人戴逵（字安道）比拟两人交情，梅则赞美林

清画家上官周《人物故事图》册的《孤山放鹤图》

逋其人其诗“孤峭澄淡”如西湖山水，这也是当时士林共识。北宋先后两位诗坛领袖欧阳修和苏轼也都景仰林逋，欧阳修曾感慨“自逋之卒，湖山寂寥，无有继者”，苏轼则说“先生可是绝伦人，神清冷骨无俗尘”，“遗篇妙字处处有，步绕西湖看不足”。

林逋善诗，可惜他不愿以诗出名，诗稿随写随丢，所幸今流传的300多篇诗大都是精品。当时，孤山还很荒凉，只有林逋的数间茅屋竹舍，湖上岁月悠长，身为西湖主人而非过客，看尽四季风色，不浮不躁地与山色空寂、湖光空明相伴。真正领略山水之美，造就了林逋和西湖一样的孤洁气质、清雅情趣和旷达情怀，还有人景合一、物我两忘的清气逸发、莹无尘想的诗篇。林逋的孤山咏梅诗很能代表他的风格。

林逋爱梅成痴，在孤山绕屋遍种梅花，每日徘徊梅树下。他咏梅佳句极多，最有名的是《山园小梅》的“疏影横斜水清浅，暗香浮动月黄昏”，欧阳修感叹“前世咏梅者多矣，未有此句”。但也有人以为这一名联过于雕琢，且不是原创，是改自五代诗人江为的“竹影横斜水清浅，桂香浮动月黄昏”。不过，林逋还有许多梅花佳句都不逊于“疏影暗香”，如得到黄庭坚赞赏的“雪后园林才半树，水边篱落忽横枝”。林逋身后，其形象更与梅花融为一体，所谓“清风千载梅花共，说着梅花定说君”，如辛弃疾《浣溪沙·种梅菊》词也说“若无和靖即无梅”。爱梅在宋代风行，与宋代崇雅的审美思想、文化背景有关，也与佛教兴盛有关。林逋酷爱梅花

阅读链接：
钱钟书：《宋诗选注》，三联书店，2002 年版。
王祥：《北宋诗人的地理分布及其文学史意义分析》，《文学遗产》，2006 年第 6 期。
周膺：《斜阳嘉树——宋史随笔》，浙江文艺出版社，1999 年版。

和他信奉净土宗有关。也和他自称吴越遗民不出仕有关，因他的祖父曾出仕吴越国。梅花的孤洁冷傲、不谐世俗是隐士也是遗民的恰切象征。

林逋的白鹤也很能代表他的旷达飘逸情怀、仙风灵性面貌。这是两只通灵性的白鹤，林逋视之如子。他平素常泛小艇游西湖诸寺，终日不归，行无定踪。此时如有访客到，家僮会放出一鹤，白鹤展翅升空，盘旋长唳，清亮鸣声响彻湖山间。林逋无论在西湖何处，都会驾舟归来。而他与客人唱和时，两鹤也似能听懂，随之鸣叫起舞。

林逋晚年在孤山自造坟墓，并作诗“湖上青山对结庐，坟前修竹亦萧疏。茂陵他日求遗稿，犹喜曾无封禅书”，说自己一生布衣处士，真诚无愧世人。他去世前，曾抚摩白鹤说自己要别去，自此后，西湖南山之南、北山之北，任鹤自来自往，也请梅花自舒自放。

林逋身后传说也不少。南宋时他已成为偶像，和白居易、苏轼合称西湖三贤。元僧杨琏真珈盗掘林墓，见墓中陪葬物只有端砚、玉簪，时人有“生前不系黄金带，死后空余白玉簪”之句赞美林是真处士。

隐士林逋和隐逸西湖、浙地隐逸山水诗相得益彰。到了近代，林则徐来到西湖，称这位北宋本家是“天教处士领湖山”，可谓的评。

拗相公王安石：不畏浮云遮望眼

王安石（1021—1086）即使放在北宋那些都很有个性的士大夫如苏舜钦、石介、苏轼等人中，也是非常独特超逸的存在。关于他的生前身后留下说不尽的话题。史书、文人、民间对他的评价都很两极。景仰他的人认为他博闻强记、志高才大、见识卓越，不是寻常腐儒，政治才干远在欧阳修、苏轼等人之上，诗才也不输于他们甚至超过他们。尤其推崇他改革旧弊、推行变法的可贵勇气，认为他是为理想不计得失、不惜自我牺牲的殉道者。而不喜欢他的人则注意到他性格里不近情理、执拗刚硬的部分如刚愎自用、意气用事。更有人认为王安石致力实施推行的新政是不利民生甚至祸国殃民的昏招，他是为一己执念倒行逆施的奸佞，甚至痛斥他是断送日后北宋大好江山的罪魁祸首。后一种说法实过于偏激，是莫须有的欲加之罪。新政的原意、出发点还是好的，大宋积弱已久，外敌更是虎视眈眈，王安石作为有理想抱负的宋代士大夫，急于改革是必然的，何况他又有幸得到神宗的赏识，有了施展政治主张的可能，他当然希望有所作为。而他的呕心沥血、为国为君献身也是值得称赞的。只是由于个性里那些过于主观、不通世情的缺陷，他思考问题太过直接、只注重结果，一些革新没有考虑实际情况显得过于峻急。他用人的眼光更颇有问题，在朝中起用了一些急功近利的投机分子，这些人借改革之名徇私舞弊，加上一些基层执行者多私心杂念，使得新政推进过程中上下弊端丛生，不免引起百姓的不满、怨恨。

晚年，由于改革失败，被百姓戏称为“拗相公（脾气又臭又硬的宰相大人）”

的王安石，急流勇退，隐居金陵（今江苏南京）。明末通俗小说《警世通言》里有一篇《拗相公饮恨半山堂》写王安石的后悔，应该只是小说家言。王安石的性子从来是“虽千万人吾往矣（孟子语）”“九死其犹未悔（屈原语）”，对他做过的，他应该未曾后悔过。

不妨来看王安石年轻时在浙地为官时写的一首著名的《登飞来峰》诗：“飞来山上千寻塔，闻说鸡鸣见日升。不畏浮云遮望眼，自缘身在最高层。”诗中的自信倔强、执著不屈其实已预兆了他日后不平凡的人生道路。细读这首诗，可以更深入了解王安石的多重面孔：苏轼也不得不服输的大才子、列宁赞赏的“中国十一世纪的改革家”、百姓又爱又怨的“拗相公”之后真实的他。

王安石是江西人，不过他的名和曾隐居越地的东晋名相谢安的字“安石”相同，可见他的志向远大，也可见他和浙地缘分匪浅。诗中的“飞来峰”不是杭州灵隐寺的飞来峰，而是越州（今绍兴）宝林山的塔山。宋仁宗皇祐二年（1050）夏，王安石30岁，出任浙地鄞县（今属宁波）知县期满的他，经过越州时写了这首诗。此时的王安石初入仕途，刚刚牛刀小试，在鄞县开始新法试点。满怀凌云壮志豪情的他听说在鸡鸣时分登上飞来峰顶可看旭日东升，就在凌晨登上山顶高塔，极目远望。那一瞬，身在高处的年轻的他觉得天地万物仿佛都尽入眼中胸怀内，更激发了他心底以天下为己任的理想，于是慨然有感，一抒抱负，“我不怕眼前的层层浮云遮住远眺的目光，因

为我此刻站在峰巅塔顶，没有什么可以遮挡我的眼界视野、影响我的判断选择”。即使眼前小有不顺，一如人生、仕途中的暂时迂回、挫折，王安石言中仍全然是一股傲兀之气，卓然高远的抱负和不畏人言的勇气展露无遗。“不畏浮云遮望眼，自缘身在最高层”，和唐代诗人陈子昂《登幽州台歌》里“前不见古人，后不见来者”的苍凉豪迈、王之涣《登鹳雀楼》里“欲穷千里目，更上一层楼”的积极进取、杜甫《望岳》里“会当凌绝顶，一览众山小”的执著不弃都有不同，因为宋代士大夫的济世情怀比唐人更入世更执著也更富理趣。王安石是典型的宋型士大夫人格。

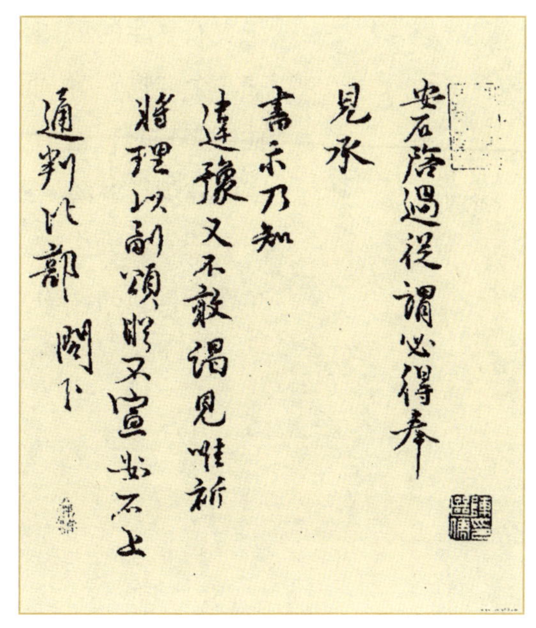

安石啓過從謂必得奉
見承
書示乃知
違豫又不敢謁見唯祈
將理以副傾詠不宣安石上
通判比部閤下

王安石手迹

由于王安石名臣的特殊身份，后来《登飞来峰》诗中的多个意象被渲染上浓厚的政治意蕴。“浮云”一说出自李白《登金陵凤凰台》诗的“总为浮云能蔽日，长安不见使人愁”，“日”“长安”代表皇帝，所以“浮云”被认为是反对新法、在皇帝前进谗言者。还有，一说“最高层”指王安石意在登上宰相之位。这些不是全无道理，不过也不能太落实穿凿，把这首诗看作王安石年轻时吐露献身政治理想的心声较为合适。

千古唯有改革难。写了《登飞来峰》之后，王安石书写万言书、进入中央统治集团、掌控权力中心、大规模推行新法，一展政治抱负，渐行渐远，也的确到达了“最高层”，但少年热情也消磨不少，只有“不畏浮云遮望眼”的执著之心一直未改。其实，

王安石一生的理想、功业、学问、诗文乃至是非功过都可归结在一个“拗”字，而公元1050年的浙地，一个清晨的山上塔顶，他还年轻时，这个“拗”字已在他写的诗句里、在“不畏”两字中体现得淋漓尽致。

王安石一生最好的诗也许写于晚年的金陵，但最能体现他个性和抱负的诗却写在浙地。

智言慧思

须知极乐神仙境，修炼多从苦处来。

——（清）袁枚《箴作诗者》

但开风气不为师。

——（清）龚自珍《己亥杂诗》

阅读链接：

王辉斌：《宋金元诗通论》，黄山书社，2011年版。

（清）梁启超：《王安石传》，中国三峡出版社，2009年版。

张祥浩、魏福明：《王安石评传》，南京大学出版社，2006年版。

放翁陆游：此身合是诗人未?

南宋山阴（今绍兴）人陆游（1125—1210）是大家太熟悉的人物，其影响是超越浙江文学和南宋文学的。提起他，很多人马上会想到爱国诗人、“亘古男儿一放翁”、“小太白”等关键词。不过，也许重新细细打量梳理历史，可以勾画出一个更多面更真实的陆游。

陆游和南宋后的众多诗人一样诗词兼长，不过他的诗更出色更有分量地位。他是已知中国古代写诗最多的著名诗人，一生写了一万多首诗，就是他说的“六十年间诗万首”，现存也有9300首。“诗万首”里什么诗最多最主流？历来看法不一，如近人梁启超就赞陆诗“集中什九《从军乐》”，认为大都是“铁马冰河入梦来”“铁马秋风大散关”的壮阔场景和爱国情愫，这的确也是人们很熟悉的陆诗。不过，虽然梁启超的说法影响很大，其实他的印象并不完全符合事实。而且，只看到陆诗的一面未免单薄。

陆游抒发爱国情怀的名篇名句的确很多。不少都意境壮美、情怀激昂，如“呜呼！楚虽三户能亡秦，岂有堂堂中国空无人”（《金错刀行》）、“三万里河东入海，五千仞岳上摩天”（《秋夜将晓出篱门迎凉有感》）等。不过最感人的却是那些他在晚年隐居平淡日子里追忆戎马生涯、不改北伐复国执著情怀的诗篇，如“夜阑卧听风吹雨，铁马冰河入梦来”（《十一月四日风雨大作》）、“一身报国有万死，双鬓向人无再青”（《夜泊水村》）、“塞上长城空自许，镜中衰鬓已先斑”“壮心未与年俱老，死去犹能

作鬼雄”“镜里流年两鬓残，寸心自许尚如丹”（《书愤》三首）。壮志难酬却不舍不弃、始终坚守，这是典型的宋型士大夫的人文情怀，也是和“卧薪尝胆”一脉相承的浙地精神。

还有，也不能轻视或无视陆游还有很多写隐逸生活的闲适诗，体现了浙地山水情韵和宋代书斋意趣，不乏“山重水复疑无路，柳暗花明又一村”（《游山西村》）、“小楼一夜听春雨，深巷明朝卖杏花”（《临安春雨初霁》）等名句。陆游集中这类诗数量更多，也很容易引起共鸣，流传更广，如《红楼梦》里提到粗通文墨的香菱初学诗歌就爱陆游写书斋生活的“重帘不卷留香久，古砚微凹聚墨多”，因为贴近日常生活、亲切浅近有趣。

如何透过陆游诗看他志士和隐士的双重面目？陆游自已也曾迷惑过，所以自我叩问“此身合是诗人未”？答案只能从陆游生平尤其他的仕隐和家乡浙地的关系中找了。

陆游的一生几乎与南宋前期的兴衰同步。他出生次年就遭遇北宋灭亡，随父流亡9年，历经万险才到祖籍地山阴（今绍兴）。这样深刻的南渡记忆、切身感受的南宋初民间的澎湃北伐豪情使他儿时就立下驱逐异族、收复失地的坚定志向。他少时拜在南渡诗人曾几门下，深受老师爱国思想影响。陆游28岁中“锁厅试”（宋代科举的一种补充形式，为已因祖上恩荫入仕有官职的官员子弟举行的单独考试。多有说陆游曾中状元，应该指此）第一名，却被想让孙子秦埙得第一的秦桧记恨。次年礼部省试，秦桧将陆游罢黜。多年后秦桧死了陆游才被起用，被孝

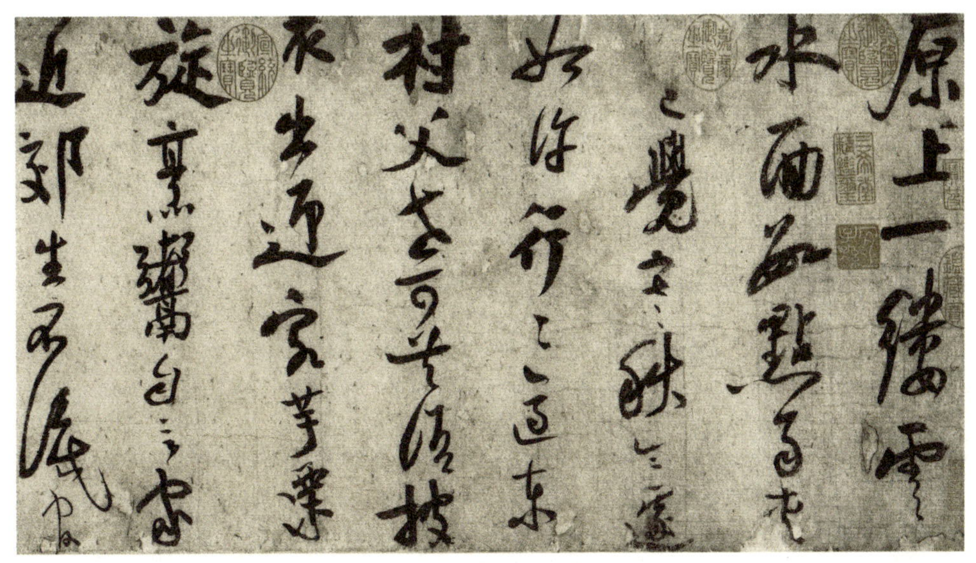

南宋　陆游《自书诗卷》

宗赐进士出身。此时是北伐复国思想的高潮期，他曾与李光等爱国名臣交往。之后与陆游同列“南宋中兴四大诗人”的范成大镇蜀，邀陆入其幕府。陆游离乡入蜀20年，亲身经历了军旅生涯，这虽没给他的政治理想带来突破，以至此时已渐渐步入老年的他自号“放翁（思想行为颓放的老翁）”，却给他的诗带来蜕变，就是领悟到“纸上得来终觉浅，绝知此事要躬行”（《冬夜读书示子聿》），即“功夫在诗外”。此时，诗名日盛的他受到孝宗召见，但政治主张仍没引起重视，只得到去福建、江西做地方官的机会。后陆游在仕途上几起几落，最后罢官回到家乡山阴，隐居于贺知章隐居过的镜湖一隅20年，在全民北伐激情退潮后的时代氛围里创作了一生中的大部分诗。诗中除了回忆血与火往事，也多写眼前隐逸生活。

当然，陆游身为宋型士大夫，他的闲适诗也不是纯然的个人感慨、闲情偶寄，无不显露出对现实的深刻关注。如《春晚即事》的“老农爱犊行泥缓，幼妇忧蚕采

叶忙”写家乡民俗人情之美，也透露了对民生的关爱；《农家歌》的“君不见朱门玉食烹万羊，不如农家小甑吴粳香”，流露了对平民生活的喜爱亲近，虽不如“朱门酒肉臭，路有冻死骨”对比强烈、感情激烈，却更耐读。陆游一生的爱国襟怀和隐逸情思不可分，后者更丰满了前者的厚度深度。

且来聚焦陆游生命里最后那段在浙地亦仕亦隐的日子，也是他一生中最接近政治理想却又失之交臂的时刻。这要从陆游从江西罢官归乡闲居、6年后再度出仕说起，那时他已年过60，但雄心不改。陆游一生，忧国忧民的执念、青史留名的渴望始终没消减，正如他诗中说的“位卑未敢忘忧国，事定犹须待阖棺”（《病起书怀》）。自古浙地或旅浙诗人里也有王羲之、谢灵运、骆宾王、贺知章、李白、白居易、苏轼等多雄才大志、关注国事民生者。虽然身为高官、忙于政事、缺少生活经验可能会使诗人“江郎才尽”，但进入仕途尤其是进入政治中心后站在较高远开阔的位置来看历史和现实，却也可使他们的诗内容更深刻、气势更宏大，即使是被贬谪也可促使诗人们接触更广阔丰富的人生和社会，更深入地反思问题。这就是李白在长安三年、杜甫入肃宗朝廷后诗歌蜕变的重要原因。陆游此时也诗风成熟。

陆游前半生来过都城临安很多次，每次都希望能一展经纬之才、政治宏图。可惜和唐玄宗对待李白一样，宋孝宗只是欣赏陆游“小李白”的诗名。淳熙十三年（1186），62岁的陆游被任命为知严州（今建德）军州事，他从家乡到京城入奏辞行

时又向孝宗慷慨陈词收复失地，但已被隆兴北伐失败寒了心的孝宗却只嘱咐他在隐者严子陵的钓台山水处写诗悠游。此后陆游官至宝谟阁待制、晋封渭南伯，是他仕途顶峰，但不久就卷入朝廷北伐、议和两派之争，被弹劾，革去封号，罢官还乡。两年后，陆游又被皇帝召赴临安，任京官军器少监。一生都意在“金戈铁马”的陆游在空有“金铁”的军器监任闲职，是很大的讽刺，他空有激愤无奈。次年光宗即位，陆游又连上奏章劝朝廷减轻赋税，遭弹劾，再度罢官归乡。淳熙十七年（1190）春，陆游告别临安和政治理想惆怅归乡之际，写下著名的《临安春雨初霁》诗：“世味年来薄似纱，谁令骑马客京华？小楼一夜听春雨，深巷明朝卖杏花。矮纸斜行闲作草，晴窗细乳戏分茶。素衣莫起风尘叹，犹及清明可到家。”“谁令”写出了陆游在京城几年仕途坎坷、曲高和寡、居大不易的辛酸。诗的颔联（第二联）尤其形式精粹优美、内涵深长幽远。一夜听春雨无眠，心境郁闷孤寂可知，而隐居西湖边，风声、雨声、卖杏花声都传入深巷小楼中，声声入耳，也透露了诗人“未敢忘忧国”的襟怀。此诗融合了陆诗两大特色：执著于恢复失地、一雪国耻的激昂悲愤情绪，对日常闲适生活的细致深刻体味。尾联表达了无奈归乡之意。转眼又换了皇帝，萦绕朝野的却仍是北伐、议和之争，宁宗嘉泰二年（1202），已近80高龄的陆游感于权臣韩侂胄抗金北伐之召，再次来到京城，他此时的《武林》一诗感慨民众已淡忘了北伐。不久陆游发现韩侂胄只是借自己之名并不是真正器重，终于失望离去。进取和退隐、希望和失望的交错使得激昂和低落的情绪贯穿了陆游一生，也深深影响了他的诗。但无论外在环境如何变，陆游的爱国之心一直未变。

由此可见，首先，陆游确是“亘古男儿一放翁”，终生坚持北伐复兴理想不放弃的他是千古难得的真正男子汉。他还曾自嘲“塞上长城空自许”，说虽然知道理想难以实现，自己却甘愿做抵御异族入侵的血肉“长城”。这更为他的生命和诗篇添了悲壮。其次，陆游是曾于和平岁月安居越地山水间的隐者。不过，他最终让人想起的身份还

是诗人，这是孝宗的看法，也是陆游自问自答“此身合是诗人未？细雨骑驴入剑门（《剑门道中遇微雨》）”的原因，这不知是陆游之幸或是不幸。而“细雨骑驴入剑门”的诗意境界，既辽阔幽远又苍凉微茫，能概括陆游一生遭际，也隐喻了南宋的时代背景、文化氛围。再则陆诗“细雨骑驴”的孤寂坚韧和苏轼词“何妨吟啸且徐行”的豪迈无畏，意境趣味相通又有差异，就像苏轼学白居易号东坡，陆游又学苏轼号放翁。苏、陆这两位都和浙地关系匪浅的文人正是南北两宋文学文化最典型的象征。

除了“细雨骑驴”，还可和林逋一样，将陆游时常写到并自比的梅花来比拟他。陆游曾幻想自己是梅花化身“何方可化身千亿？一树梅花一放翁”（《梅花绝句》），和他的《卜算子·咏梅》词里的“零落成泥碾作尘，只有香如故”一样，真切刻画了他面临压力困境却孤傲不屈的强大内心世界和外化的坚贞凛然风骨。

阅读链接：

邱鸣皋：《陆游评传》，南京大学出版社，2011年版。

高利华：《亘古男儿——陆游传》，浙江人民出版社，2007年版。

邹志方：《陆游研究》，人民出版社，2008年版。

四灵诗境：闲敲棋子落灯花

浙诗在又一个以浙地为中心的时代——先后在今绍兴和今杭州建都的南宋达到高潮。南宋浙地可谓天下词的中心都会，也是诗之圣地、诗人渊薮。南宋诗与诗人中，陆游的生平思想人格最能代表南宋早期的“北伐”文化，而最能反映南宋中后期社会风貌和时代思想的，是浙地诗人“永嘉四灵”和江湖诗人群的诗。

“永嘉四灵”是指南宋两浙东路温州（即今温州，古曾称永嘉）的四个诗人，名号里都有个“灵”字：徐照（灵晖）、徐玑（灵渊）、翁卷（灵舒）、赵师秀（灵秀），且诗风相似，所以有此合称。温州作为浙地较偏远的所在，在南宋之前是浙地因交通不便、离文化中心较远而科举不盛、文化不兴的缩影，到了南宋又成为浙地因靠近首都和文化中心而多科举高中者、一时人才辈出的范例。如此时出现在温州的“永嘉学派”，其领袖叶适就曾中榜眼，进入仕途，还成为南宋文化的重要人物。南宋温州文人深受“永嘉学派”思想濡染，崇尚求实为民的“事功”之学，政治上多进取。“四灵”也受“永嘉学派”深刻影响，如他们都与叶适相熟，徐玑是叶适得意门生，属于学派成员，徐照和叶适是邻居、好友，翁卷可能在叶适年轻时任教的私塾里读过书，还在叶适参与北伐时任其幕僚。

“四灵”及诗歌能名扬天下、影响深远，和它与叶适、“永嘉学派”的密切关系、以南宋温州为背景都大有关系。叶适赞扬“四灵”诗歌，不但是看重其内涵和艺术，也是觉得宋诗受宋代理学思想影响太深，如北宋影响最大的、以黄庭坚等人为代表

的“江西诗派”诗，思辨理趣过浓，文字高深，诗的情韵之美却难免减弱，有些干瘪枯燥，所谓“理学兴而诗律坏”，所以叶适认可“四灵”反拨扭转“江西诗风”，学习重情善感、情理节制、雅俗共赏的晚唐诗风的做法。叶适还有意以“四灵”诗的切实平朴来以小见大地承载务实的“永嘉学派”思想，对抗江西诗派背后理学空泛的不足。“四灵”的创作得天时地利人和之助，于是以小地方的小人物，名噪一时。

“四灵”最擅长山水诗，这和浙地诗传统有关，也和当年谢灵运在温州任父母官时留下山水诗传统有关。不过，因为是宋诗，所以自然山水风光外，“四灵”诗中也多人文意象，多涉及社会民生。如翁卷的《乡村四月》诗就在写了温州春天山水风光清丽之外还写了农村风俗风情的淳朴之韵，“绿遍山原白满川，子规声里雨如烟。乡村四月闲人少，才了蚕桑又插田”，暮春之际，春雨绵绵，杜鹃声声，山野映入眼帘全是绿意，小河小溪盈满水闪着白色的光影，勤劳的瓯越百姓在此间辛苦劳作，又养蚕又插秧，和陆游《游山西村》反映的南宋浙地繁荣安乐风土人情意境相通。宋代文人对民生疾苦关注尤多，受“永嘉学派”经世致用思想濡染的“四灵”自然也瞩目百姓民情民意。

“四灵”诗风还有更独特重要的表现形式。

“永嘉四灵”其人其诗各有千秋。一生布衣的徐照诗中温州地域特色最浓，曾为县官的徐玑诗中写民生最多，常为江湖客的翁卷去世最晚、饱历世事所以诗风最沧桑成熟。而曾入仕也曾隐居的赵师秀名声最大、艺术成就最高，这和他是南渡时

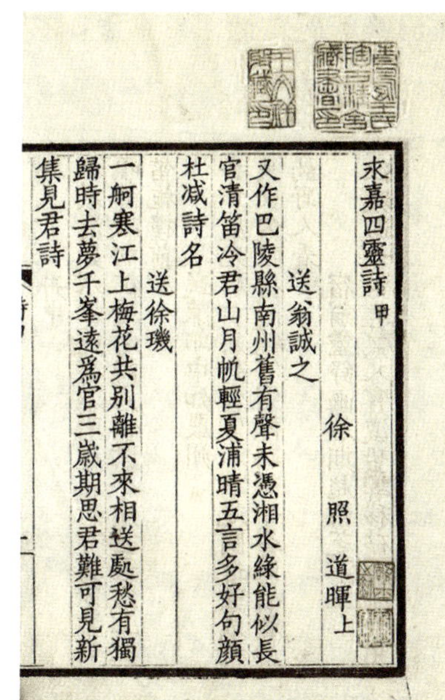

永嘉四靈詩 甲

徐照 道暉 上

送翁誠之

又作巴陵縣南州舊有聲未憑湘水綠能似長官清笛冷君山月帆輕夏浦晴五言多好句顏杜減詩名

送徐璣

一舸寒江上梅花共別離不來相送處愁有獨歸時去夢千峯遠爲官三歲期思君難可見新集見君詩

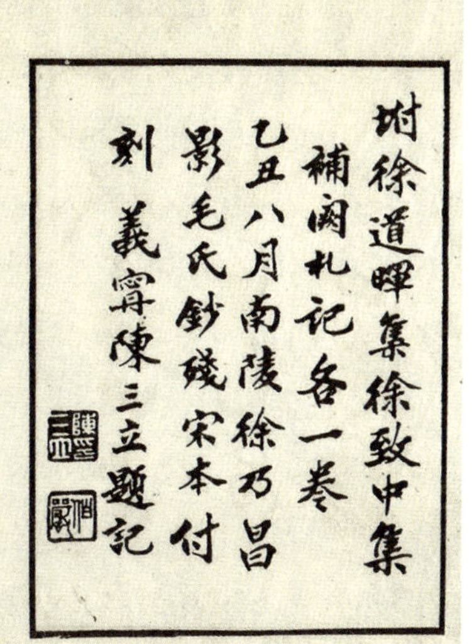

斠徐道暉集徐致中集

補闕札記各一卷

乙丑八月南陵徐乃昌

影毛氏鈔殘宋本付

刻 義寧陳三立題記

《永嘉四灵集》书影

随高宗流亡到温州后定居于此的赵宋宗室成员后代、文学素养较高有关。赵师秀的《约客》诗“黄梅时节家家雨，青草池塘处处蛙。有约不来过夜半，闲敲棋子落灯花”是“四灵”最著名的诗，也是南宋诗的名篇。南宋温州的一个梅雨之夕，诗友间一次寻常的失约，看似简单的一个动作、场景，被赋予了丰富微妙的含义，构成南宋诗最经典的意象之一，并深刻体现了此时已趋定型的传统文化内涵。

《约客》一诗妙在字面看似平淡无奇，实则字字有来历、处处可联想，多含前人名句、典故，诗句后多有可追溯的故事。如“青草池塘处处蛙”就让人联想起谢灵运在温州写的名句“池塘生春草”。这正是“四灵”诗特色，平易而不浅薄。

“有约不来过夜半，闲敲棋子落灯花”是《约客》的诗眼，闲雅从容的意境正是从东晋南朝、中晚唐到南宋，渐渐成熟的文人士大夫雅文化的典型表现。以历来和《约客》题材相似的诗为例，如中唐白居易《问刘十九》诗的“晚来天欲雪，能饮一杯无”，

晚唐李商隐《夜雨寄北》诗的“何当共剪西窗烛，却话巴山夜雨时”，北宋陈师道《绝句》诗的“书当快意读易尽，客有可人期不来”，赵师秀友人杜耒《寒夜》诗的“寒夜客来茶当酒，竹炉汤沸火初红”，都能追溯到《诗经》里“风雨如晦，鸡鸣不已。既见君子，云胡不喜”那陌生而熟悉的诗意意境，体现了在不完美现实中寻求完美的努力坚持。《约客》先渲染了江南雨夜的寂寞、人生的缺憾，还有“敲棋”的迷惘犹豫，却并不烦躁愁闷，而是安详应对，将怅惘不足化为旷达高远的诗意情趣，一如“兰亭雅集”“雪夜访戴”等浙地诗意故事的遥远回声。这恰是传统文化包括浙地文化最强大的精神内核，纵然是夜雨或风雪，即使分隔不能聚首，但“西窗剪烛”、以茶代酒、“闲敲棋子”，在瞬间营造了诗意完满，慰藉了心灵的孤寂苦涩。南宋中后期，世道渐趋衰乱，人心更是浮躁，“四灵”诗充分彰显了浙地文化精神的坚守执著之美，体现了丰满的生命智慧，和“永嘉学派”思想相通。这就是“四灵”的诗看似寻常、却能感动历代那么多人的重要原因。

“四灵”和陆游的诗都是典型的南宋诗，也是典型的浙地诗，雅俗共赏、深入浅出是其好处。《约客》诗还鲜明体现了“四灵”诗和陆游诗如“山重水复疑无路，柳暗花明又一村”相通的那一种深刻而自然的哲理表达。“闲敲棋子落灯花”瞬间，棋子漫不经心的敲击声、灯花轻轻的爆裂声，混合着声声蛙鸣、雨滴声，还有梅雨的气息，不但刹那间开启了诗意之门，也开启了顿悟之门，凸显了宋诗特有的哲理意味，却那么水到渠成、

宛如天籁，不愧一个“灵”字。“灵”风流转，所以能永留诗史。

以往人们对“四灵”多有非议，从南宋人到当代名家钱钟书，多有以为“四灵”及其诗格局小、意境不高远的，就是批评孟郊“郊寒”的老话。有把“四灵”比作微弱烛光的。钱钟书也说“四灵”是杜甫笔下的“白小”即群居小鱼，无足轻重。其实烛光灯花虽不如明月，也自有在长夜温暖人心的力量，而“白小”虽不如海中巨鲸，也体现了作为浙地文化一份子的温州瓯越文化小而不弱、以群体抱团取胜的特点。“四灵”诗绝非南宋诗的低潮，而是通过焕发平凡真实的灵性诗意之光，和“永嘉学派”一起真切体现传达了时代精神和地域文化的力量。“四灵”也不是脱离现实、止步书斋的迂腐书生，徐照多同情民生的诗，徐玑曾在福建为官任上为民请命，翁卷作为叶适幕僚参与了北伐，赵师秀身为宗室之后爱国和从政之心很强烈。他们和陆游一样都是南宋士大夫、诗人的杰出典范。

阅读链接：

（南宋）徐照、徐玑、翁卷、赵师秀撰，陈增杰校点：《永嘉四灵诗集》，浙江古籍出版社，1985 年版。

费君清：《永嘉四灵的兴起与南宋诗风的嬗变》，复旦大学出版社，2001 年版。

赵平：《永嘉四灵诗派研究》，浙江大学出版社，2006 年版。

江湖诗人：不是谒客非诗仙

“永嘉四灵”中的两徐去世较早，剩下的赵师秀和翁卷融入了“江湖诗人群”。

“江湖诗人”和“江湖诗派”是南宋中后期乃至南宋、古代社会后期很重要的诗人群体和诗歌流派。“江湖诗派”概念较模糊，它不是“永嘉四灵”这样一时一地、人数有限、交往密切可考的诗人组合，也没有严密组织，而且时间跨度较大，成员则有138人之多。人员情况也较复杂，多是未入仕途、名不见正史者，生卒年、生平、作品系年、交往都较难确定。现一般认为“江湖诗派”主要活动时间和高潮在南宋中后期宁宗最后一个年号嘉定年间，地点在临安。而“江湖”之名源自出版于宝庆元年（1225）的“江湖诗人”诗歌合集。此年在西湖边睦亲坊（今中河、河坊街附近）开书店的杭州书商、“江湖诗人”重要组织者陈起出版了《江湖集》。

何为“江湖”？寓意深远。这一意象最早出现在《庄子·逍遥游》的“浮于江湖”和《大宗师》《天运》的“相忘于江湖”，不是指现实的江海湖河，而是指向引申为一个超逸于现实社会、不局促于世俗生活的所在，一种自由飘逸的精神境界。后《史

记·货殖列传》里说范蠡“乘舟浮于江湖”，也指与朝廷、官方对立的在野、民间，及自由的思想形态、生活境况。于是后世仕途不得意的文人士大夫多用“身处江湖”来形容自己的处境，进行自嘲、宽解，唐以后的诗文中常见这一意象。北宋范仲淹更在《岳阳楼记》里提出无论进退仕隐都要忧国忧民的名言“居庙堂之高则忧其民，处江湖之远而忧其君”。作为宋型文人，“江湖诗人”也继承了范仲淹的思想。他们大都是和“四灵”身世命运相似的文人，有的是和徐照、翁卷一样科举失意的布衣，或徐玑、赵师秀一样仕途不顺的小官，包括了南宋中后期很多重要诗人，如诗派里年代较早的前辈姜夔和刘过，诗派中坚赵师秀和陈起，后成为诗派领袖的刘克庄、戴复古等，他们为了科举、仕途或糊口养家来到临安，不能进入政治中心和上层统治阶层，就在这宛如“江湖”的都市留下诗篇和生命痕迹。“江湖诗派”中多浙地人士，除了赵师秀、翁卷，黄岩人戴复古也是重要一员。更多长期寓居临安者如姜夔、刘过。

“江湖诗人”中的不少人为了入仕机会或获得收入，带着得意诗篇去拜谒当时的文坛领袖或高官，如姜夔、刘过都曾被称为“江湖谒客”的代表，刘过曾以词拜见辛弃疾得到大量赏赐还名声大扬，但也遭到时人讽刺。其实，他们的“谒客”行为在南宋中后期日益逼仄的社会氛围里是可以理解的，姜夔等人更可称得上洁身自好。

入世近俗的“谒客”并非“江湖诗人”的全部面目。曾有人称他们为“诗仙”，则是看重他们出世脱俗的性情。当时的西湖孤山一带继林逋时代之后再次成为诗意灵域，也是江湖诗人活动的中心区域。如号称“白石老仙”的姜夔就曾寓居离孤山不远的古钱塘门外水磨头石函桥（今少年宫附近）。赵师秀晚年也曾寓居孤山等地，死后葬葛岭。高翥曾居孤山，墓在孤山后。孙惟信（花翁）墓在葛岭水仙庙侧（今北山路坚匏别墅旁）。再如葛天民庭院在西湖边。叶绍翁也曾卜居西湖之滨。他们还都曾在此与江湖诗友交游唱和。宋末周密的《齐东野语》记了段逸事，赵师秀等

几位江湖诗人游孤山，在西泠桥边的酒肆里痛饮，大醉不醒，有位道士笑着问“诗仙醉邪”？故事虽渺茫，却可证明时人多视“江湖诗人”为清高飘逸不食人间烟火的“诗仙”。

“谒客”“诗仙”都不是“江湖诗人”的唯一面目，甚至不是主要面目。作为乱世文人，“江湖诗人”也直面人生、忧国忧民，因身处“江湖”、社会中下层而更熟悉民情、现实人生。他们的诗并不寒瘦,还很有切实内涵。以戴复古为例,他就有《庚子荐饥》诗直书百姓遭遇饥荒惨况“有天不雨粟,无地可埋尸”,是借仓颉造字“天雨粟”传说痛诉百姓的饥饿、生死之苦；还有《频酌淮河水》写渴望北伐而不能，只能在南北不能统一的天堑界河淮河边感慨“莫向北岸汲，中有英雄泪”，说北岸的淮河水中有北伐失败的英雄泪；再如《织妇叹》是写劳动妇女的悲叹。后来“江湖诗人”们还因为写政治诗而卷入“江湖诗祸”，受到沉重打击。宁宗嘉定十七年（1224），权相史弥远擅自废立帝王，并逼死了被废黜的济王赵竑。他还为压制文人们的激愤议论，从新刊的《江湖集》中找出“东风谬赏花权柄，却忌孤高不主张”、“秋雨梧桐皇子府，春风杨柳相公桥”等诗句,诬陷“江湖诗人”们妄议朝政,以莫须有罪名进行政治迫害，以掩盖事实、转移视线。欲加之罪，何患无辞？结果《江湖集》被劈板禁毁，多位诗人被牵连流放，深受其害。朝廷还下诏禁止士人写诗。一时“江湖”上风声鹤唳，“江湖诗人”不敢再议论时事。这一“文字狱”影响深远，使得一向以天下为己任的南宋诗人长期噤声自保，时代文化氛围大变。

其实可继续用“白小”即小鱼的意象来形容概括“四灵”后身“江湖诗人群”等中下层文人在南宋中后期社会中的生动面目、真实生存境遇以及他们采取的应对策略：庞大的数目，相似的群体性面目，清高不谐俗的内心；还有，在日益缺乏公平和上升空间的社会环境中，认识到“水至清无鱼”而改变初衷、与现实妥协，开辟了科举入仕外的另一种人生途径如“干谒”“卖文”。“江湖诗人”悠游“江湖”的坚忍生命力和生存智慧得益于他们的生活之地浙地的文化良多。他们的人生和贺知章等浙地诗人前贤宛如巨鲸大鳌的饱满恣意人生大不相同，而开始和后世元明清文人普遍的较逼仄隐忍的命运接轨。这都值得注意。

智言慧思

云日相辉映，空水共澄鲜。

——（南朝宋）谢灵运《登江心孤屿》

野旷沙岸净，天高秋月明。

——（南朝宋）谢灵运《初去郡》

山嶂远重叠，竹树近蒙笼。
开襟濯寒水，解带临清风。

——（南朝齐梁）沈约《游沈道士馆》

阅读链接：

费君清：《南宋江湖诗人的谋生方式》，《文学遗产》，2005 年第 6 期。

张宏生：《江湖诗派研究》，中华书局，1995 年版。

吴晶：《永嘉四灵传》，浙江人民出版社，2007 年版。

遗民林景熙之痛：家祭如何告乃翁？

宋末历史是由一代遗民的血与泪共同写就的。由于执著不弃的宋型文人人格的确立，使得遇到历史转折点时出现坚贞遗民不再像北宋初的林逋只是个别现象，宋末涌现的遗民比前代多得多。

在今天，宋末遗民坚贞的精神品格、强大的人格力量仍值得大书特书、推崇弘扬，不能因为时过境迁、元代版图在今天已融入中华历史文化地图而淡忘这些纯粹如玉、刚烈如铁、柔韧如水的遗民英烈。

南宋遗民文学中，除了张炎、周密、王沂孙等人委婉含蓄、深挚入骨的遗民词，文天祥、汪元量、谢翱、谢枋得、林景熙等人明白真切、浑厚深重的遗民诗更深刻清晰地表达了爱国激情、历史史实，无愧“诗史”之誉。

由于南宋都城在临安（今杭州），宋末著名遗民文人中多有浙人，除了杭州人汪元量，张炎、周密、王沂孙等人也因祖先南渡而一生寓居临安、吴兴（今湖州）、山阴（今绍兴），还有温州平阳的林景熙等人。而通过林景熙在“宋六陵事件”即南宋历代帝王陵墓被元代统治者盗挖事件中的积极作为，以及

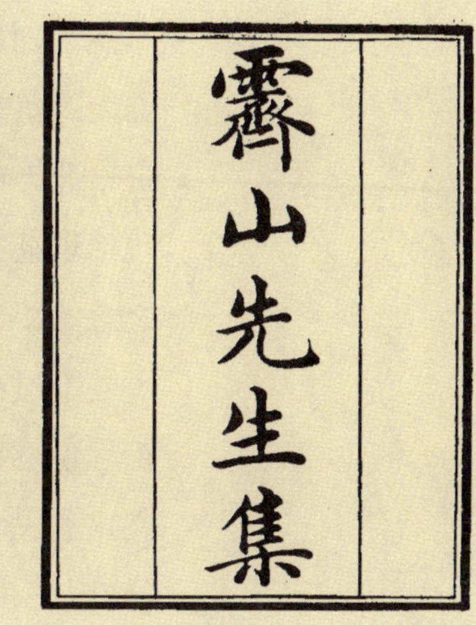

霽山先生集

霽山先生文集序

予平陽素稱文獻之邦騷人墨客義士忠臣無
代無之宋淳祐壬寅挺生林先生諱景熙字德
陽號霽山居州治後白石巷別墅在城西趙奧
馬鞍山之麓予今所卜築即其故址也咸淳辛
未先生上舍釋褐授泉州教官歷禮部架閣轉
從政郎適元勝宋遂不復仕恒與同舍生邑人
鄭樸翁輩私相嗟悼以不能死國難報君恩為
愧丙子元兵破杭有楊總統盡發越上宋諸陵

南宋　林景熙
《霁山先生集》书影

此后他在浙地参与多个遗民诗社，还有他的诗中无处不在的“冬青树”（指代安葬宋帝遗骸处）等意象来看，林景熙可谓宋末“诗史”较合适的代言人。而且林的遗民诗创作坚持了很久，南宋作为政权实体早已灭亡，他的诗中笔下仍回荡着南宋历史时空悠远的回声。南宋历史是在这个温州人的忠实记录中真正落下帷幕的。

林景熙（1242—1310），人称霁山先生。宋末曾寓居临安。宋亡后他有《西湖》诗写故国之思“风物犟西子，笙歌醉北人”，仍学苏轼以浙地佳人西施比西湖山水，却倾吐了眼见大好山河、秀雅文化被侵略者铁蹄野蛮侵占蹂躏的深深愤慨，还曲折表达了对南宋如何会灭亡、“笙歌”误国的深沉思索，和当初南渡之初另一位温州平阳人林昇的《题临安壁》诗意相通，道出了北宋、南宋人不暇自哀而后人哀之的历史见解。

林景熙的很多诗里都显示了这样深刻而无奈的历史沧桑感，如《山窗新糊有故朝封事稿阅之有感》诗“何人一纸防秋疏，却与山窗障北风”，写他隐居山中，一日忽然发现家中新换窗纸竟是自己当年一腔为国为民热血沸腾时所写的《防秋疏》

即抗元对策，那时的爱国理想激情，今日只能做挡风的窗纸。巨大的落差，回天无力的痛楚，酝酿出浓烈的悲凉感。“北风”暗喻北方的入侵，说今日世事已变，不过，即使自己不得舒展政治理想，闲居民间，仍时刻想着如何“障北风”，为国效命之念始终未改。这和陆游等人的诗是相通的。

不过林景熙并不是褊狭的民族主义者。元代蒙古族文人章祖程说林景熙和晋朝的陶渊明、安史之乱中的杜甫一样，都是文化遗民，在乱世中执著坚韧地守护了传统文化的传承。林的《枯树》诗“倘留心不死，嘘拂待春工”，就用比兴寄托，以“树心”比拟“人心”，说只要文化不死，春天微风一吹即历史机遇一来就会枯木逢春，体现了百折不挠、不灭的坚定信念。

1276年（南宋德祐二年、景炎元年），南宋在临安的王朝覆灭后，各地南宋旧臣、民间遗民义士拥戴宋少帝继续抗元。1279年（元至元十六年，南宋祥兴二年），当林景熙知道南宋末代宰相、文天祥的继任者、“宋末三杰”之一的陆秀夫在崖山（今广东新会南崖门镇）战败后背着9岁的宋少帝和国玺跳海自杀的消息时，悲愤难言，哭祭悼念，还写了悼念陆和殉国英灵的“南海英魂叫不醒”诗。林景熙此时还有怀念文天祥的《读文山集》诗，末两句说“世间泪洒儿女别，大丈夫心一寸铁”，说天下谁没有私心柔情，谁不会在生离死别前流泪？只有真正的英雄才能“寸心如铁”，为天下人利益毅然斩断个人感情，是文天祥爱国绝唱“留取丹心照汗青”最恰切的解读，也是南宋遗民们最真的心声。

前人还有说南渡之后的浙地爱国诗人，可与陆游媲美的，只有林景熙。陆游写过很多渴望北伐成功、收复失地的诗，临终前还不能释怀，有著名的《示儿》诗“死去元知万事空，但悲不见九州同。王师北定中原日，家祭无忘告乃翁”。在陆游去世66年之后，中原、江南终于再次“同”，林景熙感慨万千地写了《书陆放翁诗卷后》诗“来孙（玄孙之子。这里泛指子孙）已见九州同，家祭如何告乃翁”来回应陆游当年的遗愿。这是宋末遗民诗人最深刻的悲歌了，元朝一统天下，却不是他们要的“九州同”。历史开了个大玩笑，对比陆游当年的“但悲不见九州同”“家祭无忘告乃翁”，迷惘失落情绪偷换了当年的希望犹存和执著信念，让人心底涌起喘不过气的伤感。

宋军兵败崖山，有数万（一说有十万）军民殉国而死，陆游有孙子、曾孙、玄孙都在这关系南宋命运的背水一战中英勇不屈而死，他终于没能等到“王师北定中原日，家祭无忘告乃翁”的一天。幸而有林景熙的诗史之笔侧面叙述了这一幕历史，成为南宋历史最后的见证。也有赖林景熙的忠实记录，南宋遗民包括浙地遗民以精神、气节闪耀千古，成为浙地文化、诗歌最可珍贵的一部分。

林景熙之外，南宋末年还有一位很重要的温州人，另一位末代宰相陈宜中，他没有死于崖山，而是出走海外，延续文化、开创一番新天地。又一个浙江历史的重要转捩点上，浙地文人中又有人分别重演当年春秋越国文种、范蠡的不同选择，值得深思。

阅读链接：

张宏生：《宋诗：融通与开拓》，上海古籍出版社，2001年版。

王水照、熊海英：《南宋文学史》，人民出版社，2009年版。

缪钺：《宋诗鉴赏辞典》，上海辞书出版社，1987年版。

元诗非低潮：浙诗的沉潜复兴

如果把浙地古典诗歌的源起发展比作一首文采斐然的律诗，春秋、东晋南朝的浙诗是律诗四联八句中开门见山、奠定格局的首联，唐五代、两宋的浙诗是意蕴丰厚、精美绝伦的颔联和颈联，元明清的浙诗则是起承转合之后巧妙点题的尾联。颔联、颈联固然能出彩、是焦点，首联和尾联却也值得注意，首联引人入胜、气象浑然、启示各种可能性，尾联变化万千、余音袅袅、引人遐思。

曾有人认为元诗在宋诗之后难以为继，这未免保守了。且来看就在浙地，南宋这株开到极璀璨的文化的琼花玉树谢了之后，元人和元诗是如何继承和开拓诗意的。

如果说南宋是令人感觉既熟悉又陌生的年代，元代则是人们了解较少却常感好奇和兴趣盎然的时代。南宋是传统文化文学集大成的时代，成就很高，不过因为中心偏于江南一隅，不免精微有余而广度厚度不足。而由宋入元，古典文化意义上的中国虽不复存在，却打开了一个更阔大的历史文化时空。

元代疆域前所未有的广大，使得诗人们不再局促一隅、只作书斋纸上游，再次有了和唐人一样漫游天下的可能性，所以

元诗多学唐诗而非宋诗，多登临怀古、壮游山水内容。元代之初，定都大都，使得浙地再次远离首都成为偏远之地，不过，由于南宋以来浙地积累了极深厚的文化底蕴和人才资源，文化文学中心并没有真正离去。元代建江浙行省，治所仍在杭州。随着战乱稍平，南北交通畅通，北方文人多沿京杭大运河南下杭州，文学中心重归南方。“似曾相识燕归来”，浙地在短暂的冷清黯淡之后，再次成为天下文薮诗泉。

元　王冕《墨梅图》

元代不到一百年，且多动荡，统治者也不重视文化文学，以往曾多有人以为元代文化文学包括诗是低潮，其实不然。中国古代历史上乱世反而多是文学昌盛时期，春秋、东晋、晚唐、南宋，这一定律已多次被证实，包括在浙地。元代虽短暂，却有海阔天空的时空背景，更有风云突变、异峰崛起的历史现实种种，反映在元代文化文学中，自然是云谲波诡，足够夺人眼目。元代时各民族文化包括中外文化融通汇合，城市文化继续发展，散曲、戏剧和小说的兴盛让诗、词不再独秀，雅俗共赏的文化和文学成为主流。不过元诗并不因此黯然，尤其在浙地，得到此处南宋雅文化文学深厚积淀、余波荡漾的滋养，又得宏阔时代风气之助，出现了杨维桢等大诗人，人格、诗风都亦俗亦雅，奇丽飘逸却又淳厚朴实。

元代及其后的明清时，实是江南包括浙地的文化绚烂成熟极盛期。此时的浙地有“江浙人文薮”之说。元代浙地出现的各色诗人，诗才出众，性情鲜明，可为当

阅读链接：
刘明今：《辽金元文学史案》，上海古籍出版社，2004 年版。
夏承焘编选，吴无闻注：《金元明清词选》，人民文学出版社，1983 年版。
陈正祥：《中国文化地理》，三联书店，1983 年版。

时及后世浙地是诗薮的证明。有“文妖”之称的会稽（今诸暨）人、元代诗坛领袖杨维桢自不待说，且借他的同乡诗人、可称元文人典范的王冕（1301—1359）的传奇人生，来看元诗人的独特个性在诗中的显现。

王冕很像《世说新语》里的东晋南朝浙地隐者狂客。他曾戴高冠、披蓑衣，穿木屐、持木剑，一路高歌。还曾骑在黄牛上手持《汉书》诵读，在市集中旁若无人地穿行。一次他回乡，买了头白牛拉着车，让母亲坐在车里，自己穿着古代冠服跟随车后。乡里小孩子笑话他，王冕也笑，不改淡定。他还在下大雪时赤脚登上潜岳峰高呼自己要成仙了。人们都认为王冕是狂生奇人，却少有人理解乱世一介书生心底郁积的和屈原、魏晋文人一样的忧患意识、沉痛情绪，还有固守的和林逋、陆游一样的坚贞情操。如他的奇异服装、特立独行就是学屈原的修饰美好外表以涵养内在，还有谢灵运等浙地山水诗人饱览山川之美以寄托情志。恰如他在诗中说的“我昔曾穿谢公屐，散策曾寻谢公迹”“我为爱竹足不闲，十年走遍江南山”。途中遇到奇人侠士，他就像当年李白与贺知章一见如故一样，一起饮酒、慷慨悲歌，旁人说他们是狂徒疯子也不顾。王冕后来隐居家乡会稽，和陶渊明一样躬耕田园，并建草庐三间“梅花屋”。王冕写诗，下笔就能千言万语，诗很有气魄，宛如大鹏高飞、大海汹涌，让读者无不情绪激昂。求画的人很多，王冕就明码标价，让人拿米来换，当受到嘲讽，他淡然说我只是用画养活自己。这就是典型元代文人，由于时代社会风气自由宽松，他们能勇

于面对现实，率性表现自我，狂狷却不避俗，对卖画（文）为生不自卑不藏掖。杨维桢等人也是如此。

细看王冕生平，隐含了传统文人一生的众多重要关键词，如寒门苦读、科举不第、漫游南北、卖文（画）糊口、辞官归隐等。他模仿各位古人的衣着举止，身上浙地（包括寓居者）多位前贤的影子尤深浓，如寒山的佯狂不羁、林逋的隐逸情怀、陆游的志士铁骨、江湖诗人的风霜清节、南宋遗民们的傲骨流芳。元代后进入古代社会后期，文人的人生或创作都难免受到前人影响，原创性渐少。如王冕的性情作为又影响了明清以后更多文人的言行个性。后来者有意模仿追慕前贤，所以他们与前贤（尤其是本土先贤）身世及诗文的同质化更高、相似度更大，呈现群体化倾向，也不免有些程式化。

当然，王冕受元代跳荡不羁的时代文化氛围和个人独特生活经历濡染，野逸旷达的个性特征还是比较鲜明显著的。宋代后，和林逋、陆游等人一样诗书画皆长、爱梅成癖的诗人很多，书画之乡浙地尤多，王冕将诗画合一、诗如其人推向成熟极致，成为后世隐逸诗人、清高坚贞诗风的又一典范榜样。如他的那首最出名的《墨梅》诗说“不要人夸好颜色，只留清气满乾坤”，满腔的傲气倔强和王安石《梅花》诗“墙角数枝梅，凌寒独自开”、陆游《落梅》诗“雪虐风饕愈凛然，花中气节最高坚。过时自合飘零去，耻向东君更乞怜”里的孤高坚忍一脉相承。他又特地借“水墨梅花”这一人文意象塑造了“举世皆浊我独清”的诗意人格。王冕常在画中诗里写一枝或一树水墨梅花，清瘦寒峭，一派孤傲不屈，正是他磊落坚贞形象的自写我照。这不是温室梅花，也不是后来龚自珍笔下的病梅，或宫廷官府里的官梅，和林逋的孤山梅花、陆游的驿边梅花血脉相通，在身处乡野的狂人隐者王冕笔下，他的诗画里相由心生而怒放的是生长于自然之地的野梅，狂放而质朴，是典型的元文人形象。

赵孟頫的咏史诗：迷惘与坚守

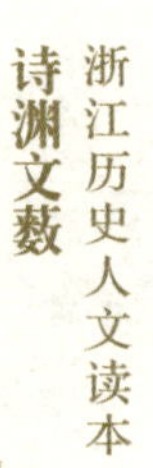

在由宋入元的士夫文人中，有一群身世特殊的人，身为宋室王孙却出仕元朝，代表人物是赵孟頫（1254—1322）。

元代短暂，很多元前期文人都是由南宋入元的，元初文学是南宋文学的延续。历来分辨某人是南宋还是元文人一般就是看他们是宋遗民还是出仕元朝者。如郑思肖、周密、赵孟頫、赵的族弟赵孟坚是好友，通常认为郑、周、赵孟坚在元代隐居不出仕，应归为宋末文人，而身为“贰臣（两朝臣子）”的赵孟頫是元文人。

赵孟頫字子昂，号很多，以松雪道人、鸥波最为人所知。他是吴兴（今湖州）人，是南渡后留在浙地、宋末时人数已众多的宋室子孙中的一员。他是宋太祖赵匡胤十一世孙，太祖之子赵德芳的后代。南宋初，高宗无子，选了太祖后裔为太子，就是孝宗，也算是对当年太宗赵匡义而不是赵德芳登基的补偿，掩去了野史中赵匡义弑兄“烛影斧声”的层层疑云。赵孟頫五世祖就是孝宗父亲。

赵孟頫 33 岁出仕元朝，几经仕隐起落，为五朝元老，官至翰林学士、从一品，死后封公，为文人难得的显贵。但这并

没给他带来心灵安宁。身为“贰臣”而非遗民，使他备受非议，尤其他的出身更使他的入仕新朝负载了微妙含义。如赵孟頫原与遗民诗人郑思肖等人交往较多，他出仕后，郑马上和他绝交。赵孟頫不由深感无奈迷惘，一边是故国难忘，另一边是仕元之耻难消却又只能和新朝共荣辱进退，所以他一生谨慎，只为了不再落人口实。但友人的远离、无所不在的鄙夷目光、内心的自我谴责终身伴随着他。赵孟頫在出仕之初就感不安，有《罪出》诗自嘲。诗一开始说“在山为远志，出山为小草”，是用《世说新语》典故，说东晋谢安隐居浙地东山不出仕，高尚远大的志向闻名天下，后出山为朝廷效命，在大将军桓温手下。一次桓温就借一种草药有两个名字“远志”和“小草”，讽刺谢安是假隐士，不是“远志”是“小草”。所以赵接着说“古语已云然，见事若不早”，流露了悔不当初和不听古人言之憾。诗中还说“昔为水上鸥，今为笼中鸟”，自己曾如水上沙鸥自由自在，如今却自投罗网，今昔对比，情何以堪？到晚年，赵孟頫还有《自警》诗说“齿豁头白六十三，一生事事总堪惭。惟有笔砚情犹在，留与人间作笑谈”，说自己一步错步步错，成为历史和人间的笑话，沉痛

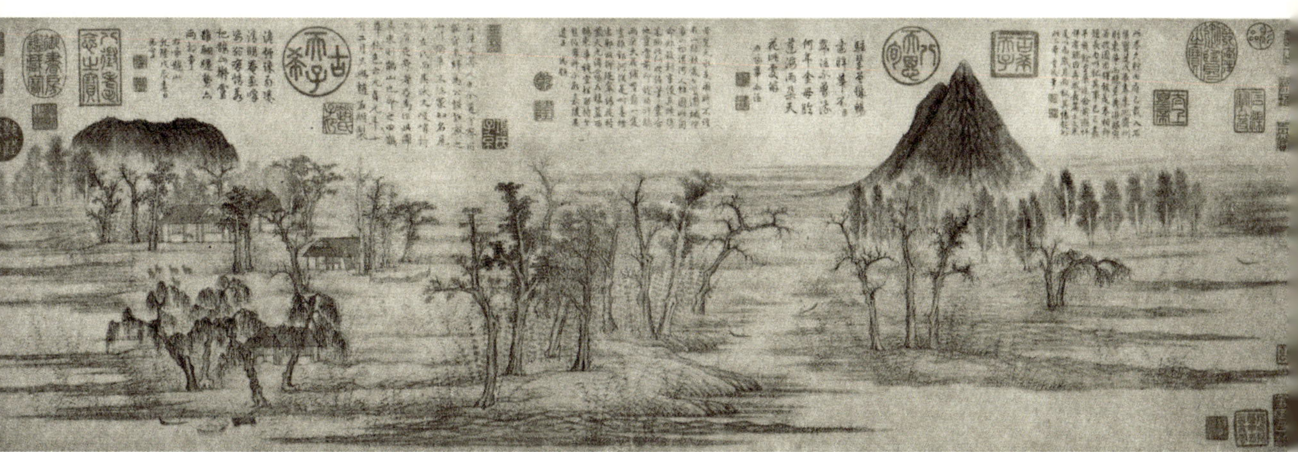

元　赵孟頫《鹊华秋色图》

阅读链接：

陈云琴：《松雪斋主——赵孟頫传》，浙江人民出版社，2006 年版。

寿勤泽：《丹青圣手——黄公望王蒙吴镇传》，浙江人民出版社，2007 年版。

杨镰：《元诗史》，人民文学出版社，2003 年版。

悔恨之意至老尤甚，只希望能留诗后世、求有人理解。身世命运如此，难怪赵孟頫常常见到野鸟就羡慕它们的自由，“闲身却羡沙头鹭，飞去飞来百自由”，看见画中好山水就想着移居其中、逃离现实，“何处有山如此图？移家欲向山中住”。

赵孟頫有多首怀古诗、咏史诗很出色。身处变幻难测的乱世，元代文人特别喜爱历史题材，元诗中借古喻今的咏史怀古诗很多，都是借历史故事曲折反映身处历史转折中的种种困惑思考。赵孟頫因入仕新朝，被士林视为人品不佳、大节有亏，心里有许多矛盾苦痛，这使他的咏史怀古诗中表现出的兴衰之感比遗民诗里的更深刻沉重，只是表现形式更隐晦。如他写南宋都城临安的《钱塘怀古》诗：“东南都会帝王州，三月莺花非旧游。故国金人泣辞汉，当年玉马去朝周。湖山靡靡今犹在，江水茫茫只自流。千古兴亡尽如此，春风麦秀使人愁。”就借怀古幽思吞吐地表达了思念故国之情。他还有一首写西湖边岳飞墓的诗更能反映复杂心境：“岳王坟上草离离，秋日荒凉石兽危。南渡君臣轻社稷，中原父老望旌旗。英雄已死嗟何及？天下中分遂不支。莫向西湖歌此曲，水光山色不胜悲！”身为赵宋子弟，在宋室已亡时，怀念岳飞，实是意味深长。如果岳飞当年不死，南宋包括自己的命运可能都会不同吧？无奈历史不能假设逆转。诗中明着是批评南宋朝廷，认为高宗杀岳飞是自毁长城，实则是借南宋王朝故地和民族英雄葬身处，曲折含蓄传达了关于南宋灭亡的深刻反思，对故国河山的深切怀念。

近现代之前对赵孟頫的评价都太在意他的“贰臣”身份，

似乎有些偏颇，赵孟頫应该归属为文化人物而非政治人物，与其纠结他是否应当仕元，不如来关注他作为宋末元初古典文化的忠实传承者和南北文化的有效融合者的独特重要地位。这个意义上看，赵孟頫从浙地（湖州、杭州）到大都（今北京），从南而北，经历、地位有点像宋初由五代吴越国入北宋的钱塘钱氏家族的钱惟演，但影响更深广。赵不但成为元代最著名的画家、书法家，还是王维、苏轼之后文人画的集大成者，和王冕一样诗书画印诸艺兼备，有“元代冠冕”之称，对明清文人画影响更是匪浅。而且，他诗词文曲兼长，奠定了元朝文学包括诗歌融通大成的底蕴，诗坛地位和实际成就都在“元诗四大家”虞集等人之上。他还通晓音乐。可谓林逋、苏轼、姜夔等通才型文人行列中的又一颗明星，将传统文化的综合特征体现得淋漓尽致。

历来因为遵循“书如其人”之说，而且评价士夫文人书法惯用唐代忠臣颜真卿方正敦厚的书法为参照系，也因为赵孟頫的特殊身份，他的书法常被鄙薄，被认为是软柔媚俗。这其实是不公平且无理的。赵的书法继承东晋源于浙地的王羲之书风，一如浙地山水的雅正秀美。韩愈也曾说“羲之俗书趁姿媚”，这只是风格喜好问题，和人品无关。

赵孟頫对浙地文化的影响还有很多值得一提。比如，除了在朝任职、在乡隐居，他还有一段介于两者间、类似白居易和苏轼“中隐”的生涯。大德三年（1299），他被任命为集贤直学士行江浙等处儒学提举，在家乡任职 11 年，其间多与浙地文人为伍，行踪闲适风雅，与浙地文化多有互动。除了影响日后的湖州画派外，他的诗歌成就对明清浙西之地诗的兴盛也多有助益。

赵孟頫的生前身后，很多人都因他身兼“贰臣”和文化传承融合者的身份而难以给他公正中肯的评价。不过，放眼以更宏大的历史进程、文化发展为背景，赵孟頫咏史诗中的种种迷思、遗憾、困局的雾霭可尽化为豁然晴空。

铁崖杨维桢：文衡和文妖

元代太短暂，转眼就到了元末。以音乐作比，宋代如绵长的古琴曲，元代如“琵琶弦上马蹄急”；比作画，宋代如舒展的山水长卷，元代如精悍的花鸟小品。元代历史里多高峰低谷般错落的急转突变，鲜花着锦、烈火烹油的繁盛华美和断垣残壁、血火流离的衰败苍凉之间的快速场景切换，这是元代诗人身世性格多传奇、诗风多奇丽的重要原因。元末诗坛领袖、以“铁崖（雅）诗体”风靡天下、诗风华美以至有“文妖”之称的杨维桢是元代诗人的典型代表。

杨维桢（1296—1370），字廉夫，号铁崖，别号铁笛道人、东维子等，会稽枫桥（今诸暨）人。

杨维桢中进士后曾任浙地天台县尹，因惩治奸恶县吏，遭报复被罢官。后任钱清（今属绍兴）盐场司令，和北宋词人柳永一样当过盐官，因深感百姓之苦请求减轻盐税，以辞官苦求才获准减额，但也因此忤逆上司十年未得升迁。他还具备深厚的史学根基。元代修辽、金、宋史，他写了千言“正统辩”，得到总纂官赞许。杨维桢的从政经历和出众史识对他的诗裨益甚多。

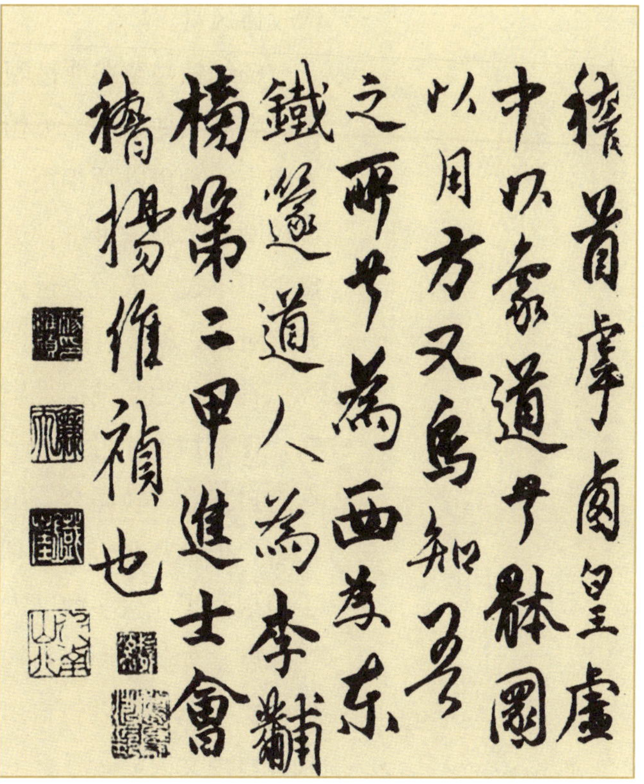

杨维桢书法

杨维桢个性傲岸，有浙东人的硬骨头。他曾得罪过元末丞相达识帖睦迩。为避祸，加之时兵乱四起，他便弃官，此后在今杭州、湖州、嘉兴、苏州、上海等地游历隐居多年，以教书、卖文为生。还结交了很多著名文人及热衷文化的权贵富商，常常唱和雅集。

杨维桢还曾得罪了元末割据浙西（中心在江苏苏州）的吴王张士诚。他游苏州时曾加入此地诗人的“玉山雅集”。正逢张士诚招揽苏州高启等著名诗人到其麾下，杨维桢却拒绝了张的网罗，并预言张不久必有内变或外祸，大有当年贯休拒绝给钱

镠改诗风骨。

杨维桢甚至得罪过明太祖朱元璋。到了明初，朱听闻杨维桢文名要召他入朝，被杨谢绝。后再次被征，杨维桢虽无奈来到南京，却仍以死相拒。朱元璋顾忌他的名望，勉强允许。据说杨回到家就去世了，这和传说中的刘基暴死、王冕成为朱元璋手下不过一天就去世，一样诡异成谜，是不是心胸狭窄的朱元璋所为，就不可知了。

有人认为杨维桢是忠于元朝才拒绝张士诚和朱元璋的，其实，理解成他个性张扬、不愿盲从被束缚、想保持灵魂自由、保有自我意志较适合。虽然杨维桢最终和刘基一样疑似被君王毒害，但他秉承浙东人明智史观、一生相对独立于皇权之外，不但规避了元代多数文人受宋元、元明易代政治过深影响的人生悲剧，如赵孟頫、刘基被官位牵累，高启等人被虐杀，也使他的文学创作得以较自由真实地发展，显示了一定的现代意识和“自由文人”做派。

在元末，杨维桢不但作为诗坛领袖影响了很多人，还作为诗会诗赛的裁判深入左右了一时及后来诗风。他持铁笛的潇洒如仙形象也深入人心。

和王冕等元代诗人一样，杨维桢身上兼具极俗极雅的传奇色彩。他曾游吴越山水间，头戴华阳巾，身披羽衣，坐在船上吹笛，和林逋等浙地前贤一样飘逸洒脱，见者都以为是谪仙。而在苏州，杨除了参与“玉山雅集”，还曾卖艺自娱。当时城中富贵人羡慕他的名声，都来他的住所做客，希望有幸遇到杨

维桢心情好，能听到他的笛声。杨维桢往往只吹一曲娱宾，便顾自高卧。

杨维桢住松江（今属上海）时间较久，曾任“应奎文会”主评。天下文人慕他之名来赴文会的很多。1350年在嘉兴和松江举办的两场文会，来者有数百人。杨维桢评诗时以文取人，对王公望族和寒门文人一视同仁。他对后辈很谦和，但也很严格，诗文里好与不好的地方都批点出来，粘在墙壁上给人看。他可谓当时文坛众望所归的“文衡”（“文衡”本指科举主考官，掌握判定文章高下以取士的权力，因评文如以秤称物，所以有此称呼），天下诗人唯他马首是瞻，得到他的好评即如获至宝。元末至正二十二年（1362）今萧山北干山上重建“吴越两山亭”，当地官员请来众多吴越诗人唱和，并请杨评选。有作者半夜赶到松江用金帛贿赂杨。杨维桢却笑着说评诗文好坏，即使我的心愿意妥协，我的眼睛也不肯听命，不敢欺骗当世人。他当场选诗，没有一个当选者是在场的。杨说其他诗都还需脱胎换骨，把哀求的来人都赶出去，还说这些人是“风雅扫地”。

当时的松江凭借自由超前的文化氛围，和邻近的古城、吴越中心苏州和杭州形成江南乃至天下的文化中心。杨维桢在此间评选天下诗文，提携各地后辈，以高超公平的眼光、狂放正气的行为、犀利而掷地有声的言辞，深受敬畏爱重。这既奠定巩固了他的文坛盟主、一代诗宗地位，也使他孕育于浙地的“铁崖体”诗扬名天下。

杨维桢成为元末诗坛领袖，是应运而生。元代大半是乱世，思想禁锢反而宽松。杨维桢出自浙东，是“事功”之学源起之地，又是商品经济较早发育之地，这都造就了他思想的锐利强悍、个性的通达不羁。加之他书画乐诸艺皆长，融入诗中，而且诗学唐李白、李贺、李商隐等人。所以诗风奇崛艳丽，曾被时人称为“文妖”。这称号虽有贬义，却确能刻画形容他飘逸狂放不同凡俗的才情。杨的“铁崖体”诗风最能体现他“文妖”的一面。且以他写于西湖的“湖上嬉春体”和《西湖竹枝词》等佳作为例。

杨维桢曾住西湖边吴山铁崖岭。在此，他写过不少“嬉春俏唐体”诗，是学中晚唐诗，将奇幻艳丽或清丽轻灵的风格，融入原本多学盛唐、雄阔厚重的元诗，使之变得贴近世事人情，适合描写现实城市世俗风貌，也更切合时代和浙地地域文化特点。且看《钱塘湖上》:“西子湖头春色浓，望湖楼下水连空。柳条千树僧眼碧，桃花一株人面红。天气浑如曲江节，野客正是杜陵翁。得钱沽酒勿复较，如此好怀谁与同？”诗歌融合了白居易、林逋、苏轼、陆游等人诗意而浑成一体。再如“燕子绕林红雨乱，凫雏冲岸浪花圆”、“杏花城郭青旗雨，燕子楼台玉簴风”等诗，无不内涵通俗、言辞绮丽、节奏跳荡、感情旷达，浓缩聚焦了元诗入世、通俗化、多变化的一面。有人斥杨诗太“妖”，说瑰丽奇崛有余而雅正不足。这个“妖”字，抛去不公平的贬义色彩，确是“铁崖体”的最大特色，正如杨的书法一改赵孟頫书风的端庄，变为狂放不羁。这一“妖”气来自诗人身处末世乱世的孤愤忧惧不安、对理想境界的向往，和王冕笔下诗画的古朴“仙气”异曲同工、殊途同归。

“妖”气还源自杨维桢“诗本性情”的主张，要求诗歌能自然真实又艺术唯美地表达诗人的个性、情感。这是后来明代诗人“独抒性灵”诗风的先声，更影响了清中期杭州诗人袁枚的“自把新诗写性灵”。杨维桢上承南朝乐府、唐诗，又融合当时浙地民歌、文人散曲，创造了一种新颖、别出心裁而贴合现实、适合表现现实的乐府七绝诗体《西湖竹枝词》，更在其中确立了内容通俗、情感清新、语言似浅实深、形式举重若轻

的风格。他写《西湖竹枝词》组诗时已隐居西湖七八年，西湖的风色风物、人情风情之美，如南山北山的清远云水、苏小小和苏东坡的诗意传说，早已充溢他的胸间，才有了这样的清音灵响：

苏小门前花满株，苏公堤上女当垆。
南官北使须到此，江南西湖天下无。

劝郎莫上南高峰，劝侬莫上北高峰。
南高峰云北高雨，云雨相催愁杀侬。（九首选二）

杨维桢隐于西湖，名声却远播，拜入他门下学诗者不绝，一如当年白居易和姚合门下的热闹。学“铁崖体”的“铁门”中人，南北有100多人。明初学者名臣、浦江人宋濂为杨写的墓志铭中说当时吴越乃至天下文人多倾慕杨的诗才，尽归于其门下，如“山之宗岱、河之走海”，就像天下群山朝拜泰山、河流汇入大海。杨维桢为天下诗宗持续了40多年，此时浙地自是元诗中心。

阅读链接：

（元）杨维桢：《杨维桢》，河北教育出版社，2006版。

（元）杨维桢撰，邹志方点校：《杨维桢诗集》（两浙作家文丛），浙江古籍出版社，2010年版。

张伟：《杨维桢生平事迹及学术成就考述》，《浙江学刊》，2001年第1期。

越诗派领袖刘基：谢安或文种?

刘基像

刘基（1311—1375）和元诗人王冕年纪相似，还是友人，但他入仕新朝，是明朝开国功臣，还开启了明代诗风，被归入明初诗人。

明代文学，一向被认为是低潮，即使不与唐、宋相比，和元、清相比，也较少大家和思想、文采的亮点。尤其是抒写文人情志的诗，随着强势皇权、儒家思想和理学思想传统、汉文化正统等因素的回归，面目变得刻板干瘪，反不如元诗生动浑厚。刘基等为首组成的明诗的首个高潮其实是元末乱世文学的延续，而下个高潮要等到明末清初又一个乱世、思想再次解禁后。

乱世、乱世人都会有特别丰富而奇特的故事，形成此时文学丰满厚重的底色。刘基生前身后就有数不胜数的故事，是他的诗的深厚基础。

正史里的政治家、军事家，野史里诸葛亮一般的半仙……除去重重迷雾和炫目光环，直视刘基本身，他的一生实是一曲

随着历史起伏跌宕、高潮后戛然而止、结局苍凉的慷慨悲歌。他就像春秋古越国大臣文种，施展毕生才能，呕心沥血，成功地扶植了一个王朝，却未能及时功成身退，最后星光黯淡于兔死狗烹的权力斗争中。刘基身为深谙历史的智者，大众眼中的神机妙算者，也许并不是因为身在此中、当局者迷而知途难返、难以抽身，更不是沉醉迷恋名利不忍归去，也许他早就洞察了历史走向包括自身命运，却因为身为士大夫，受源自传统文化、已渗入历代文人骨髓的历史使命感、文化责任感召唤，走上和浙地前贤一样的道路。他比文种清醒，却也更无奈痛苦。

来看刘基一生中两个顺应历史的重要决定。一是元末出山转而为未来的明朝效力，就像东晋隐居浙地东山的谢安，响应“安石（谢安的字）不出，奈苍生何”的时代之音，毅然“东山再起”；另一个是在明初心生惕惧、决意隐退，可惜不成。刘基的这两段进退，分别体现为元末时他哀民生之多艰、直面人生、直抒胸臆的率直质朴心声，还有明初时不满不安、借古讽今、借物抒怀的幽微沉婉情绪。这些都写入他的诗中。

先看刘基如何兼济天下。从他仕元说起。元末刘基曾任县丞，打击当地土豪，深得百姓爱戴。因直言上谏得罪长官而弃官，一度隐居杭州，后回乡避战乱。至正十六年（1356），元朝廷起用刘基平定浙东以方国珍为主的起义军。后元朝招抚方国珍，刘基再次被弃用，又蛰居家乡。到至正二十年（1360），朱元璋请刘基到今南京任谋臣。刘基感于知己礼遇之情，将胸中丘壑倾囊相授，指点朱元璋逐个击破陈友谅、张士诚等割据势力，并立“大明”国号积聚天下民心。此后 8 年，刘基参与策划和实施了灭元计划，可谓兢兢业业、鞠躬尽瘁。

再看刘基要独善其身而不能。明初，朱元璋还是赏识刘基等“浙东四先生”的，视他为汉高祖的张良，也想借重他们牵制淮西集团的李善长等人。刘基则想学范蠡、张良的急流勇退。无奈一意小心谨慎、韬光养晦的他终究未能如愿归隐。洪武四年

（1371）他回乡闲居不久，朝中新贵胡惟庸就在朱元璋前说善风水的刘基在有王气的地上造墓，这正犯朱的大忌。刘基只好回南京，以自身为人质，证明没有异志。到洪武八年（1375）朝中权力斗争已是剑拔弩张，病中的刘基深感对方咄咄逼人必置自己于死地，更让他寒心的是皇帝的猜忌和对胡的纵容。刘基终于在皇帝派来明是护送实是监视的官员陪同下，回到家乡。此后他拒绝药物，希望能以自己的死换来皇帝对家族子孙的宽容。不久刘基去世，一说是胡惟庸在朱元璋授意或默许下毒害了他，正如岳飞之死和高宗有关。一百多年后的正德年间，明朝廷才赠刘基太师，谥号文成，与张良谥号一样。

在刘基被明朝廷刻意遗忘的岁月中，他的声望在民间并未淡去，他的文学也深入人心。在他的家乡浙地尤其如此。

宋濂、刘基是朱元璋麾下“浙东四先生”里较出名的两人，和稍晚的方孝孺都是元末明初浙东最出名的士夫。宋濂死于流放，方孝孺被屠十族，刘基则较好地体现浙东文人因精通史学而具备的明智圆融品格，这虽不足以使他在明初的残酷政治斗争中明哲保身、全身而退，却使他规避了最直接的血腥杀戮。刘基在范蠡与文种之间的命运使他成为民间向往、同情的传奇人物。

刘基与宋濂、苏州诗人高启被并称为“明初诗文三大家”。高启被毛泽东称为“明朝最伟大的诗人”，刘基也被清代诗坛领袖沈德潜称为“明代之冠”，两人还合称明代的李白和杜甫。明初江南诗人多陨落，曾依附张士诚的“吴中四士”高启等人

刘基最后归梦故里今温州文成南田（曾归属青田），今文成刘基庙的“王佐（即佐王之意）”两字道出他的一生功绩

都落得悲惨下场，死于非命，盛极一时的“吴诗派”也因此元气大伤。而与吴诗派分庭抗礼、以刘基为中心的“越诗派”成为明初诗歌主流，特点是浓厚的济世情怀，主张经世致用、言之有物，风格朴质，正和越地文化精神相通。

刘基的诗学《诗经》、汉乐府、唐“诗史”杜甫的现实主义风格，以慷慨不平之气抒写眼中所见、心中所想，形成苍凉雄阔面貌。他的乐府讽喻诗多写于元末，直接真实地再现了社会矛盾，体现了对民生的高度关注关切。如写百姓入山避战乱的《雨雪曲》说“盗贼官军齐劫掠，去住无所容其身”，揭示了平民无家可归的真正原因是官贼同流。再如《筑城词》,先写战争中建城的重要性,然后笔锋一转说“独不念至元延祐年，天下无城亦不盗”，元代全盛的至元、延祐年间，即使不建城池，也无盗贼横行，以历史的对比引人深思，答案自现。还有《畦桑词》“君不见古人树桑在墙下，五十衣帛无冻者。今日路傍桑满畦，茅屋苦寒中夜啼”，也是今昔对

比，指出乱世世风不古、百姓无所寄托生计的苦涩无奈。刘基也有直抒胸臆的乐府古风，如《梁甫吟》，借这个据说是诸葛亮首创抒发雄才大略、李白也曾写过以抒发怀才不遇情怀的题目，写了历史上众多杰出人物的不遇，如“以聪为聋狂作圣，颠倒衣裳行蒺藜。屈原怀沙子胥弃，魑魅叫啸风凄凄”，就写了屈原和伍子胥有贤能却不容于俗世，抨击了他们周遭颠倒黑白、不辨贤愚的险恶生存环境，也是自况身世，诗的最后说:“《梁甫吟》，悲以凄。岐山竹实日稀少，凤凰憔悴将安栖？”更以凤凰自比，自谓治世之才、品格高洁，但现实处境恶劣，没有安身立命之所，只能悲伤地吟咏《梁甫吟》、借前贤的不幸遭遇排忧解嘲。再如他的《登卧龙山写怀二十八韵》之一说“浩歌《梁甫吟》，忧来凭胸臆”，也写自己高吟《梁甫吟》，想起众多前贤的遭遇和奋斗，心系天下苍生，不由满腔忧愤。这些孤愤忧思都是刘基出山的根本动机。

由于身份特殊，到了明初，刘基的诗里就少有直接抨击、发牢骚之作，较多含蓄委婉的咏物诗。不过，在刘基经纬天下的宽广胸襟和深通世事的敏锐目光之下，那些吟咏寻常小事、小物的小诗也顿时不是闲适小品，而成为富含深意的寄托情志之作了。如他的《春蚕》就借物慨叹了自我身世“可笑春蚕独苦辛，为谁成茧却焚身？不如无用蜘蛛网，网尽蜚虫不畏人”，说自己像蚕，为主人勤恳辛苦一生，最后有所成果后却只落得被主人牺牲的下场，还不如野地的蜘蛛（比喻民间隐士）自由自在、无欲无求。还有《五月十九日大雨》说“雨过不知龙去处，

一池草色万蛙鸣”，不知这“龙”是否有所指，但诗中写到“龙”带来的雷雨看似暴烈，却很快雨过天晴，龙和大雨都毫无痕迹，只有野地里的青蛙自由鸣叫，应该有所寓意、他指。这样超越时代的通达高远见解也是刘基在荣华最盛时毅然决定放弃权力富贵、归隐故里的重要基础。

刘基之后的明代诗坛，皇权统治和思想禁锢日益森严，文人风骨尽失，只见满眼雍容无趣的台阁体和仿古体。此时，浙地反而只有不以诗人著称的于谦等人的诗闪耀灵性光芒。

智言慧思

最爱湖东行不足，绿杨荫里白沙堤。

——（唐）白居易《钱塘湖春行》

曲终人不见，江上数峰青。

——（唐）钱起《湘灵鼓瑟》

阅读链接：

吕立汉：《千古人豪——刘基传》，浙江人民出版社，2005 年版。

王美秀：《刘伯温：时代更迭中的勇者》，台北幼狮文化事业公司，1995 年版。

周松芳：《自负一代文宗》，广东人民出版社，2006 年版。

于张两诗杰：助我平生铁石肠

杭州西湖边有很多名人墓葬，不少墓主都是爱国英豪，但唯独明代浙地的于谦和张煌言（张苍水）两人能和岳飞一起被誉为“西湖三杰”。于谦是钱塘（今杭州）人，张是鄞县（今宁波）人，他们虽非著名诗人，却能借助历史变迁的宏大深沉力量，脱去凡骨、洗去俗念、淬去杂质，以热血生命书写了外在朴素无华、内涵精纯无瑕的诗章，体现了超逸的品格气节、出众的深情高见，思想境界远超同时诗人。这在诗歌史上并非孤立现象，宋末文天祥等人的诗也是如此。

于谦（1398—1457）生活在明中叶。据说他12岁（一说17岁）就和历史传说中的很多神童一样写下象征他一生遭际的诗篇《石灰吟》“千锤万凿出深山，烈火焚烧若等闲。粉身碎骨浑不怕，要留清白在人间”（一说“千锤万击出深山，烈火焚烧若等闲。粉骨碎身全不怕，要留清白在人间”，意思基本相同）。吴越的苏、杭地处江南，但此间人并不都是文弱书生，如北宋苏州书生范仲淹的高风亮节，而一曲《石灰吟》也鲜明昭示了杭州文人于谦期待通过外在环境锻造、内心自我磨砺获得一身宁折不屈、洁白纯粹的铮铮铁骨。《石灰吟》与其说是于谦命运的诗意预言、

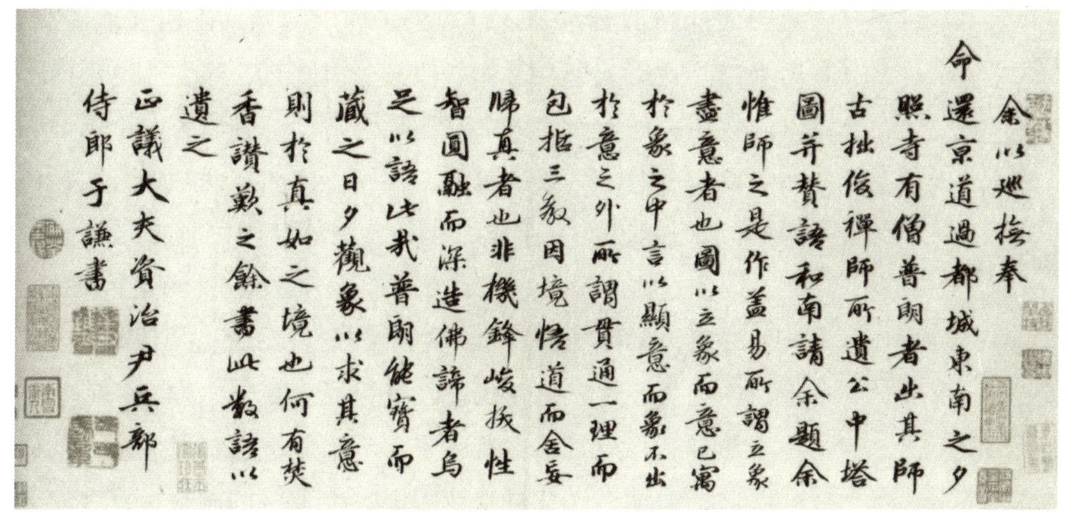

余以巡按奉
命還京道過都城東南之夕
照寺有僧普朗者出其師
古拙俊禪師所遺公中塔
圖并贊語和南請余題余
惟師之是作蓋易所謂立象
盡意者也圖以立象而意已寓
於象之中言以顯意而象不出
於意之外所謂貫通一理而
包括三教因境悟道而無妄
歸真者也非機鋒峻拔性
智圓融而深造佛諦者烏
足以語此哉普朗能寶而
藏之日夕觀象以求其意
則於真如之境也何有焚
香讚歎之餘書此數語以
遺之
正議大夫資治尹兵部
侍郎于謙書

于谦手迹

谶语，不如说体现了他对命运的自我选择。“千锤万凿”、“烈火焚烧”是“天将降大任于斯人”的必经考验，而“粉身碎骨”是成就大业或许不可避免的牺牲。早就有了这样求仁成仁的决心和心理准备，于谦日后方能“留取丹心照汗青”。

于谦书写于年少时的《咏煤炭》诗“但愿苍生俱饱暖，不辞辛苦出山林”，也说自己为了“苍生饱暖”才不辞辛苦、甘愿奉献自我，让人想起杜甫“安得广厦千万间，大庇天下寒士俱欢颜”的诗句，和《石灰吟》里说的为了自我实现、成就事业、有益天下苍生而不惜“粉身碎骨”的精神相通，和刘基等浙地前贤为民生毅然“出深山”“出山林”的追求相似，还和“卧薪尝胆”的取舍一脉相承。

于谦在诗中自比白的“石灰”和黑的“煤炭”，皮相不重要，诗句里显露的为忠于国事宁为玉碎、刚烈不屈的铁骨，爱百姓却不惜“化为绕指柔”的柔肠成为他诗中也是生命里的两大主题。

于谦是理想主义者，而受浙地文化濡染，他也是实干家。他 24 岁就中进士，

又因才能超群屡有升迁，曾为江西、河南、山西等地巡抚，后为二品重臣兵部左侍郎。他又一贯刚直，只关注民生而不攀附权臣，如他有《入京》诗表达自己一袖清风、不愿谄媚贿赂权倾一时的太监的真实心声——“清风两袖朝天去，免得闾阎话短长”，空手上京复职，只希望不要让乡亲百姓失望。因为这样的爱民之心，于谦任地方官无一时不恪尽职守、鞠躬尽瘁，父母妻子去世、儿女成长他都错过。但即使这样，他诗中的思亲愧疚之作仍不及痛惜民生疾苦之作多，他并非不近情理者，只是心中有大爱。于谦每每看到百姓疾苦就痛心不已，如他有《荒村》诗写蝗灾中乡村的凋敝、百姓的苦楚，特别表达了对为官者、百姓父母官瞒报灾情的无限愤慨，“村落甚荒凉，年年苦旱蝗。老翁佣纳债，稚子卖输粮。……那知牧民者，不肯报灾伤”；如他看到黄河决堤更是心急如焚，曾亲自救灾；他为官的北方多旱灾，诗中常写到急切地盼雨心情“挽将天上银河水，散作甘霖润九州”(《望雨》)，他还曾多次祈雨，如一次曾十多天吃斋饭、戒酒，就是在《祈雨蔬食》诗里说的“黄齑百瓮皆前定，助我平生铁石肠”，吃一百坛咸腌菜（黄齑）也是我心甘情愿的，这能使我的意志更坚定。于谦将对家人的深爱扩展开来，“老吾老”、“幼吾幼”，他和“三过家门不入”的大禹等浙地前贤一样，“铁石肠”下掩着如煤炭燃烧般炽烈的大爱。

明代多边乱，于谦的《入塞》诗就说“岁岁防边辛苦多”。他的《岳忠武王祠》诗明写家乡杭州的岳庙，实则流露了对明

代与宋代相似国事的慨叹，“中兴诸将谁降敌？负国奸臣主议和”，诗最后说“如何一别朱仙镇，不见将军奏凯歌”，表达了对岳飞忠而被谗、北伐夭折、宋代自毁长城的无限感触，这也是他日后命运预言般的写照。正统十四年（1449），明朝的北方劲敌瓦剌首领也先进犯边疆，宦官鼓动挟持英宗亲征，于谦力谏不可贸然深入，不果。结果英宗在土木堡一战中被俘，京师震动，迁都南京的议论很盛。于谦力主京师是天下根本，一旦动摇就会亡国，还疾呼大家难道忘了宋室南渡的历史了吗？在这非常时期，于谦被视为中流砥柱，出任兵部尚书，辅助新帝景帝，带着残兵抵抗，誓与京城共存亡。他终于带领军民取得北京保卫战的胜利，又迎回了英宗。此时由于忧患未定，于谦更是“三过家门不入”，毫不顾惜身体，日夜操劳，为国分忧，当时人都感慨如果他去了哪里还能找到这样无私的人？于谦才能出众、功劳盖世，却因刚直方正，受到很多不理解甚至嫉妒、怨恨，以为他专权，于谦只能常常叹息自己的一腔热血不知要洒在哪里！景泰八年（1457），英宗复辟，于谦被诬陷有不轨之心，遭杀戮。天下人都知道他是冤枉的，连抄家的人看到于府家徒四壁也不禁感慨。

“土木堡之变”的国家危亡之际，于谦不顾个人安危得失，挺身而出，力挽狂澜。磊落无私的他却因此成为王权争夺、小人私心的牺牲品，他的死和岳飞一样确为千古奇冤。不过，读过《石灰吟》，就可知道，即使早知结果，于谦也仍会义无反顾，于他，为国牺牲是通往报国理想的必经之途。

于谦不是大诗人，但透过他真实书写内心、宛如日记的平实朴素诗篇，自可见他胸中的忠直正气、宽大襟怀。如他的《咏苏武》诗赞美苏武也表白了自己的抱负——“富贵傥来君莫问，丹心报国是男儿”，《喜高佥宪病起》诗和友人共勉做出泥不染、廉洁自律的人——“一团清气难随俗，百瓮黄齑足养廉”，“一团”句写自己天性不喜谐俗，而“百瓮”句仍借夸张的一百坛咸腌菜（黄齑）写后天锻炼对成

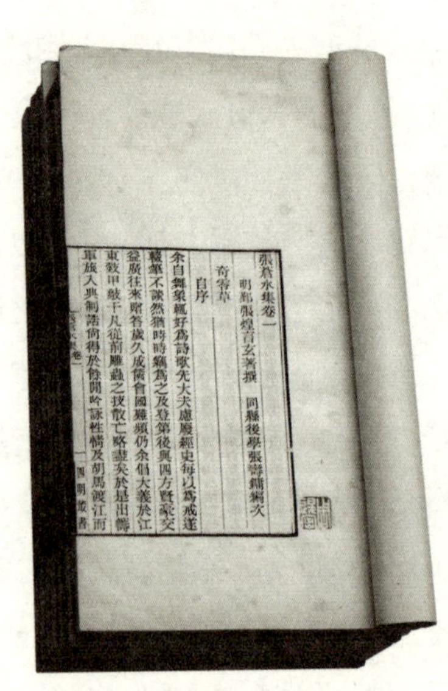
張蒼水集卷一
明鄞張煌言玄著撰　同縣後學張壽鏞編次
奇零草
自序
余自舞象輒好爲詩歌先大夫慮廢經史每以爲戒遂輟筆不談然猶時時竊爲之及登第後與四方賢豪交益廣往來贈答歲久成帙會國難頻仍余倡大義於江東載甲鼓干凡從前雕蟲之技散亡略盡矣於是出籌軍旅入典制誥尚得於餘閒吟詠性情及胡馬渡江而

張蒼水集卷一　一　四明叢書

《张苍水集》书影

就他的清廉的作用；至于“萧涩行囊君莫笑，独留长剑倚青天”、“岸帻（推头巾露出前额，形容态度潇洒）耻为寒士语，调羹（喻治理国家政事）不用腐儒酸”，则可见他经天纬地的潇洒风采。

于谦的忠勇之气和历史功绩的确完全可和在浙地活动过的爱国英雄岳飞及文天祥相比，如明末另一位葬于西湖的英雄张煌言就有诗将于谦墓与同在西湖的岳飞祠相提并论，即“日月双悬于氏墓，乾坤半壁岳家祠”。张煌言（1620—1664）也是一位不是诗人胜过诗人的英雄，“粉身碎骨浑不怕”的铁骨铁血男儿。他号苍水，以号行，明末起兵抗清，官至南明兵部尚书，曾与起义军、郑成功联合，抛家弃亲，坚持抗清 20 年。到清康熙三年（1664），因清朝政局大定，他隐居海岛（今象山），后被俘，在杭州被杀。张煌言的诗多是抗清期间所作，多和于谦诗一样是朴素而深刻的爱国篇章，有《张苍水集》，后经清末浙地著名学人章太炎整理而流行。他最著名的诗就是被俘后被押解到杭就义前写的《入武林》一首：“国破家亡欲何之？西子湖头有我师。日月双悬于氏墓，乾坤半壁岳家祠。惭将赤手分三席，拟为丹心借一枝。他日素车东浙路，怒涛岂必属鸱夷！”说在

这“国破山河在”之际，岳飞、于谦是自己的榜样。诗的最后说要学一心复国的伍子胥，驾着素车白马出现在浙地的钱塘江潮头中。还将西湖边“日月双悬”即明于谦墓和“半壁江山”即南宋岳飞庙相提并论。张苍水日后得以与这两人并列，他也当感到欣慰。20 世纪初南社诗人柳亚子有《题张苍水集》七绝多首赞美张煌言，其一说“盲风晦雨凄其夜，起读先生《正气歌》”，是借张煌言学文天祥《正气歌》的同名诗作的英烈之气鼓吹反清爱国激情。

于谦和张煌言的诗，虽多直接不华美，却是诗歌忧国忧民、抒情言志本意的回归，更将这一意义发扬光大到极致。这是真正的诗、真的诗人，也和浙诗源起呼应。

智言慧思

水枕能令山俯仰，风船解与月徘徊。

——（北宋）苏轼《六月二十七日望湖楼醉书五首》之二

小楼一夜听春雨，深巷明朝卖杏花。

——（南宋）陆游《临安春雨初霁》

阅读链接：

钱国莲：《风孰与高——于谦传》，浙江人民出版社，2006 年版。

郦波：《救时宰相于谦》，中国民主法制出版社，2010 年版。

［美］黄仁宇：《万历十五年》，中华书局，2002 年版。

清初女诗人群像：一时多少才女?

柳如是男装像

浙地诗歌到了明末清初，在这一乱世再度显露耀眼光彩，涌现了众多大家。此时浙地女诗人（包括本土诗人和流寓浙地者）亦辈出，以柳如是（1618—1664）和顾若璞（1529—1681）等为代表，融通古来才媛“林下之风”、“清心玉映”的风范情韵，形成很具特色的才女文化和闺阁诗风。这是此时诗坛亮点，也对后世影响深远。

浙地历代女诗人不算多，但都不可不提。如古代诗史上第一个可考名字的女诗人女娇；第一个致力写诗的著名女诗人，树立了才女典范以及和男性名士“魏晋风度”分庭抗礼的女子“林下之风”的谢道韫；知名度称得上史上数一数二的宋代女诗人李清照（曾长期寓居浙地，并传女弟子衣钵）和朱淑真等。南宋之后，理学兴盛，对女子性情里温柔敦厚、“清心玉映”的一面加以推崇，抑制了“另类”奇女子人格的发展，使得谢道韫、李清照、朱淑真等开创的浙地女性诗歌主流特色如宣扬

个性自由、才女风范以及赞许大胆追求爱情成为暗流，被贬低。其间礼教思想较薄弱的元代时，才有才女文化、女性诗风的短暂复兴。

元时，赵孟頫妻子、德清女诗人管道昇的诗词曲还是端庄温雅的闺阁秀韵，杨维桢的诗友兼女弟子、参加《西湖竹枝词》唱和的两位杭州女子曹妙清、张妙净的诗多有自然清新之韵,体现了女子特有的自由性灵。曹妙清的《西湖竹枝词》说“不肯随人过湖去，月明夜夜自吹箫”，塑造了一个不愿随波逐流、孤高自赏的女子形象，“不肯”流露的“拗”，可与王冕、于谦等浙地男性贤哲的执著不弃相通，诗句看似浅显，却大有《离骚》芳草美人的隐喻意义，“月明夜夜自吹箫”更营造了一方风光霁月的诗意境界，一个飘逸脱俗、“举世皆浊我独清”的诗意形象。眼界很高的杨维桢认为女性诗词不能只有小聪明、气度拘泥浅陋，要有真挚情性，要含蓄蕴藉而意境阔大，所以他对曹、张两人评价甚高。他还在和曹妙清唱和的《答妙清》绝句里说“写得薛涛《萱草帖》，西湖纸价顿能高”，以唐代女诗人薛涛作比，赞赏妙清书法之妙、诗才之高，可见南宋以后随着浙地文化的发展，一些出身书香门第、受过良好教育的女性得到和男性文人一样的期望、评价和地位，她们的诗歌创作不再是偶然随兴而为，而是和男子一样也成为她们寄托情志的手段。她们读书、写字作画、唱和雅集，风雅的日常生活和雅正的思想行为和同时代男性文人差异不大。

明末清初，在与东晋南朝、唐末、南宋初年、元末相似的相对自由的社会文化氛围中，也就是孕育了越地谢道韫、湖州李冶、寓居杭州的李清照、杭州朱淑真的诗意空气里，此时在浙地出现了众多性情和才华学问兼备、不输须眉的奇女子，成就了才女文学的空前兴盛。浙地和同在江南的今江苏一带，是此时才女辈出的中心。

明末清初的西湖之畔，就多有身具“林下之风”的女诗人寓居于此，如有遗民情怀和侠义风骨、以一叶扁舟摇曳湖上的风尘侠女、原籍嘉兴的柳如是，柳的同乡和友人、在湖畔卖诗画为生的“女山人”黄媛介，她们和此时最重要的诗人、文坛

领袖钱谦益等江南名士来往酬唱甚密，生平和诗歌创作都折射了鲜明时代特色。

柳如是约在1638年至1640年间流寓西湖之上，借杭州名士、在杭徽商汪然明在西湖上的大型画舫“不系园”“随喜庵”（像文化沙龙的所在，当时浙地能诗名士、才女都曾在此雅集），交往唱和。她还寓居汪氏在西溪湿地的读书处横山书屋，在给汪的书信里说西湖是桃花源，西溪湿地是仙境，于她都是自由挥洒天性灵感的诗意之地。她常向汪借几艘小的画舫“水团瓢”“观叶”“雨丝风片”等，任意飘荡湖山间，获取诗意，飘逸风采一如当年的林逋等人。汪为柳刊刻了诗集《湖上草》，就是她此时诗意生活写照。

柳如是平素喜好着男装，行止脱尽闺阁脂粉气，显示通脱大气的“林下之风”。“女扮男装”正是此时才女名士化的重要

清末杭州画家陈曾寿的《西溪草堂图》，明末清初杭州的西溪湿地和西湖都是文人才女的诗意栖居地

外在表现。明末士林风骨凋谢，有的文人士夫不知大义、贪生怕死，真不如柳如是等女子的胸怀坦荡、侠骨犹存。近代学者海宁王国维就曾有《题〈湖上草〉》诗以为明末一代奇气诗意独钟于女子。柳如是曾与明末遗民烈士、“明诗殿军”、“明代第一词人”、对清初浙地遗民诗人群“西泠十子”影响很大的陈子龙有缘，后嫁给钱谦益，还劝说已降清的钱暗中资助反清力量，这段明末最著名的情事和婚姻就源于西湖上。

柳如是还曾和此时在西湖西泠桥边卖诗画的同乡、嘉兴才女黄媛介唱和，结下友情。黄媛介身份也很独特，她出身书香门第，在明末战乱中受尽苦难，又为生计游历各地以卖诗画、教授女弟子为生，开创了历代女性在良家妇女、风尘女子之外自谋生计的第三条路，成为较早的女性职业画家和“闺塾师”(即女性教师)。黄媛介有《湖上》诗说“西子湖头千顷春，风光不属去来人。朝岚夕霭谁收得？半在凭阑半钓纶”，道出身为乱世漂泊者的开阔苍凉情怀，无半分闺阁柔媚之气，坦荡清韵和林逋、江湖诗人等历代浙地隐逸漂泊诗人的诗一起留在湖上。

稍晚清初的西湖上，还有一群出身文化世家的闺秀诗人崛起。她们的诗少了明末湖上女性诗人的倜傥风流，更端严醇雅，不过“林下之风”是一样的。如清初的杭州闺秀顾若璞，不幸早寡，两子尚幼。公公黄汝亨是明末文化名流，已年老，于是将家学传给她，希望由她再传子孙。顾若璞悉心教育儿子成才，自己也成为学问深厚的善诗者，更成为清初女诗人的精神领袖和德才典范。顾若璞曾为儿子造了一艘读书船，停在西湖中幽寂处断桥边让他们潜心读书，还有《秋日为两儿修读书船泊断桥作》诗说“且自独居扬子宅，任他遥指米家船”，黄家这个书香世家在时人眼中宛如西汉大学者扬雄的家，而这条读书船可比北宋著名书画家米芾乘坐漂浮山水间寻求诗情画意的那条小舟，这是何等的风怀胸襟、诗意诗境！

顾之后西湖边最出名的女诗人就是“蕉园诗社”诸子了，其实顾也可归入“蕉

园诸子”。“蕉园诗社”是清初浙地最著名的闺秀诗社，也是古代诗史上最早的女性诗社，体现了浙地闺秀诗人从个体成长为群体的发展。“蕉园诸子”和“西泠十子”关系匪浅，她们都出身杭州各大文化世家，有深厚的诗歌家学渊源。诗社成员如柴静仪、林以宁等都合乎才女有著名诗人的父兄、丈夫、儿子等条件，如张昊堂兄张丹、毛媞父亲毛先舒更是“西泠十子”的主将，而李端明、李端芳姐妹的父亲则是清初著名文人李渔。清初海宁人陈之遴之妻、清代著名女词人徐灿（约1618—1698）也是诗社成员。

“蕉园”女诗人们自称“五子”“七子”，可见她们的自我定位并非婉约闺秀，而是有意和男性诗人并肩、一争高下。《国朝杭郡诗辑》曾忠实记录了“蕉园诸子”在西湖游船上吟诗唱和雅集时“练裙椎髻、授管分笺”的娴雅大家风范，令一湖艳妆游女黯然失色、自惭形秽。她们延续了柳如是等明末女诗人乃至浙地历代女诗人如谢道韫的名士风度，还加入了清代文化独特的雅正韵味，对后世浙地闺秀诗人如秋瑾等人也有启示，所以令人一见难忘、深思不已。

阅读链接：

陈寅恪：《柳如是别传》，《陈寅恪集》，三联书店出版社，2001年版。

孙康宜：《陈子龙柳如是诗词情缘》，陕西师范大学出版社，1998年版。

（清）吴颢编、吴振棫重编：《国朝杭郡诗辑》，钱塘丁氏同治刻本。

浙诗殿军袁枚：自把新诗写性灵

清代浙地，地域特色较显著的“浙诗”除了“浙西词派”词人朱彝尊和厉鹗等的诗，就要数清中叶杭州籍诗人、“性灵说”倡导者、“浙诗殿军”袁枚的诗了，虽然他一生多身在他乡，是谢灵运之外的另一种意义的浙地“客儿”，心却始终憩息浙地，诗也属“浙诗”血脉。

袁枚（1716—1797）是个有趣、有故事的人，看不惯他的人很多，喜欢、佩服他的人也很多。只有性情和诗风都个性鲜明的诗人才能得到这样的际遇。

袁枚一生除了生儿子很迟，处处给人“早”“超前”的感觉。他早慧、早成名，乾隆元年（1736）21岁的他就因才气横溢、声名鹊起被推荐参加为有才名者准备的博学鸿词科考试，同时参考的还有已64岁的清中叶诗坛领袖、祖籍湖州的沈德潜，以及“浙西词派”中坚、45岁的杭州人厉鹗等。从年龄看三人宛如祖孙，被人津津乐道。这次考试袁枚虽未能成功，却声名远扬，应了“成名要早”这句话。

后袁枚中进士入仕，如愿为翰林，才24岁的他因文章出色被比为“当世贾谊”。可惜此后总被外放做知县等小官，虽然他勤于政务也有善政，还曾被认为是宰相必用的人，但可能因为跳脱灵动的诗意个性容易被人认为轻浮不可靠，他竟逃不出有才无命的官场怪圈。不过袁枚毕竟是聪明洒脱的人，他没有因循前代官场失意者的思维惯式和命运模式，没有自艾自怨、顾影自怜一辈子，也没有在官场挣扎到头破血流、白发苍苍，而是在40岁时就辞官隐居，成为专业诗人，比白居易等人更早

过上悠闲的“中隐”生活。袁枚在金陵（今南京）所建隐居的“随园”之“随”一字最得他的心意。

袁枚的后半生闲居写诗，看来似乎全都是神仙般的日子，但如果看到他说的我们这一代人恰逢盛世，如果没有要紧的怪癖、妄诞言行，应该不会遭受文人困厄如文字狱的苦涩无奈之语，仍可深切感受到清初浙地诗人朱彝尊、查慎行等人的惨痛遭遇带给袁枚这一代诗人的心理阴影。袁枚毕竟不是神仙，他的诗也不纯然飘逸。

身处封建社会晚期、又逢文禁森然的“乾嘉盛世”，袁枚同时的很多文人熟读历史后，无不感到无论选择仕进或退隐的人生轨迹都会处处重蹈前人覆辙，于是不免对死水微澜的时代社会和没有悬念的人生萌生倦意，精神面貌便给人未老先衰之感，诗歌也缺乏激情朝气，所以清中叶诗风多平庸萎靡，也少大家。袁枚超然独立于时代和众人之外的独到之处在于，虽然他的人生也是明哲保身的，更是过于聪明、浅尝辄止的，甚至有些庸俗，但他通达圆融的思想里仍有浙地文化坚守不弃的底子在，所以即使他主张退隐，人生态度却不是消极的，对生命里的很多事仍采取了“知其不可而为之”的态度。如他在60岁诗文全集编成后感慨“不负人间过一回，编成六十卷书开”，就显示了执著的文化使命感。袁枚还在《自嘲》诗中说“自笑匡时好才调，被天强派作诗人”，感叹自己也有过匡扶时世的高远理想，也自信具备绝世才华，最后却发现自己只是被命运拉去客串了一个无足轻重的诗人。虽然未必甘心，但袁枚的个

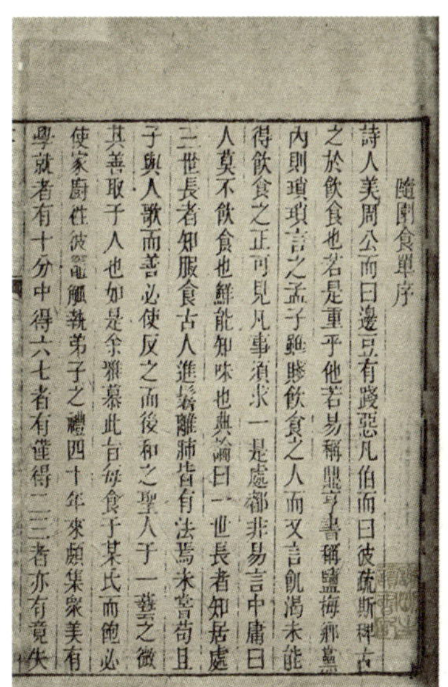

隨園食單序

詩人美周公而曰籩豆有踐惡凡伯而曰彼疏斯稗古之於飲食也若是重乎他若易稱鼎亨書稱鹽梅鄉黨內則瑣瑣言之孟子雖賤飲食之人而又言飢渴未能得飲食之正可見凡事須求一是處都非易言中庸曰人莫不飲食也鮮能知味也典論曰一世長者知居處三世長者知服食古人進鬐離肺皆有法焉未嘗苟且子與人歌而善必使反之而後和之聖人于一藝之微其善取于人也如是余雅慕此旨每食于某氏而飽必使家廚往彼竈觚執弟子之禮四十年來頗集衆美有學就者有十分中得六七者有僅得二三者亦有竟失

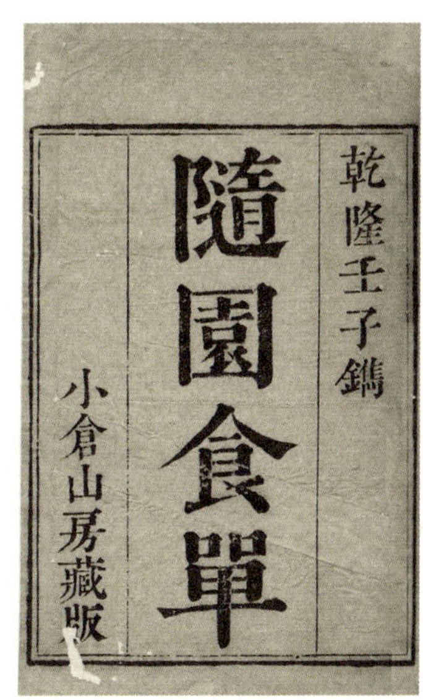

乾隆壬子鐫

隨園食單

小倉山房藏版

袁枚的《随园食单》和“性灵”诗说都雅俗共赏，有相通之处

性最灵活、也善调适，于是他顺应时势和人生，做了许多诗人该做的事，也算完满。

袁枚在诗歌方面做过最主要的两件事，一是继续发展了清代的“浙诗”，以轻灵生动而自然圆熟的风格，完成了“浙诗”从《候人歌》的简单质朴自然到谢灵运、沈约等的内涵渐丰、技巧渐胜，林逋、陆游、杨维桢、厉鹗等的博大精微，然后返璞归真的回归，可谓浙地古诗传统的小结，他可称古典“浙诗”的殿军；二是成为当时天下诗坛领袖，门下多弟子尤其女弟子，促进了浙地乃至天下闺秀诗的发展，也多有功于诗歌的新变。

袁枚大部分时间不在浙地，但他一直自我认定是“浙人”，浙地文化对他影响至深。如袁枚是通过批评厉鹗的诗风然后确立自己诗风的，其实他还蛮欣赏厉鹗，所以才选厉鹗为对手，就像当年苏轼视前任“西湖主”白居易为敌手和超越对象一样。袁枚觉得厉鹗缺少真情，于是以浅易流利诗风中和化解了厉诗的深刻生涩。袁枚的

“性灵”诗说，继承了明代思想家李贽的“童心说”、明诗人袁宏道的“独抒性灵”，也继承了“浙诗”中贺知章、寒山、“四灵”、“江湖诗人”等前贤讲求灵性颖悟、近情近理的诗风一脉，其实就是回归到了“浙诗”最富地域特色的本色之上。

生在诗歌也讲求显示学问的清代，袁枚也主张“性灵”和“学识”要相结合，他打了个生动比喻，说诗意灵性好像先天容貌，而诗中典故好像后天衣着。他还有《箴作诗者》诗是写给天下写诗人的，“物须见少方为贵，诗到能迟转是才。清角声高非易奏，优昙花好不轻开。须知极乐神仙境，修炼多从苦处来”，一向敏捷求快的袁枚居然说写诗要“迟”要慢慢磨砺，正如乐曲太高亢不容易演奏，奇花异草美丽但轻易不会开放，要达到诗中玄妙之境需要苦练。天资聪慧、看重“性灵”的袁枚对诗歌和先天悟性、后天苦学关系的看法还是很中肯的。轻灵飘逸的天才诗人形象之后他也是刻苦的学问家。

所以袁枚的诗，和他的人生言论一样看似平和简单，实则并不平庸单薄。如他的一首脍炙人口的小诗《所见》写少儿捕蝉，怕蝉逃脱，就“忽然闭口立”，本是寻常事，但诗意性灵跃然纸上，和历代“浙诗”精魂如女娇“候人兮猗”、贺知章“笑问客从何处来”、陆游“小楼一夜听春雨”、赵师秀“闲敲棋子落灯花”的会心不远、意味深长灵犀相通，绝非浅薄无味。再如他传诵很广的《咏苔》诗二首之一的“苔花如米小，也学牡丹开”，也意趣深长。

袁枚诗也有深沉厚重的一面，如他写岳飞旧事的《谒岳王墓作十五绝句（选一）》“天意小朝廷已定，岂容公作郭汾阳”，说南宋求和国策早定，怎么会容许岳飞当安史之乱后中兴唐室、功高盖主的郭子仪呢？可谓深刻入骨的诛心之论。他还有咏物诗《咏钱》写得既通俗有趣又深刻有味，先说“解用何尝非俊物，不谈未必定清流”，称不必刻意避免谈钱这个俗物，又说“拟把婆心向天奏，九州添设富民侯”，“婆心”就是爱民之心，这两句大有“安得广厦千万间，大庇天下寒士俱欢颜”的意思。袁枚此人亦雅亦俗、大俗大雅，他的诗也是性灵趣味和现实意义兼得。

“性灵”诗说好像佛教中的禅宗，但求深入浅出、通俗易懂、深入人心。正因如此，袁枚在当时诗坛取得和唐代白居易相似的“广大教化主”地位。他只是一介小官、隐士，却能让上至高官、下至市井百姓都知道他的大名，而且影响深远，后来的龚自珍等都受到他的影响。与袁枚同时的诗人赵翼曾以“江山代有才人出，各领风骚数百年”概括清诗的新变，袁枚也当得起“代有才人”“各领风骚”的评价。不过袁枚也有局限，他作为传统“浙诗”的殿军、浙地古典文化的总结者，在其间浸淫已久、烂熟于心，虽也能有所开拓，但毕竟身在其中，不免守旧有余、开新不足，正如他对妹妹、才女袁机殉身于旧礼教的悲剧束手无策一样。袁枚曾说自己是“自把新诗写性情”（《春日杂诗》），“性情”就是个性、性灵，但“新诗”只是指他的诗歌意蕴、风格清新，而非富于新意。真的“新诗”则要待更晚些时候、生逢近代之初的另一位杭州诗人龚自珍（1792—1841）去书写。

阅读链接：

王英志：《袁枚评传》，南京大学出版社，2002 年版。

罗以民：《子才子——袁枚传》浙江人民出版社，2007 年版。

（清）袁枚：《随园诗话》，人民文学出版社，1982 年版。

别一诗国

浙地词萌生发展的脉络，
可看作词源起成熟的
较完整缩影。
浙词看似曲折婉转、
含蓄细致，
实则执著深沉、
坚忍有力，
与浙地柔韧坚强的
人文精神传统相通。

引 言

词是古典诗歌的别体，更细致灵动反映变易的社会生活和思想情感、表现形式更内在深刻的诗体。后来的曲、新诗也是古诗的变体、发展。《别一诗国》着重意在追寻“骚雅浙词”和“浙为词薮”的前生今世等内涵。

词大量出现较晚，在中晚唐时。浙地词萌生、发展的脉络很清晰，可看作词源起、成熟的较完整较典型缩影。如最早的著名文人词，白居易的《忆江南》、张志和的《渔歌子》都是浙人（或来到浙地者）写浙地山水的。

浙地词的起源其实还可追溯更远，号称“越音之始”的上古民谣《候人歌》说“候人兮猗”，深情执著、含蓄缠绵、低回婉转、唱叹不尽，是最早的浙诗，也是浙词的源头之水。

之后，春秋越国时号称《楚辞》之源的越女爱情心声《越人歌》，越女爱国绝唱《乌鸢歌》和《采葛妇歌》，越国将士众志成城、同仇敌忾的慷慨悲歌《离别相去辞》，这些“骚体（和《楚辞》类似的诗体，以代表作《离骚》为名）”诗，以爱情或爱国之情为主题，或假托个人情怀写家国大义，大都用咏物寓意、比兴寄托的手法，长短多变的句式、起伏跌宕的音调，形成委

婉而深刻、浓烈而沉挚的面貌。与后世出现的、配合音乐而字句不整齐的词确有微妙难解的血脉传承，都适宜表现看似曲折婉转、含蓄细致，实则执著深沉、坚韧有力的思想情感，也恰与浙地貌似柔弱实则坚忍的人文精神传统相通。

此后，又经历同样形式自由、配乐演唱，以咏物、写山水与爱情为主的南朝乐府的蜕变，词终于在中晚唐的浙地等处成熟。

北宋时，词经过柳永、苏轼、李清照、周邦彦等浙籍或寓居浙地的一流词家的潜心苦吟、雕琢磨砺，屡开新境，多有发展。到南宋时，华美丰赡、诸体皆备的浙词成为世间翘楚，词家云集、词事繁盛的首都临安（今杭州）也成为天下“词都”。此后一直到明清时，浙地都是天下“词薮”之一。

南宋词的繁荣有很多原因，一大原因是词家开始“独尊词体”即不再认为词是诗的附庸。受主张“北伐复国”的时代氛围、宋型文化的崇文求雅、理学思想的重思辨色彩等方面的影响，此时的词家特别推崇《楚辞》（包括《离骚》《九歌》等）那样通过咏物、写山水与情感来隐喻美好思想品格和高远理想追求，以一己身世心声曲折寄托对现实历史深思的篇章，形成南宋一代的主流词风——重寄托、崇雅正的“骚雅”词风。雅词中心就在浙地。

南宋浙词重“骚雅”，可从宋时来到浙地的苏轼、李清照说起。

中唐白居易时，词与诗仍多有区分，在人们眼中，词是歌女在花间的浅吟低唱，诗是文人在书斋里的清啸高吟。继白居易之后苏轼来到浙地，写下大量抒发旷达情怀的篇章，不少以词体完成，因为词的形式更自由更婉转深刻，能更好传达他不羁的灵魂吟唱和浙地山水间的浪漫气息。苏词里开始出现和诗相通的山水清远高阔之境、现实生活写照和文人情志抒写。

不过苏词还只是个例，之后大多数词人还是沿用传统的书写山水、花木、男女之情的柔美词风，他们眼中，北宋末的杭州词人周邦彦和南渡后寓居杭州的李清照

才是“词中正宗”。而这两人尤其李清照的词风遭遇北宋末年时代突变后也开始大变，词、诗写的对象，词风和诗风都开始相通。于是，经李清照和同时代南渡来到浙地的词人的共同努力开拓，词真正确立特点、显现个性，开始与传统古诗双峰对峙、平分秋色。

李清照在浙地开词中新境，特别耐人寻味。因为“骚雅”词学《离骚》的“香草美人”传统，就是借奇花异草、美人智者不得知音爱侣赏识却依然静静开放、展露最美瞬间，表达了珍惜美好事物、对爱情和理想深情不悔的情感，比兴寄托、隐喻象征了对祖国、人民的热爱。这一般体现为男性文人模拟女子“闺音”的代言体，李清照虽是女子，却是毫无脂粉气的名士型才女，她的词表达虽仍深情真切而明晰自然，但已多有寄托，初显雅词风范，如她的咏桂花词。

浙地的南宋词，更以“骚雅”雅词为宗。陆游、辛弃疾和姜夔、吴文英等浙地本土或曾寓居浙地词人都对“香草美人”传统领悟很深、运用自如，无论风格雄肆、内容现实的爱国词，还是柔美深情、寓意借喻的爱情词、咏物词，不拘外表豪放或婉约、表达直率或含蓄，内涵都相通，无不寄托了家国、人生大义，文人雅正的清风傲骨。此后一直到清代，人们都认定“骚雅”词风是词之正统，清代浙地的浙西词派是南宋雅词的延续，追求寓意深刻、风格雅正的词学主张一脉相承。进入现代，“一代词宗”、浙地词人夏承焘先生也是雅词的推崇者。

因为推崇“骚雅”词风，南宋词里多咏物词，学习《楚辞》“香

今杭州西溪湿地的两浙词人祠堂原建于清末，见证了浙地词学的发展

草美人”传统的咏花卉草木词尤其多，多借赞美符合宋代崇雅文化审美取向的梅花、荷花、桂花等清雅高远的香草异卉，彰显思想情感、风骨操守之美。南宋咏物词中最有特色的大约是咏梅词、梅花意象，作为宋代文化、宋代文人人格理想象征的“梅”，陆游等南宋词人还借助《楚辞》的典故和深层内涵进一步深化了“梅”意象的情感深度、现实广度、思想厚度。如陆游的《卜算子·咏梅》词便是一篇“词中《离骚》”，词人以“花中气节最高坚”的梅花自比，表现了孤高雅洁、坚强不弃的志向节操，还以“一任群芳妒”“无意苦争春”的词句写自己不畏馋毁和淡漠名利、甘于寂寞，就像《离骚》中说的“众女嫉余之娥眉，谣诼谓余以善淫”，而词最后的“零落成泥碾作尘，只有香如故”，有《离骚》中“惟草木之零落兮，恐美人之迟暮”的疑惑不安，还更深刻体现了即使理想不能实现也绝不放弃的“虽九死其犹未悔”的执著。再如辛弃疾写于浙地临安元宵节的《青玉案·元夕》词将咏物意象拓展为写人与意境，词结尾的“众里寻他千百度，蓦然回首，那人却在灯火阑珊处”被近代浙地学人王国维在《人间词话》中推崇为“古今成大事业、大学问者”追求人生理想必经的第

三种境界即最高境界。灯火阑珊中的“美人”一如陆游的梅花意象，也就是《离骚》中的“香草美人”意境，不愿同流合污，自甘寂寞、出尘脱俗，更坚守理想，希望到达更广阔高远之境。

南宋浙词的“骚雅”意韵学习并超越了《楚辞》这一经典，开拓并成就了古典诗歌的一番新境。日后，浙地元曲、近现代新诗的崛起也是一种传承中的超越。

智言慧思

愿我身兮如鸟，身翱翔兮矫翼。去我国兮心摇，情愤惋兮谁识！

——（春秋越国）勾践夫人《乌鸢歌》(《乌鹊歌》)

阅读链接：

夏承焘：《唐宋词论丛》，中华书局，1962 年版。

吴熊和：《唐宋词通论》，商务印书馆，2003 年版。

邓乔彬：《论宋词中的“骚”、“辩”之旨》，《文学遗产》，2001 年第 1 期。

《乌鸢歌》：越女爱国绝唱

《候人歌》后，出现在古浙地的又是一位女性诗者的杰作《乌鸢歌》，作者是也属姬氏后裔的越国国君的夫人——勾践夫人。《乌鸢歌》是中国南方最早的女性爱国名篇，深沉浓烈的爱国爱乡情怀被认为可与著名爱国篇章《诗经·邶风·载驰》里许穆夫人对祖国卫国的深情相媲美，一是南方越风，一个是中原邶风，各有千秋。和《载驰》端庄方正的四字句相比，《乌鸢歌》所带的语气词“兮”、和《楚辞》相似的杂言句，形成委婉的表达，唱叹式的抒发，但执著的感情，浓郁的诗意，都毫不逊色。

越地史书《吴越春秋》中，记载了公元前 492 年即春秋晚期越国勾践五年五月，勾践战败入吴为奴。越国君臣勾践和文种登场之后，以一曲《乌鸢歌》直诉亡国之痛的又是一位越女——勾践夫人。《乌鸢歌》（又名《乌鹊歌》）以吴越战争中两国的界河天堑和战场钱塘江为背景，借江上水鸟乌鸢，高歌了被迫离开故土亲人的无奈，对将为阶下囚命运的忧虑和抗争，对自由的渴望。《乌鸢歌》朴素感性的吟唱，和此时文种等越国大臣的《越群臣祝》的深沉理性思考，共同组成越国“起死成霸”传奇史诗的诗意底色。

勾践一行从越国（都城在今绍兴）出发，前往吴国（都城在今江苏苏州）。一说船到古钱塘江中流，勾践夫人看着江上有乌鸢自由飞翔，感慨万千。一首哀怨而不失刚烈、激愤里流露希望的《乌鸢歌》，从此回荡在吴越间的历史时空中。

乌鳶歌

仰飛鳥兮烏鳶，凌玄虛兮號翩翩，集洲渚兮優恣，啄鰕矯翮兮雲間，任厥性兮往還。前半只似賦物。以下忽然入情。纍無痕迹。非古人筆力高峻。不能斬截如此。妾無罪兮負地，有何辜兮譴天。負地譴天。聲口忿急。而語有分寸。亡國之婦。怨艾容或有之。若策慵謷憤。勇猛奮厲。非圖王定霸者不能。飄獨兮西往，孰知返兮何年？心惙惙兮若割，淚泫泫兮雙懸。

其二

彼飛鳥兮鳶烏，已迴翔兮翕蘇。二字妙在識鳥性情。心在專

《乌鸢歌》书影

勾践夫人羡慕水鸟的自由，“乌鸢栖息江边沙洲，自在啄食鱼虾，又展翅飞到云端。天地间，它们任自己的秉性随心所欲地飞来飞去”，又对照哀叹自己的处境命运：“我有什么错，为何要背离故乡，被遣送到远方，不知道何时才能返回家园？”她看到“乌鸢们飞回来，在沙洲上停歇，这些是它们栖息江湖的生存之本”，深感鸟犹如此、人何以堪？便进一步感慨自己“被逼离开故土家园，又要前往敌国国都”的不由自主，而最令她有锥心之痛的是“我这个王后被逼穿上粗布衣去吴国当奴婢，我的丈夫越国国君被摘掉头上冠冕成为奴隶”的不堪命运。冤屈痛苦聚集成悲切激昂的情绪，她唱出心底最强烈的愿望和情感——“愿我身兮如鸟，身翱翔兮矫翼。去我国兮心摇，情愤

惋兮谁识！”只愿身能自由，像江上乌鸢振翅飞翔故乡间。可惜船行渐远，就要离开越国了，自己的伤痛悲愤有谁知道?

勾践夫人如泣如诉的吟唱、故土难离之情，引起同行者的强烈共鸣。亡国者还不如鸟儿可自由飞越吴越山水、率性栖息家乡湖山，最有同感也最愧疚的莫过于勾践了，他只能安慰夫人说自己虽处绝境，但胸怀远志、羽翼尚存，就像这江上乌鸢，总有一天可挣脱牢笼，高飞长空一展志向。

勾践在战败之初曾想玉石俱焚，文种劝止他说为了免受亡国之辱一死了之是自私幼稚的，为国家复兴而忍辱偷生才是勇者行为，这才有了勾践的入吴为臣。背负复国兴邦执著信念的勾践夫妇在吴国表现了非凡的忍耐力、韧性和策略，终于消除了夫差的杀父仇恨和不信任，等到了《乌鸢歌》诗里期待的展翅高飞的一天。关于勾践夫妇在吴国受尽磨难和侥幸归国有很多故事,一说有一次勾践夫人唱起越歌《乌鸢歌》，声调悲切，夫差心生怜悯，决定放他们回国。这只是传说，却也侧证了《乌鸢歌》的感人。

《乌鸢歌》不像《越群臣祝》有谴责吴国强权、忧国忧民的思想高度和深度，吟唱间只是体现了孤独弱小个体被迫离乡时对故土的依恋、身处绝境时的不灭希望。不过，两诗都选择了越人经受灭国灭族绝境考验的历史瞬间，凸显了他们既有血性又富于生存智慧的文化特性。而且,《乌鸢歌》看似隐忍委婉实则激烈执著的表达和后来勾践及越国全民“卧薪尝胆”式的心理行为模式很相似，都显示了越人骨子里对自由尊严的渴望，身处逆境激发出的刚勇强悍坚忍生命力，这是越国复国的重要内在动力源泉。

吴越争霸的原始史料较少，后世的史家、文学家又频频写到这一传奇时代，使之演化为一出充斥诡计奇谋、假戏真做的大戏，其间出现《乌鸢歌》这样直抒胸臆的真情歌唱格外可贵，即使是隐身诗句后的勾践这个心机深刻的盖世枭雄，也在这

一人生失意脆弱瞬间道出心底最朴素的渴望：和妻子在故乡山水间做一对自由飞翔栖息的水鸟。历来有人怀疑《乌鸢歌》是《吴越春秋》作者、东汉会稽（今绍兴）文人赵晔拟写的，即便真的如此，这首“骚体”诗也捕捉住了吴越历史中最真实的人性记录，具备了“诗意的真实”。

据《吴越春秋》等书记载，勾践和夫人归途再次经过浙水（钱塘江）之上，见越地江山如旧，江上乌鸢也无恙，又一次相向而哭，为有生之年能回到故国家乡。归国后勾践在座位旁悬挂苦胆，入朝前要先尝苦味，还模仿当年的吴王夫差让身边大臣高呼：“勾践你难道忘记会稽战败之耻了吗？”然后回答：“不敢忘！”越国实行“十年生聚，十年教训”国策期间，勾践和夫人都和百姓同甘共苦。夫人亲手养蚕织布，吃饭从未有荤菜，从不穿两层的华丽衣服。她的洗净铅华、身体力行，令人佩服，感召百姓，对越国国力复苏助益尤多。

此时同是越国女性所作、和《乌鸢歌》一样反映越国复国精神历程、体现全民“卧薪尝胆”热情的诗还有《采葛妇歌》（又名《何苦诗》）。勾践为赢得复国机会，曾派百姓上山采葛织成黄丝布献给夫差。有个越国采葛妇人痛惜越王的用心良苦，吟诗说：“我君心苦命更之，尝胆不苦甘如饴。”采葛妇们日夜操劳，连吃饭都来不及，却不觉辛苦，反而体谅催她们的越王，认为越王心里苦闷、命运更苦，胜过苦涩的葛根，才不觉得“卧薪尝胆”之苦。希望自己的辛苦能减轻王的忧虑。可见有志通过“卧薪尝胆”行为达到复国目的的不止勾践一人，也不止勾践夫人、

文种、范蠡、西施等少数人，越国上下都有这样的自觉。

正因为对故国乡土的无私热爱、深沉眷恋，采葛妇才会劳累饥饿却不觉得苦，勾践才会“尝胆”觉得“不苦甘如饴”，勾践夫人才会甘心到敌国为奴。有了勾践君臣身后无私付出的千万越国百姓，如无名的采葛妇，越国“起死成霸”的惊天逆转才有可能。其中那些温柔包容又不失坚韧的越国女性牺牲、奉献尤多。采葛妇、勾践夫人、西施等人组成了“越女”在复国苦旅中的隐形英雄群像。

智言慧思

绿遍山原白满川，子规声里雨如烟。

——（南宋）翁卷《乡村四月》

阅读链接：

金启华：《诗经全译》，凤凰出版社，1996 年版。

逯钦立主编：《先秦汉魏南北朝诗》，中华书局，1983 年版。

杭刃：《英雄绝唱·史记随笔》（二十五史随笔丛书），浙江文艺出版社，1998 年版。

《离别相去辞》：越之《国殇》

来看越国复兴进程中的另一系列英雄群像，战场之上那些“好勇轻死”的越国男儿们的真实写照。

屈原《楚辞·九歌》的《国殇》篇，是祭祀追悼为国牺牲的楚国将士的挽歌，如“出不入兮往不反”是歌颂了他们为国献身的义无反顾，“魂魄毅兮为鬼雄”是祈愿他们英灵不死。楚国、越国同处南方，地域相邻，文化相通，越国无名氏（一说作者就是勾践）的《离别相去辞》（又名《军士离别歌》）也是“骚体”诗，可谓吴越争霸时越国的《国殇》。

《离别相去辞》也见录于越地自己的史书《吴越春秋》，公元前 480 年左右即“卧薪尝胆”多年之后，越王勾践为复仇起兵讨伐吴国，越国百姓积极响应王命，纷纷送子弟到国境聚集。此时有人作《离别相去辞》为越军将士饯行并鼓舞士气军心，显示了越国军民渴望一雪国耻的激越心声，也塑造刻画了和“卧薪尝胆”时一样同仇敌忾的越人爱国群像。

诗中的“一士判死兮而当百夫”，就是“一士拼死当百夫”的意思，说越军士兵出名的勇悍不怕死，战场上拼死战斗时可以一抵百，也就是诗中说的越国军队“势如貔貙”宛如古时传

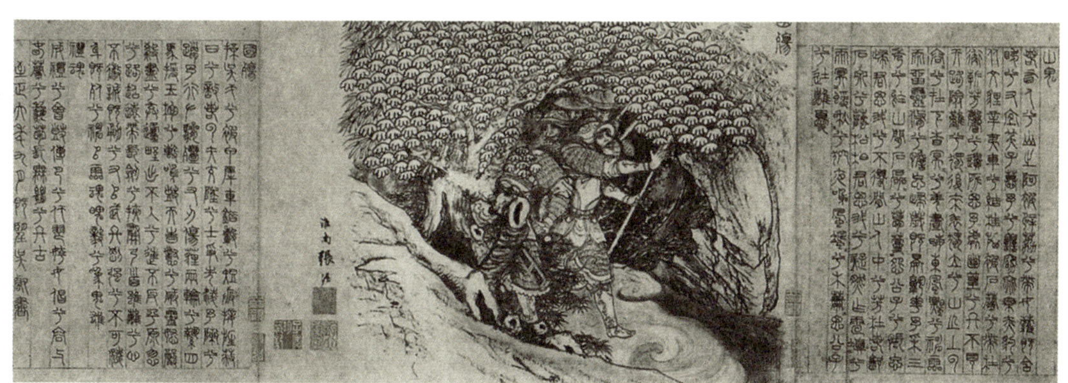

元代寓居杭州的画家张渥临摹宋人李公麟的《九歌・国殇图》

说中的猛兽。这源自越地险峻恶劣地貌造就的越人的刚勇无畏血性，也是他们最终打败吴军的重要原因之一。越国人生于山旁水畔，“断发拔齿纹身”，宛如蛟龙，善于水斗，外表勇猛。与《吴越春秋》同时、产于东汉越地的另一部著名史书《越绝书·记地传》（作者是东汉山阴文人袁平、吴康）里说他们“以船为车，以楫为马，往若飘风，去则难从”，船和桨（楫）就是越人的战车战马，他们驾驶小舟，在水上宛如旋风吹过，行动迅疾异常，样子剽悍。而《汉书・地理志下》则说越人“好用剑，轻死易发”，说他们血气充沛，轻率冲动，喜欢用剑，好相攻击，蔑视死亡。所以吴军虽有坚固的水犀甲护身，有先进的庞大舰队为后盾，但他们生长温软富庶之地，性情较温文、喜欢享受，战斗力自远不及越军。

“道祐有德兮吴卒自屠，雪我王宿耻兮威振八都”是说上天会护佑得道多助的越国，而吴国终会自取灭亡，所以如今越军出师讨吴，必将一雪越王积年的耻辱，还将威名远播天下，和《越群臣祝》里的“皇天祐助，前沉后扬”“威人者灭，服从者昌”意思相近。

《离别相去辞》的最后说“行行各努力兮於乎于乎”，“於乎”“于乎”是感叹词，

“行行”的意思是“做事”，“行行各努力”就是说除了出征的将士抱着“出不入兮往不反”“壮士一去兮不复返”的浴血奋战、战死沙场的决绝信念，留在越国备战作后盾的越国民众也要努力做事，这比“一士拼死当百夫”还重要。就像“十年生聚，十年教训”期间越国举国上下的“卧薪尝胆”，越国军民“行行各努力”是地理条件不佳的越国先成为东南强国、后又史无前例地成为中原霸主的最重要历史原因。

《离别相去辞》和《乌鸢歌》《采葛妇歌》外在自由婉转的不齐错落句式、内在充沛的爱国激情，是后世浙地爱国词的源头，尤其是《离别相去辞》的豪迈血勇气势对豪放的爱国词多有影响。

阅读链接：

徐志平：《浙江古代诗歌史》，杭州出版社，2008 年版。

梅桐生、黄寿祺等译：《楚辞全译》（中国历代名著全译丛书），贵州人民出版社，2008 年版。

王步高主编：《爱国诗词鉴赏辞典》，南京大学出版社，2003 年版。

《越人歌》：《楚辞》之源

诞生于春秋末年、作者为越人的《越人歌》是中国古代第一首译诗。《越人歌》生动诠释了越族坚贞不移的性情品格，并汇入当时南方民歌的发展，对《楚辞·九歌》里深情凄艳的爱情诗影响很深，成为《楚辞》源头之一。它婉约灵动的吟唱也成为后世爱情诗词的绝妙范本。

《越人歌》诞生于于越时代（指春秋古越国影响今浙地期间）楚越两国结盟时，公元前 528 年至公元前 540 年间，比“卧薪尝胆”时代还早半个世纪，在屈原（约前 339—约前 278）之前两百年。《越人歌》故事发生在楚国，但作者、诗中主角是一位在楚地以划船为业的越地女子。

《越人歌》的另一个主角是楚国国君共王之子、公子鄂君子皙。春秋时楚、越两国相邻，人员多流动，如越国大夫文种和范蠡都是楚人。越国平民和楚国王子，两个国籍不同、语言不通、地位悬殊的人，如何互通心曲、成就一幕美好的爱情喜剧？所幸情感、文化的融通力量是无穷的。

这是春天，鄂君子皙身着华服，乘坐华丽游船，泛舟游乐。在一片喧嚣呆板的宫廷乐声中，一位驾舟少女抱着船桨唱起歌来，清歌乍起，如山野之风、世外天籁。一曲终了，众人沉醉，包括鄂君。鄂君让人将越语译成楚语，才知道少女表达的是深深爱意：“今天是什么幸运日子？我竟能和王子在一只船上泛舟（今日何日兮，得与王子同舟）……山上有树木，树上有树枝；谁都知道我喜欢王子，他却不知（山

有木兮木有枝，心悦君兮君不知）……”

越人的故事总和水、舟楫有关。《越绝书·记地传》里记录了一段据说是勾践对孔子说的话，颇耐人寻味，“夫越性脆而愚，水行而山处，以船为车，以楫为马”，说我们越人性情刚烈而执著，住在山里，出行靠舟行水上，和中原人不同，越地多水，舟楫就是我们的车马。勾践面对身为高度发达中原文化代表的孔子的这一番不卑不亢的话，概括了越文化具有水一样悠远不息的生命力、柔韧不弃的适应性，舟楫则寄托隐喻了越人对越地奇秀而险恶生存环境的顺应与调适应对、抗争改变。于是，越人诗里多水和舟楫的意象。以历来越女和她们的诗为例，勾践夫人在江上船中唱出《乌鸢歌》，西施一说最后乘一叶扁舟消逝于太湖茫茫烟水中。范蠡、西施的倾国之恋虽属虚妄，传说中的逍遥诗意结局还是令人羡慕的。这一次依然是楚越两国的跨国之恋，结局会如何？

越女多勤劳，西施浣过纱，采葛妇能织布，勾践夫人也曾亲自织布，《越人歌》中的少女能驾舟。越女还纯真多情，涂山女娇就曾在《候人歌》里率性高歌对丈夫大禹的思念。感动于这位驾舟越族少女的纯朴热情，特别是《越人歌》这曲宛如越地乡土气息一般明净清新、山间林木枝条萌生成长一般自然的情歌，鄂君接纳了这份纯美情感。

本来，由于现实的差异、隔阂，驾舟少女的暗恋注定是一场无望的爱情悲剧、苦涩的“求之不得”。幸亏她和女娇身为越女，一样勇于追求幸福，和《候人歌》一样大胆地直抒胸臆“今

元人张渥《九歌图》里的“湘夫人”

日何日兮，得与王子同舟”。当然，她也有少女的羞涩，如借用民歌比兴手法，因“枝”与“知”谐音，所以用“山有木兮木有枝”的比兴寄托来吐露了“心悦君兮君不知”的心声。

最能打动鄂君和后世读者的就是越女对爱情的无私与奉献。无论对爱情还是国家，历代的越女都显示了不求回报的情愫，如女娇的默默守候，勾践夫人的同甘共苦，西施的牺牲自我。而驾舟越女对鄂君的爱慕也是非占有性的，《越人歌》里的“心悦君兮”只是在千万年、千万人中我有幸在这一刻遇到你一生足矣的喜悦，即使“君不知”你不知道、我没得到回应也没关系，我爱过、尝过爱情的美好滋味就可以了。这种执著、无怨无悔的情感模式后来被屈原在《楚辞》中发扬到极致，如《九歌·山鬼》篇说“怨公子兮怅忘归，君思我兮不得闲”，《九歌 · 湘夫人》篇说“沅有芷兮澧有兰，思公子

兮未敢言”，但都没有驾舟越女表达得那么直率勇敢、天真朴拙。屈原和后世诗人还把这种执著不悔的情感模式扩展到对国家人民的爱、对理想境界的追求的表达之上，成为后来词中“骚雅”意蕴的重要源起，也成为中国传统文化里最珍贵的内涵。这都拜此时春波画船之上的一段情感所赐。

《候人歌》是中国历史上最早的爱情诗，而《越人歌》是较早较出色的爱情诗，两者都是后世稀缺的浪漫爱情诗的鼻祖。

再则，《越人歌》也是历史上第一首译诗。从越方言翻成楚方言，鄂君和越女爱情的成功，诗意的精妙翻译立了大功。《越人歌》虽不是诞生在越地本土，却是原汁原味的“越歌”“越风”“越音”。当年女娇也是以越地方言歌咏“候人兮猗”的，“兮猗”使《候人歌》形成独特的婉转悠扬的唱叹式表达，情深意长、荡气回肠。《越人歌》也一样，诗中的古越音影子至今犹存，可以想见当年驾舟越女歌唱、打动鄂君心灵的袅袅“余音”。

《越人歌》还奠定了后世浙地诗词真挚深情优美的一面。后世的浙地词，豪放风格的和《离别相去辞》不无关系，而婉约词风的则和《乌鸢歌》尤其《越人歌》大有渊源。

阅读链接：

陈苏彬译：《楚辞（诸子百家卷）》，山西古籍出版社，2003年版。

赵逵夫等：《袖珍先秦诗鉴赏辞典》，上海辞书出版社，2003年版。

万木春、李凌、黎勤：《中国古代爱情诗三百首》，中国社会科学出版社，2009年版。

《玉树后庭花》：警世谶语

除了诗人沈约，南朝吴兴（今湖州）还出过一位很少有人记得他诗人身份的大人物——南朝最后一个王朝陈的末代君主陈后主陈叔宝（553—604）。同是末代皇帝、亡国之君，同是懒于政事、喜好奢华、沉迷艺术、爱好宗教，也留下了优美词章，陈后主的历史评价却远低于后来的南唐李后主李煜。李煜词如"小楼昨夜又东风，故国不堪回首月明中"有很多人同情赞赏，陈叔宝的乐府《玉树后庭花》却只得到过"亡国之音"的简单恶评。晚唐诗人杜牧有首著名的七绝《夜泊秦淮》，其中"商女不知亡国恨，隔江犹唱《后庭花》"历来多被人引用，《后庭花》就指《玉树后庭花》。

虽然一生多住在都城建康（今江苏南京），陈叔宝的原籍却是吴兴郡长城县（今湖州长兴），他的高祖就是陈霸先。三国东晋南朝时今浙地出过两位大帝，一是原籍今富阳的孙权，另一个也是出色的军事家、政治家，就是长兴人、陈朝开国皇帝陈霸先。陈霸先出身贫寒，但志向高远、气度恢弘。他勤政爱民，施政宽和，发展了江南包括今浙江的经济，对日后这里成为天下文化中心大有助益。他不但被认为是南朝皇帝中最贤能的，也被认为是中国古代的贤明君主，毛泽东曾关注并肯定了他。陈霸先平生节俭朴素，吃用都寻常，后宫没有华美首饰，不设女乐。不料他的玄孙陈叔宝真是"不肖子孙"，除爱作诗外，还喜好各种歌舞伎艺，特别爱纵情饮酒作乐，穷奢极欲。陈代很快在陈叔宝手中灭亡了。陈霸先曾因平定侯景之乱而受百姓拥戴，陈叔宝却因失去民心而成为打着救南朝百姓于水火旗帜的隋文帝的平定

对象，也许百姓和历史的选择才是最真实的。

陈叔宝不但无心且不善于政事，还以没有政治眼光出名，如他坚信都城建康有“王气”和长江天险，认为隋文帝不会南下。他还做过不少任性的荒唐事，如把自己卖进寺院，在隋兵兵临城下时和宠妃一起跳入胭脂枯井，都成为后世笑谈。陈叔宝作为诗人最出名的轶事是和宫廷文人们频频唱和，写成多首辞藻华美、形式错落的乐府杂言诗《玉树后庭花》，还让上千宫女来配乐合唱。诗中有“璧月夜夜满，琼树朝朝新”等丽句，说时时刻刻都是良辰美景值得欢度，虽优美动人，却宣扬了类似《古诗十九首》“昼短苦夜长，何不秉烛游”的及时行乐观念，被认为是典型的靡靡之音。

“玉树后庭花”的名字正适合拿来比拟陈叔宝。时过境迁，此时以陈叔宝为代表的南朝士人不再是当年南迁士族子弟中真正的“芝兰玉树”，如王谢家族中那些既能为国为民、东山再起赢取淝水大捷，又能衣履风流、以兰亭雅集等创造文化奇迹的优秀人才，而变为无意进取、肆意颓唐荒诞的文人末流。就像生长开放在深宫后庭、不知世事沧桑与民生疾苦的一朵玉树琼花，映照六朝历史的朦胧夜色月光，流光溢彩、顾盼生辉，似乎美丽不可方物，其实只是一种虚幻脆弱的美，缺乏内在生命力和文化韧性，经不起现实的摔打磕碰、历史的狂风骤雨，只昙花一现，转瞬就枯萎凋谢了。恰如《玉树后庭花》中唱道：“……玉树流光照后庭；花开花落不长久，落红满地归寂中！”难怪当时有“玉树后庭花，花开不长久”的说法。《后庭花》

一曲哀歌，终成诗谶，仿佛亡国的预言前兆。陈叔宝在帝位不过 7 年，陈就被隋灭了，浮华文采都归于寂寥。后世人渐忘了《玉树后庭花》音乐、辞藻的诗意之美，只记得它和唐朝《霓裳羽衣曲》都是史上著名的亡国之音。

唐画家阎立本《历代帝王图》中的《陈后主叔宝在位七年》

陈叔宝被认为是历史上有名的亡国之君还是不冤枉的。隋兵攻入建康，《玉树后庭花》的华美乐声戛然而止。亡国后，陈后主仍纵情诗酒，和三国蜀国后主刘禅一样“乐不思蜀”。就因为他没有李后主的真诚反思忏悔，所以没能得到后世人的同情，《后庭花》也不能引起普遍共鸣。南朝之后是短暂的隋，然后就是鼎盛的唐，唐人诗词里对南朝历史、人物吟咏很多，感慨更多。唐初贤臣魏徵评说陈后主生长深宫之中，不知民生艰难疾苦，又沉溺在奢侈浮华的时代风气里，身为皇帝却一味寄情诗酒，还喜欢亲近小人，最后不免被天下人耻笑，值得痛心！这是政治家的理性批判。唐代诗人则对陈叔宝多诗意感性批评，意思和魏徵的差不多，除了杜牧的诗，李白有诗说：“天子龙沉景阳井，谁歌《玉树后庭花》？”仍是借《后庭花》嘲笑陈叔宝在亡国时投井的失措之举，也是感慨他的身世荣辱。李商隐有咏史杰作《隋宫》诗从同样历史评价不高的隋炀帝即灭陈的隋文帝之子入手，说隋炀帝“地下若逢陈后主，岂宜重

问《后庭花》”？问得巧妙，也有点刻薄，说如果死去的隋炀帝在地下遇到陈后主，应该不会再有脸面问起《后庭花》这一“亡国之音”吧？因为他自己也成为亡国之君了。这也就是杜牧在《阿房宫赋》文里说的“秦人不暇自哀而后人哀之，后人哀之而不鉴之，亦使后人而复哀后人也”。历史常常重演，后人就常引陈叔宝其人其事为史之鉴。

其实，《玉树后庭花》和《霓裳羽衣曲》又何等无辜？《后庭花》本来和沈约等人的诗歌一样，都宛如江南春天里乍开即谢的春花，很有地域特色和艺术价值，对后世的诗词影响甚深，可惜带上“亡国之音”恶评的深刻烙印，就很少有人再从文学方面欣赏学习，只落得和陈叔宝一同成为后人史书上、诗中反面典型和历史警戒标本的下场。《后庭花》最为人非议的就是它的不关注现实人生、一味追求艺术唯美和不知节制的热情，值得深思。后来的两个乱世晚唐五代和南宋末，很多词中名篇包括浙词名篇，宛如《后庭花》的后身，也因为过于追求艺术性较少涉及现实而引起争论，但如果将这些词和晚唐五代及南宋的灭亡联系过深，就不免陷于迂腐和苛责。

阅读链接：

（宋）郭茂倩编：《乐府诗集》，中华书局，2003年版。

白玉林：《南朝史解读》，华龄出版社，2006年版。

梅毅：《帝国大涅槃：两晋南北朝真史》，海天出版社，2012年版。

忆江南与渔歌子：江南山水词祖

词，是诗的别体，不整齐的诗，和音乐关系更密切的诗，形式更自由舒展的诗，体现人内心更幽微细腻情感思绪的诗。诗、词同源而异流。以浙地诗、词为例，都源起于上古民间歌唱，此后其中一支被“君子”“大人”带入庙堂、书斋，从《越群臣祝》到《兰亭诗》，形成雅正端严风格，反映家国大事、时代思潮等宏阔内涵；另一支在民间的“小人”“女子”即平民百姓、隐逸者还有女性间口耳相传，从《乌鸢歌》《越人歌》到南朝乐府诗，多是杂言（每句字数不定，如“骚体”诗就是和《楚辞》一样多用语气词“兮”形成婉转唱叹风貌），配乐演唱，反映个体内心隐秘真实的情感如男女之情。

经上古民谣、春秋古歌、战国《楚辞》、南朝乐府、唐代竹枝词等发展阶段，词出现在中晚唐时。此时浙地的词很繁盛，且与山水颇有渊源，很具代表性。

中唐颜真卿“湖州文人集团”（浙西诗人群）的重要一员、浙东婺州（今金华）人张志和是道教徒，有反映隐逸思想和生活的《渔歌子》词。

张志和生平资料很少，生卒年不明，这和他入仕时间短、大半生隐居有关，亦和他早达却急流勇退的传奇人生和他的家庭、个人遭遇有关。张父隐居修道，张志和初名龟龄，可见道家思想影响。不过张毕竟生活在文人注重仕进的唐代，于是他和贺知章等越地前辈一样，都在少年时来到长安参加科举，他明经中第后，以策论献皇帝，很受急于中兴的肃宗的赏识，据说不到 20 岁就成为翰林，春风得意。肃

宗还赐名"志和"。不料福祸相倚，不久他因故被贬，虽很快被赦还京，却深受打击，自小濡染的明哲保身思想占了上风，便借口为父母服丧辞官。此后他曾归乡隐居，更多浪迹浙地湖山，逍遥自在。

张志和因道家思想濡染，性爱山水，曾在浙地不少山水清秀处住过。如在湖州，他为刺史颜真卿幕僚，常泛舟苕溪之上。此外张的兄长担心他遁世不归，在今绍兴为他建茅屋，张住在此处时常去水边模仿古隐者姜子牙、严子陵不设饵垂钓，显现"志不在鱼"的淡泊情怀。肃宗曾赐张奴婢各一，张取名渔童和樵青，取"渔樵自在"之意，也与他此时生活状态和名号"烟波钓徒"相呼应。

正因为这样的生涯，张志和才有了《渔歌子》词五首。这一词调是张首创的。他是最早的词人之一，也是最早的浙地词人。《渔歌子》见证了"湖州文人集团"和兰亭雅集一样在浙地山水间的唱和诗会。那是唐大历八年（773），也是春三月，颜真卿召诗友在山水中唱和。张志和有感而发，首创《渔父词》，得到赞誉和唱和，一时风靡天下。

张志和《渔歌子》五首的前三首都写渔翁在浙地山水间的潇洒身影，背景是湖州的西塞山、钓台、霅溪。以第一首《渔歌子·西塞山前白鹭飞》最脍炙人口："西塞山前白鹭飞，桃花流水鳜鱼肥。青箬笠，绿蓑衣，斜风细雨不须归。"这是作者在苕溪西塞山前自在垂钓的真实写照，也是他内心隐逸理想的外化。词中出现"白鹭""渔翁"等意象，是溪上实景，也

唐白居易在杭州时与僧人鸟巢禅师交往图

是用《列子》里“鸥鹭忘机”即山水间水鸟和渔翁互不猜疑、和谐相处的典故，还寄托了《楚辞·渔父》篇里隐者渔父主张的“沧浪之水浊兮，可以濯吾足”即顺应时变、圆融自如、和浙地文化相通的道家理想，以及《庄子》里说的“泛若不系之舟”的自在生涯，也隐喻了张志和自身宛如白鹭、渔翁的自由飘逸形象。“斜风细雨不须归”则象征了他饱经世事沧桑、盛衰荣辱不惊的清逸豁达情怀，和后来苏轼《定风波》词中“也无风雨也无晴”的意境相通。

再则，词中以白鹭、桃花、青箬笠、绿蓑衣的鲜明色彩，白鹭飞、流水、鳜鱼肥、斜风细雨等物象，塑造了典型的江南春天、也是乱世隐者桃花源的意境，前承南朝乐府“草长莺飞”的传统，后启白居易《忆江南》词“春来江水绿如蓝”的意韵。

《渔歌子》词初步确立了“隐逸”“山水”“江南”等许多后世词中的重要主题、常见意象意境。

《渔歌子》词是最早的文人词之一，看似浅显实则寓意悠远，语言又雅俗共赏、优美清雅、琅琅上口，所以很受时人推崇，影响更是深远。中唐宪宗想求张志和更多的《渔歌子》词，却不得。《渔歌子》词还和白居易的诗一样名声远达日本。日本嵯峨天皇也是张志和词的忠实读者，还曾仿作《渔歌子》五首。《渔歌子》词的放达意味对后来苏轼、陆游等人的词也是影响很深。

词的源起、词境渐开都和浙地有不解缘分。在张志和这位山水隐士词客鼻祖之后，还有白居易的《忆江南》词，三首中的前两首都是回忆他在杭州为官时所见所感的山水、人文之美；晚唐“花间词人”皇甫松的《采莲曲》二首则写江南风景、人物之动人。就在浙地，词境渐大成，还奠定了后世词中更多典型意象意境模式。

如白居易的《忆江南》三首之一说：“江南好，风景旧曾谙。日出江花红胜火，春来江水绿如蓝。能不忆江南？”另一首：“江南忆，最忆是杭州。山寺月中寻桂子，郡亭枕上看潮头。何日更重游？”“江水”“江花”“山寺”“桂花”“潮水”等，形成白居易记忆里也是人们心底最美的江南山水意象意境。写江南风物之美成为后来词中非常重要内容。

晚唐词人皇甫松（生卒年不详），是文学家皇甫湜（777—835）之子和晚唐名相牛僧孺（779—847）的外甥，睦州新安（今淳安）人。他的词被收入晚唐五代时多写爱情和山水花鸟等美好事物的著名词集《花间集》。近代学人、海宁王国维曾称赞

皇甫松的词在刘禹锡和白居易之上，应该不是溢美。日后另一个海宁人、当代武侠小说名家金庸的小说《天龙八部》里特别引了皇甫松《采莲曲》词，借词中的小船、莲花、采莲女意象，渲染江南山水人文的典型诗意之美，“菡萏香连十顷陂，小姑贪戏采莲迟。晚来弄水船头湿，更脱红裙裹鸭儿”，“船动湖光滟滟秋，贪看年少信船流。无端隔水抛莲子，遥被人知半日羞”，意象意境和《越人歌》相似，双关语、谐音很有南朝乐府《江南》《西洲曲》意味。

词本来就有南方、江南的精魂，和生长于南方的《楚辞》、南朝乐府民歌、竹枝词有一脉相承的血缘，这一血统和浙地的舟楫灵巧、山水清幽、渔翁隐逸、越女清丽配合得天衣无缝，难怪后世浙地词人、词篇辈出不穷。

智言慧思

能不忆江南?

——（唐）白居易《忆江南・三首之一》

东南形胜，三吴都会，钱塘自古繁华。

——（北宋）柳永《望海潮・东南形胜》

阅读链接：

叶嘉莹：《唐宋词十七讲》，北京大学出版社，2007年版。

唐圭璋、钟振振、王兆鹏主编：《唐宋词鉴赏辞典》（新版），上海辞书出版社，2009年版。

唐圭璋主编：《唐宋词鉴赏辞典》，江苏古籍出版社，1999年版。

陌上花开：词中传奇吴越国

浙地历史经过中晚唐的积淀，到了五代，迎来本土文化酝酿已久的高潮乐章、馥郁醇香。浙地能在宋代尤其是南宋成为天下中心，和五代的发展不可分。

东晋南朝时的浙地，虽也因王、谢等家族的迁入，催生了很多超逸时代的文化现象如“兰亭雅集”和谢灵运诗，但文化发展未能普及深入本土民间，主流文人是浙地山水间的过客，辉煌转瞬即逝。到北宋末，浙地再次得到千载难逢的机遇，像东晋历史的再演，王朝再次戏剧性南迁。而且，这次和东晋南朝都城在吴地今南京不同，南宋都城先后落在越地今绍兴和吴越间今杭州。更重要的是，北宋末的中原名士大规模迁徙浙地，人数更多，分布更广，更深入民间，还因为有了唐以来浙地科举兴盛、本土文化望族崛起的基础，这一次文化中心、主流文人的南迁和浙地文化血脉交融更深，嫁接成功，从此根基深扎、枝叶繁茂。

来看南宋文化包括诗词鼎盛的重要前奏——五代时定都今杭州的吴越国的文华璀璨。重点是杭州崛起，以及与之盛衰相关的吴越钱氏家族的独特命运、身份转变、诗文传家。

钱氏家族在两浙（即浙西、浙东，大约和今浙江大部相当）

望族里崛起较晚，不能和吴兴沈氏等相比，但它从五代帝王之家、北宋《百家姓》官方排行第二的“赵钱孙李”之“钱”，蜕变为后来当之无愧的“两浙第一文化世家”，历代多出诗词大家及各领域奇才如钱学森、钱钟书等，文脉不断，影响广大，很具诗意传奇色彩，且富于文化象征意义。

钱氏是和浙地、杭州同步崛起的。杭州历史上一直未得大发展，与它地处“吴边越角”有关。中唐白居易时，杭州仍不如浙东、浙西中心今绍兴和苏州。直到五代时钱镠创立吴越国，国土占据吴越两地，为便于统治，选了两地间的杭州为都城，杭州才得发展。吴越国传三代五王，在天下乱世滔滔中保得两浙近百年和平，千里国土，富甲海内，四方流民都来栖身，多文人来避难，添了文采风流。后南宋著名思想家、浙地温州人叶适就说当时吴越国十四州可当天下之半，是说经济、武力，但引来说文化之盛也合适。北宋欧阳修也曾解释杭州为何能在北宋时成为“东南第一州”，是因为战争将唐代大都市破坏了，两浙却在钱氏庇护下成为天下人向往的乐土天堂，到宋初更因钱氏明智，纳土归宋，将干戈化为乌有，使两浙百姓长享和平，维护并促进浙地发展，成为日后南宋王朝在此奠基的坚实基础。

吴越国开国君王钱镠（852—932），晚唐杭州临安（今杭州附近的临安市有钱王墓等，是其故里。不是指南宋都城临安）人。关于钱氏兴起，浙地多传说。据说西晋术士郭璞在杭留下诗谶“天目山前两乳长，龙飞凤舞到钱塘。海门一点巽峰起，五百年来出帝王”就预言钱氏命运，后苏轼写表彰钱氏纳土归降赵宋的《表忠观碑记》就用这一典故，以“天目之山，苕水出焉。龙飞凤舞，萃于临安。笃生异人，绝类离群”说奇秀浙地山水孕育了瑰奇不群的钱镠，还以“允文允武，子孙千亿”赞美钱氏子孙能文能武，繁盛不衰。

钱镠确是“异人”，他孕于浙地山水，既是仁者又是智者。他和子孙筑钱塘江海塘、开浚西湖、建雷峰等三塔，奠定了杭州格局。西湖自白居易开浚后，此时又淤塞，

阅读链接：

程千帆、吴新雷：《两宋文学史》，上海古籍出版社，1991 年版。

何勇强：《钱氏吴越国史论稿》，浙江大学出版社，2002 年版。

李再欣：《钱氏吴越国文献和文学考论》，中国社会科学出版社，2007 年版。

有方士对钱镠说如果把西湖填平建王府，可有千年王气。钱镠却心胸宽阔、眼光深邃，说百姓以西湖为生，无水即无民。西湖得以幸存。难怪曾任北宋杭州知州的赵抃会有《赞钱镠》诗称颂这位“钱节度”在乱世里为杭州带来和平诗意——“是地却逢钱节度，民间无事看花嬉”。

“看花嬉”是有出处的。为杭州父母官多年的北宋词人苏轼（1037—1101）有《清平调》词三首写钱氏和杭州关系，之一说“陌上花开蝴蝶飞，江山犹是惜人非。遗民几度垂垂老，游女还歌《缓缓归》”。“陌上花开，可缓缓归矣”就出自钱镠给回乡省亲的王妃写的信或说情诗，说春天来了，田野上的花儿开了，你可以从从容容回家了。不说思念，深情却呼之欲出。钱镠虽是武人，却富诗才。清人赵翼《西湖咏古》诗说“千秋英气潮头弩，三月风情陌上花”，只 14 个字，却精辟概括了这位钱武肃王一生最得意的文功武绩也是最有诗意的两个传说，“潮头弩”是指钱镠射箭退钱塘潮水的传说。后浙地百姓将“陌上花开”传说编成民歌《陌上花缓缓曲》传唱，和以往浙地萌生的“江南三月，草长莺飞”“笑问客从何处来”“意恐迟迟归”等诗意

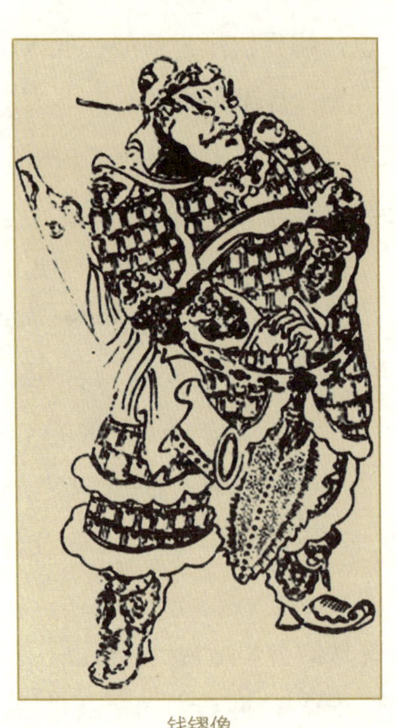

钱镠像

意象意境一起融成浙地最温暖美好的文化底色。

苏轼写杭州美景的《清平调》词用“陌上花”典故，是缅怀钱镠，也是感悟历史变迁，他所处的北宋中期离吴越归降不远，陌上花儿依旧，江山却已变易，吴越遗老如诗人林逋等早已逝去，只有游春女子仍在吟唱《陌上花缓缓曲》。再如《清平调》词之三说“生前富贵草头露，身后风流《陌上花》”，是暗指北宋初诗人、吴越末代君王钱弘俶之子、2岁时就遭遇吴越国灭的钱惟演的生平。富贵权势都是浮云，而文化是永恒的，钱氏家族的华丽转身就从钱惟演开始。

钱氏深明大义、纳土归降，保全了吴越山水和百姓。后钱氏离杭迁到了北宋京城汴梁（今河南开封）。一说钱弘俶在数年后和南唐李后主即词人李煜一样死于宋太宗所赐美酒里的毒药，但钱氏子弟还是得到宋代优待，只是仕途上为避嫌不敢有大作为。钱惟演曾为翰林学士，又为西京洛阳留守，都是清贵却不在权力中心的官职，很适合前代王孙担任。他继承了钱镠的诗情，发展了钱氏的崇文传统，当翰林学士时是“西昆诗派”主力，可谓宋初诗坛领袖；后在洛阳时又常组织诗人唱和，尤喜提携后辈诗人，如他培养下属欧阳修成为诗坛新领袖，欧阳修后又发掘了苏轼，苏轼后来又来到浙地，更是可贵的文化缘分。

宋初的吴越钱氏家族以诗词著称。钱惟演外，还有他的堂兄钱易、弟弟钱惟济等十多人，形成北宋钱氏诗人群。

钱镠造就杭州、留下西湖，钱弘俶顺应时势、纳土归降的明智，传承给钱氏家族保全发展自身的深沉历史智慧。钱镠等人的诗歌天分和关注文化情结，也是留给子孙的最好遗产。宋以后，源自浙地的钱氏家族继续秉承浙地文化顺应时变、柔韧圆融的特性，以诗文传家，历代有人才，文化生命悠长。钱氏家族人才辈出、斯文绵延的源头，也许就在五代杭州春天里的一句“陌上花开，可缓缓归矣”和苏轼词中，可作为浙地本土诗意承前启后的重要象征，拉开后日浙词高潮的大幕。

词将盛于斯：钱塘繁华生词宗

诗盛于唐，词盛于宋。宋分北、南。南宋浙词最盛，不过北宋浙词已多名篇、名家。

浙词的开山词人外来的白居易、本土的张志和之后，北宋浙词以杭州为中心，仍分两支发展：一是外来词人在浙新开词境，如范仲淹、柳永和苏轼，还有一条主线，浙地本土词人佳作频出，如湖州张先、杭州周邦彦。他们中有高官名宦，也有沉沦下僚和宦海浮沉者，但都眼界高远，心胸开阔，学问丰赡，才情宏大，发力著词，共同成就了北宋词雅俗共赏、富于深意的词风词境。

曾高吟“先天下之忧而忧，后天下之乐而乐”的范仲淹（989—1052）多次来浙地为官，都有惠政。在杭为官时，范不但和隐逸诗人林逋多交往酬唱，一说他的词作名篇《苏幕遮·碧云天》“碧云天，黄叶地，秋色连波，波上寒烟翠。山映斜阳天接水，芳草无情，更在斜阳外……”就作于此时此地。这样秀美飘渺朦胧又苍茫深远阔大的秋日黄昏水景的确很有浙地诗韵，尤其“秋色连波，波上寒烟翠”“天接水”体现的波光潋滟、水天一色，无论光影、色彩都和林逋笔下的西湖山水诗多相通之处，宛如雅致脱俗的淡彩水墨山水，意境情韵更耐人寻味。范仲淹不愧林逋诗友，深得浙地山水之心。他是铮铮铁骨的一代名臣，不过，在他喜爱沉醉的浙地秀丽山水中，又因为词体本身善于写含蓄情感的缘故，留下了这样刚柔相济、既洒脱又缠绵的情感和字句。

比范仲淹小一岁的湖州人张先（990—1078）以词中多精妙警句著称，他和范仲淹一样多爱营造新奇优美词意和含蓄丰富词境。如他喜欢写含“影”的意象，有“云破月来花弄影”“娇柔懒起，帘幕卷花影”“柳径无人，堕飞絮无影”等妙句，曾自称“张三影”，加上“中庭月色正清明，无数杨花过无影”，又有“张四影”之称。张先还有“沉恨细思，不如桃杏，犹解嫁东风”的得意词句，大词人欧阳修很佩服这一句，曾称他“桃杏嫁东风郎中”。这雅号和同时代词人宋祁被称为“红杏枝头春意闹尚书”正相配，而宋祁则喜欢称张先“云破月来花弄影郎中”。这些妙趣横生的记录绝妙佳词的轶事生动地记录见证了当时日渐成熟、保持词的委婉秀美本色又多寄托深意的士大夫雅正词韵。不过，张先对北宋浙词最大的贡献不在炼字炼句或塑造深婉意象意境，而是和寓居浙地、比他大三岁的柳永殊途同归，共同完善了慢词（较长词调，与唐五代宋初流行的小令相对）。慢词长调有较多的字数、较长的篇章，使得词的含蓄抒情不再只是一点到即戛然而止，而是可以回环往复地抒发，意蕴更深长绵密。同时也增强了叙事甚至议论成分，尤多描摹铺叙，更适合表现日益复杂广阔的社会生活包括都市风貌。这和此时浙地的发展尤其杭州等城市的发展大有关系。

北宋仁宗曾有赞美杭州的诗“地有吴山美，东南第一州”。北宋浙词就是和号称“东南第一州”的大城市杭州同步发展起来的。北宋早期最出名的写杭州的词就是福建籍词人、曾在浙地定海为盐官的柳永（987—1053）的《望海潮·东南形胜》词“东南形胜，三吴都会，钱塘自古繁华”。词的上阕写了人口众多（十万人家）、商业繁荣的杭州市井风情。下阕写西湖美景、市民嬉游湖山盛况。词的篇幅较长，

多写眼中实境，感情入世平实，语言华美流畅，体现了词与城市共同的新内涵、新气象。关于《望海潮》词，多有故事。宋人罗大经的笔记《鹤林玉露》里说极赞杭州繁华的柳词传到金国，“有三秋桂子，十里荷花”一句引起金主完颜亮的羡慕，起了渡江南侵之意，导致了北宋的灭亡。这应该不是史实，但后来饱受战乱之苦、迁都杭州的南宋人大多相信这事，还因此责备柳永。加上柳永早年因科举不顺、曾流连社会下层为歌女们写词，诋毁他的词媚俗误国的人更多。尤其在推崇骚雅词风、主张词中应对为国为民情怀有所寄托隐喻的南宋词流行后，指责柳永不关注国家大事、民生疾苦和贬低他通俗词风的评论者很多。还有人把两者进行了联系，这确实冤枉了柳永，北宋灭亡的责任岂是一首词、一个词人能担待的？其实这反而侧面说明柳词的雅俗共赏、生动富于感染力。

范仲淹、张先、柳永和稍晚的苏轼之后，北宋后期，浙地词人还有一位曾被推举为“词家之冠”，却因赞成新法、与蔡京手下关系颇密，还和柳永一样喜欢流连歌馆舞榭，所以也被低看的杭州词人周邦彦值得大书一笔。周生长在范、张、柳、苏以词歌咏过的繁华钱塘，这对他成为北宋“一代词宗”多有影响。

周邦彦（1056—1121）在神宗时向朝廷献歌颂熙宁新政的《汴京赋》，由太学生成为太学正即太学校长，一日成名、一步登天，堪称传奇人生。到北宋末年徽宗时，他又因精通音乐，为大晟府提举，为朝廷制礼作乐。因介入新旧党争和交往不慎，周邦彦在历史中的面目褒贬不一，不过，他对词的格律艺术的

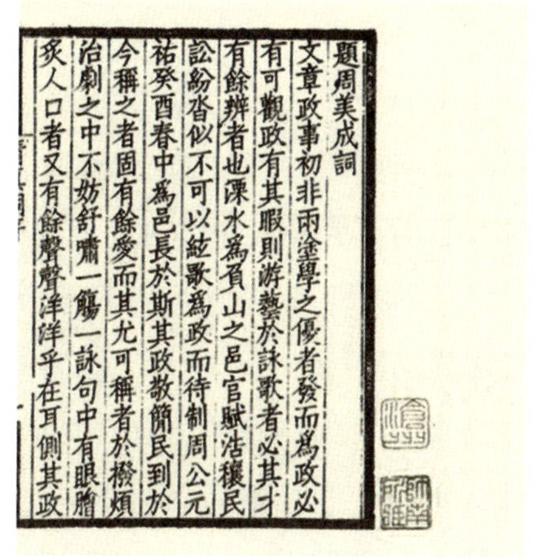

題周美成詞
文章政事初非兩塗學之優者發而爲政必有可觀政有其暇則游藝於詠歌者必其才有餘辨者也溧水爲負山之邑官賦浩穰民訟紛沓似不可以絃歌爲政而待制周公元祐癸酉春中爲邑長於斯其政敬簡民到於今稱之者固有餘愛而其尤可稱者於撥煩治劇之中不妨舒嘯一觴一詠句中有眼膾炙人口者又有餘聲聲洋洋乎在耳側其政

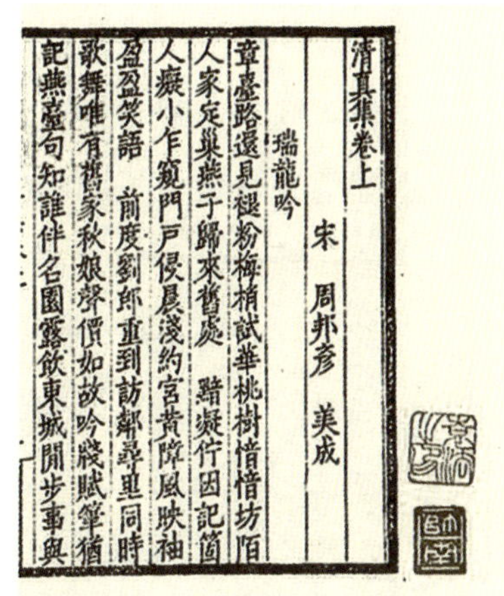

清真集卷上
宋 周邦彥 美成
瑞龍吟
章臺路還見褪粉梅梢試華桃樹愔愔坊陌人家定巢燕子歸來舊處 黯凝佇因記箇人癡小乍窺門戶侵晨淺約宮黃障風映袖盈盈笑語 前度劉郎重到訪鄰尋里同時歌舞唯有舊家秋娘聲價如故吟牋賦筆猶記燕臺句知誰伴名園露飲東城閑步事與

北宋 周邦彦《清真集》书影

贡献、在词史上的地位无可争议。如王国维就曾称他“词中老杜”，把他比作词中艺术精纯、内涵厚重的“诗圣”杜甫，这绝非随便赞扬或是给浙地同乡的溢美之辞。

周邦彦的贡献首先在于他继张先、柳永之后创制了不少新词调，从而进一步明确了词的特点，扩大了词的表现力，和把词当做不整齐的诗来写、着重于不拘一格抒发情志的词人（此说没有贬义，包括苏轼、辛弃疾等人）发展词的思路途径大不相同，他的衣钵传人如南宋雅词领军人物姜夔和吴文英等也都是精通音乐者。虽然周的创新有时的确有形式大于内容之嫌，但由于词体的特殊性，形式有时的确能深刻影响内容的表达。其次，周可谓逢时而生，在宋末总结了北宋词里来自张先、范仲淹、苏轼等名臣名士词的雍容典雅、宏大开阔、多有寄托感慨的因素气象，从而开南宋骚雅词风门径，他也成为北宋词的集大成者。王国维说他是“词中老杜”还有这层意思，杜甫是唐诗承前启后的集大成者。

周邦彦在后世被长期视为北宋乃至宋词的“词家之冠”“格律词宗”，这并非过誉，着重点在他对词“格律”的贡献上，这于他是当之无愧的。他的词内涵醇厚深婉，形式雅正含蓄。宋词就从这个浙地词人开始，骚雅之风渐盛。

阅读链接：

沈松勤、黄之栋：《词家之冠——周邦彦传》，浙江人民出版社，2006 年版。

刘扬忠：《周邦彦词选评》，上海古籍出版社，2003 年版。

谢桃坊：《柳永词选评》，上海古籍出版社，2002 年版。

周词里最多寓情理于景物之中的咏物词，所吟咏的物象里都隐约包含、曲折传达了幽微感慨和深切议论，而且，音律和谐、语言精美之外，还多化用前人名句，并运用得如盐入水，巧妙妥帖。这些日后都在南宋雅词里成为一时风气。如《兰陵王·柳》写柳的“柳阴直，烟里丝丝弄碧”，《苏幕遮·燎沉香》写荷的“叶上初阳干宿雨，水面清圆，一一风荷举”，《满庭芳·夏日溧水无想山作》写夏景的“风老莺雏，雨肥梅子，午阴嘉树清圆”，都精致别致、工丽清丽，且富于比兴寄托的深意，抒惆怅离情、喻清雅挺拔人格、渲染郁闷低沉时代氛围，无不丝丝入扣。至于《六丑·正单衣试酒》的“愿春暂留，春归如过翼，一去无迹”，《兰陵王·柳》“斜阳冉冉春无极”，更是叙述写景中巧妙地寄寓精妙的抒情、微妙的暗示，可谓众妙皆备。再如他的咏史词《西河·佳丽地》里的“想依稀、王谢邻里。燕子不知何世，入寻常巷陌人家，相对如说兴亡，斜阳里”化用刘禹锡“旧时王谢堂前燕，飞入寻常百姓家”诗，因词体缘故显得更自然舒卷、委婉动人。

周邦彦一生多在异乡，为仕途羁旅天涯，所以词中多思乡之作，如《苏幕遮·燎沉香》里说“故乡遥，何日去”“家住吴门，久作长安旅”，故乡钱塘只能在梦中。不过，在他的身后不久，他如“水面清圆”“嘉树清圆”般清雅圆熟的词风，随着南宋王朝南迁一起回到家乡，带来南宋浙词的独秀天下，一如前尘注定。周邦彦是宋词转折的另一个枢纽人物，比起较早来过浙地的苏轼和稍晚来到浙地的李清照，他的词坛地位一样重要。

苏轼的浙地诗词：此心安处是吾乡

白居易离杭约250年后，北宋熙宁、元祐年间，又一位一流诗词大家苏轼两次到杭州为官，留下苏堤和诗词300多首。

北宋熙宁四年（1071）秋，35岁的苏轼（1037—1101）为避朝中党争来到杭州，为通判（州官副职）三年。和唐代多名流来杭州为刺史一样，苏轼之前，任杭州知州的宋代文化名人就有范仲淹、蔡襄等。苏轼任通判时的两任知州也都是诗人，苏轼有词“钱塘风景古今奇，太守例能诗”（《诉衷情·送述古迓元素》），就说杭州官员多诗人正适宜于这个诗意之地，也是思慕白居易等前贤。苏轼视白居易为异代知己，如他号“东坡”就是取自白的《东坡》诗，来杭后又以这位著名前任为超越对象，无论在政绩还是诗词创作上。白、苏两人在杭州的作为有太多相似。苏对白是身追心摹、亦步亦趋。

白居易以后，尤其北宋以来，文人多诗词兼长。苏轼就是典型的宋型文人，琴棋书画诗词无不擅长，诗词创作中他的词较优。

苏轼浙地诗词的焦点，和白的诗词一样，都是西湖一泓碧波。据说天下西湖三十六，苏轼一生多与各地的西湖如惠州西湖等相遇，屡次成为“西湖长”，可谓奇缘，而杭州西湖是与他缘分最深的。来到杭州这一山水胜地，又和白居易一样怀“仕隐”之心，性爱山水的苏轼在公务之暇，几乎无一日不在西湖上，常与僚友、著名词人秦观等在此诗酒唱和。

当时官员出游要摆仪仗，苏轼生性不喜规矩，就让随从抬着空轿绕湖走，弄个障眼法，自己只带一二名老兵，泛舟游湖，或弃舟登岸徜徉于灵隐、天竺间，饱赏湖山清景。如约客湖上，他就先让客人在湖上驾小船飘荡，然后鸣锣集合，到白居易和吴越国所建的孤山竹阁和望湖亭诗词唱和。当苏轼与友人归城，正当城里华灯初上、西湖夜市未散时，百姓列灯烛照明，夹道争看他们。在后人笔记中，这一幕是不可复追的旷古盛世风流。

苏轼还常将公案设在葛岭十三楼或灵隐飞来峰下冷泉亭，面对山水胜景，谈笑间处理公务，手下如风。这就是"苏公判牍"典故。公事完毕，苏轼就撤掉公文案卷，与僚友共饮同酌、吟诗作乐。他在杭州写了 17 首《南歌子》词，其一的《游赏》就写此事："山与歌眉敛，波同醉眼流。游人都上十三间楼……谁家《水调》唱歌头？声绕碧山，飞去晚云留。"写与僚友在湖上听歌、饮酒的豪情雅兴，飘然与山水同化的境界，以清歌满湖山作结。这样的诗意情怀，与西湖山水相得益彰，也与浙地前贤的山水情怀如"兰亭雅集""谢公屐"遥相辉映。

离开杭州 15 年后，元祐四年（1089），苏轼再次来到杭州为知州。此间他已经历感受过"乌台诗祸"百日劫难的折辱惊骇，贬谪黄州的失去自由和穷困潦倒，还有重归京城的荣光恩宠，以及再度面临党争旋涡的如履薄冰。而且此时的他和白居易来杭时一样已年届五十，又是故地重游，不免触发无限感慨。和白居易一样，苏轼少时曾随父亲苏洵来杭，所以他早年来杭已常有前生今世之感，此时再见西湖，更觉人生无处不相逢，

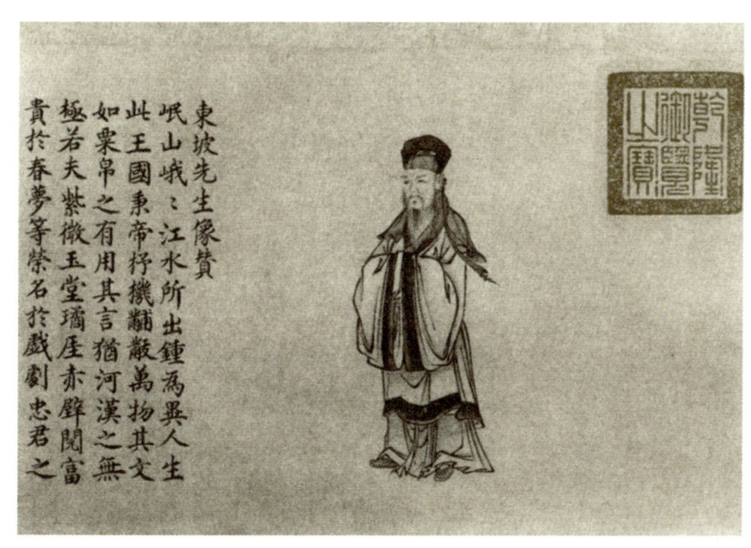

明人所绘苏轼像

正如他在《与莫同年雨中饮湖上》诗中说的“还来一醉西湖雨，不见跳珠十五年”，连西湖的雨都觉得亲切，痴想这也许就是自己在熙宁五年写“白雨跳珠乱入船”（《六月二十七日望湖楼醉书五首》之一）时那些跳入怀中的雨珠。

苏轼此时还因西湖淤塞荒芜，向朝廷上《乞开杭州西湖状》请求疏浚，这是现可见最早使用“西湖”名称的正式文书。西湖之名由此确定。而苏轼所书写的求开西湖的理由是杭州之有西湖如人之有眉目，所以不可废，好一个诗意理由！这期间苏轼施政，也一如当年的诗意和实干兼备，不但开浚了西湖，还仿白居易旧例将取出的淤泥筑十里长堤，上架六桥，夹植桃柳，就是苏堤。史家论西湖初兴于白居易，形成于苏轼，从诗意西湖定型这一角度看，这是很确实贴切的说法。苏轼此时有“西湖虽小亦西子”“只有西湖似西子”“西湖真西子”等诗词，在他手中，西湖终于化蛹成蝶，成为真正的绝代佳人。

同时，在苏轼笔下，西湖山水诗词也终于成为“淡妆浓抹总相宜”的“西子诗

词”。苏轼先后在杭约 6 年时间，朝夕在湖山间追寻白居易和林逋的诗词、逸事。因他推崇道家的野逸之性，和白居易喜明媚和林逋爱清雅的山水审美趣味都有不同，对雨中、夜里、雪后、秋日的西湖尤其喜爱，常沉醉清旷悠远的山水风月中，这对后世诗人词家的取材兴味多有影响。而他独泛湖上、任意飘荡的旷逸姿态对后世影响也很深，胜过白居易的画舫歌妓、林逋的小舟静泊，成为后来诗人词家竞相模仿的行为模式和诗境典范。苏轼还融通了白居易诗词的放达情怀和林逋诗词的清雅格调，成就深入浅出、雅俗共赏的篇章。他有一首著名的诗，只四句，就让历来无数西湖诗词都化为云淡风轻："水光潋滟晴方好，山色空濛雨亦奇。若把西湖比西子，淡妆浓抹总相宜。”南宋诗人董嗣杲的《总宜园》诗说“妙分西子争妍态，绝想东坡得句时”，就是遥想苏轼是在怎样的灵光一闪间，得此等妙句的。据说当时苏轼正浮舟湖上，突然下起雨，就像西湖上流传的《白蛇传》传奇中那场仙法布下的雨，瞬间让湖色明艳变成一片绵绵潇潇，转眼又雨过天晴，湖上仍是一片宁静妩媚，宛如经历了春秋吴越风云、静静归去的西施。苏轼心里也是一片豁然安详，“也无风雨也无晴”。他缓缓吟出这四句诗，道的是眼前景，却蕴含了许多关于自然、人生、历史的审美感触和哲学思辨。自此，西子淡妆浓抹的形象，成为了西湖永恒的诗意意象和联想。以西湖词为例，就常可见“西湖如西子”的意象，如南宋词人刘过就认为这是苏轼最有代表性也是西湖最经典的诗意，便在写给辛弃疾、缅怀林逋和苏轼的西湖词《沁园春·斗

酒氅肩》里说“坡谓西湖，正如西子，浓抹淡妆临照台”。苏轼的“西子”意象因为点出了西湖超越融通雅俗的美和内涵，于是成为千古绝句。

苏轼成就了西湖、西湖诗词，浙地山水也使苏轼生命更为完满。白居易和苏轼都是感情丰富、多思善感之人，在西湖亲切妩媚的山水中，处于人生孤独、低潮期的他们都有回归家园之感。苏轼曾说“此心安处是吾乡”，说取得心灵平静便能随遇而安，所以他在平生几个贬谪、外放之地如杭州、黄州、惠州、儋州诗词创作繁多，留下最快意的诗性回忆。在杭州，苏轼曾说“我本无家更安往，故乡无此好湖山”（《六月二十七日望湖楼醉书五首》之五），“居杭积五岁，自忆本杭人。故山归无家，欲贸西湖邻”（《送襄阳从事李友谅归钱塘》），说杭州就是他的家乡。的确，苏轼一生浮沉，从西湖山水、西湖僧友参寥等处得到启发滋养，对生命有了更豁达深刻的领悟，也借助浙地文化的通达柔韧，更圆转自如地面对种种人生磨难，并在诗词中表现出深情与智慧。苏轼晚年在《自题金山画像》中说“问汝平生功业，黄州、惠州、儋州”，其实成就他一生的重要之地，还应添上一个杭州！

阅读链接：

林语堂著，张振玉译：《苏东坡传》，陕西师范大学出版社，2006年版。

王水照、崔铭：《苏轼传：智者在苦难中的超越》，天津人民出版社，2000年版。

张剑、吕肖奂、周扬波：《宋代家族与文学研究》，中国社会科学出版社，2009年版。

《断肠诗词》：女子弄文诚可罪

所谓“欢愉之辞难工，穷苦之音易好（唐人韩愈文）”，“国家不幸诗家幸，赋到沧桑句便工（清人赵翼诗）”，艰难时世、忧患人生的确容易孕育深刻感人的篇章。中国历代女性诗人的作品，由于女性历来受到的思想和人身束缚，大多是感伤凄婉之作，讲述了她们的人生磨难和情感上的困惑与遗憾。浙江女性诗人的情况差不多。宋代最著名的两位女性诗人词家，朱淑真（一作淑贞）是寓居今杭州的海宁人（一说杭州人），李清照晚年寓居临安（今杭州）。她们的诗词也多“穷苦之音”“沧桑之句”。且以朱淑真为个案，通过她“人约黄昏后”公案的真伪、她的《断肠诗词》，看浙地女诗人词家普遍的“天壤王郎”爱情婚姻悲剧，才命相妨、福慧不能两全的不幸命运际遇。

浙地也是古代诗史上第一个真正意义的女诗人，是东晋谢氏家族的谢道韫，她出身名门、家学深厚渊博，自己天分又高，家庭氛围也自由，以潇洒自在的“林下之风”树立了才女形象，又以咏雪诗力压男性名士，成为古代才女群像中最早的明星，“咏絮才”更成为后世称赞才女的常用典故。但她的门第家世、才华见识并没能使她获得好的婚姻。当时王、谢、郗、庾四大家族相互联姻，谢道韫婆婆郗璇的父亲就曾亲自到王家择婿，选中了才华性情都出色的王羲之，就是“东床坦腹（东床快婿）”的佳话。但当时的婚姻毕竟只是包办婚姻，天意弄人，谢家子弟里才华最拔萃的“扫眉才子”谢道韫没能嫁给王献之或王徽之，却嫁给了王羲之儿子中资质最平庸的王凝之。王凝之性情迂腐，不像他的父亲、兄弟一样有才情雅量见识，也比不上谢道韫诸位堂兄弟的文采风流。谢道韫失意之余不由感慨天壤（天地）之间怎么会有“王郎（王凝之）”这样平庸无趣的人，这就是“天壤王郎之恨（遗憾）”。后来，谢道韫以不凡的见识、旷达的性情、高远的追求化解了感情缺憾、淡化了婚姻不足，成为女性典范。但不是每个女性都有谢道韫的才智胸襟、见解情怀、格局机遇，李清照也许大致可比拟。至于后世很多感情纤细、生活空间较狭的女性也都在诗词里倾吐了“天壤王郎”、遇人不淑、齐大非偶带来的深刻遗憾和巨大痛苦，却不免“才下眉头、又上心头”，难以超越解脱，她们诗词的主要内容就是纷乱纠结的情感。朱淑真是其中较典型的一个，在诗词中倾吐了婚姻不如意的苦闷，还大胆表露了对爱情的追求。

中唐吴兴（今湖州）女诗人李冶（字季兰）曾在诗中抒发了浪漫的爱情态度。唐代文化氛围宽松，多有性情、诗风皆豪放的女诗人，对男女交往也较宽容。李冶和浙西诗人群的刘长卿、陆羽唱和交往，互为知己，在当时传为佳话。但到了宋代，礼法渐严，朱淑真受的非议就很多。

朱淑真生卒年不明，一说北宋人，一说南宋人，约在两宋之间，和李清照年代相仿。有人说她是朱熹侄女，应只是附会，是为了诋毁身为道学家的朱熹。朱淑真的生平资料很少，只能从她留下的诗词中知道她自幼聪慧，善诗文，工画，又善音律。家住西湖边涌金门内的宝康巷，家中庭院优雅，不是小户人家。父母也钟爱她。可惜，大约和谢道韫情况相似，由于父母一时失审，没有为慧而美的她选择合适的夫婿。朱的丈夫虽不像一些传说所说是市井之徒，也是个读书人，还曾游宦，但夫妻

感情不好，所以她也有“天壤王郎”之憾。没有志趣相投的伴侣，朱淑真无奈悲伤，在《自责》诗二首中自嘲“女子弄文诚可罪,那堪咏月更吟风？”“添得情怀转萧索,始知伶俐不如痴”,对自古女子有才便多不幸的现象进行了沉痛深刻的反思，说女子只是识文断字已不待见于保守社会势力，何况自己富于才情、喜欢吟咏爱情诗，更是受尽迂腐者的嫉恨讽刺，到如今，当年意气风发、无畏无惧的我受尽挫折磨难，心事成灰，才知道聪明多情不如迟钝。这实是激愤沉痛的反语,有点像苏轼说的“人皆养子望聪明，我被聪明误一生。惟愿孩儿愚且鲁，无灾无难到公卿”。

清人黄山寿的仕女图《咏絮才高》等

朱淑真情感上抑郁不舒，伤心之情只能寄托于诗词。如她每到春日，就垂下床帏静坐，说不忍心见这明媚春光。自号“幽栖居士”的她，诗词意蕴风格和“幽栖（隐居）”之意相符，多消极黯然、婉转凄苦之言，多写酒、病、悲春伤秋等意象，闲愁、孤独等心境。词尤适宜于表现女性内心情绪，所以朱淑真的词出色且有特色。如她《减字木兰花·春怨》词中的“独行独坐，独唱独酌还独卧”就连用五个“独”字，渲染了心底的无限孤寂，和李清照《声声慢》词的“寻寻觅觅，冷冷清清，凄凄惨惨戚戚”有异曲同工之妙。

《断肠诗词》书影

不过，生长在钱塘繁华地的朱淑真也受到自由浪漫、追求愉悦的都市文化的濡染，留下很多率真心声。如她的《清平乐·夏日游湖》词说“娇痴不怕人猜”，表现了感受自然山水之美以及爱情带来的喜悦，暂忘了忧伤，显露了天真娇憨、大胆不羁的一面。由于朱淑真诗词里多写大胆热烈的感情，后来有人将欧阳修《生查子·元夕》词“人约黄昏后”误入她的词集，连累她受尽后世腐儒啰嗦。一首情诗，男性文人写就是风雅，女诗人写就是淫邪，真不公平。

后朱淑真郁郁而终。一说非正常死亡。她的父母觉得她的诗词不雅不祥，就将部分销毁了。所幸南宋人魏端礼将朱的诗词整理为集，取名《断肠》，真是她的知音，朱的诗词确多“断肠（指激烈极致的感情）”之意。

阅读链接：

黄嫣梨：《断肠芳草远——朱淑真传》，花山文艺出版社，2001 年版。

（宋）朱淑真撰、（宋）魏仲恭辑、（宋）郑元佐注：《朱淑真集注》，中华书局，2008 年版。

黄嫣梨：《朱淑真及其作品》，上海三联书店，1991 年版。

一般来说，写感情，词要比诗更擅长拿手。不过也不尽然。一说南宋绍兴女子唐琬即陆游妻子也是女词人，有《钗头凤·欢情薄》词与陆的《钗头凤·东风恶》词唱和，词韵深婉，如“病魂常似秋千索”，还有一段凄美的爱情悲剧故事为背景。不过，浙籍学人、一代词宗夏承焘及其高足、词学大家吴熊和二先生早已考证《钗头凤》词是陆游蜀中赠歌伎之作，宋末文人周密《齐东野语》书里关于陆《钗头凤》词的记载多是传说。唐琬词也是后人拟作伪托的。

由陆《钗头凤》词中用的一些较俗意象如“红酥手”、看似深情实则随意的感情表达如“错错错”“莫莫莫”等看，确不像献给生死相许的妻子。不过，陆游婚姻曾经历过“孔雀东南飞”式的悲剧，他无奈舍弃感情是真有其事，因为痛悔愧疚，他的诗中多有吟咏昔日与爱侣共游沈园、爱情信物菊枕的诗，至 85 岁去世时仍不能放下，真情深度和艺术感染力都更胜《钗头凤》词。清末学者陈衍《宋诗精华录》选了陆游几首“沈园诗”，名句如“伤心桥下春波绿，曾是惊鸿照影来”“此身行作稽山土，犹吊遗踪一泫然”都表达了天长地久、至死不渝的深情。陈衍评价说是“古今断肠之作”，还说“无此绝等伤心之事，亦无此绝等伤心之诗。就百年论，谁愿有此事？就千秋论，不可无此诗”，认为爱情悲剧于陆游个人是不幸，但于陆的艺术是应有的历练和成就的机缘。

宋代理学盛行，但无论诗词，都有爱情名篇在，彰显“断肠”的真情深致，朱淑真的真，陆游的深，都极难得。

易安词开新境：玉骨冰肌未肯枯

都说李清照（1084—1155）的词是宋代女子第一，朱淑真是第二。其实，李胜过朱较多。朱淑真沉湎一己痛苦，以致郁郁而终，词也未脱缠绵纤弱局限。李清照虽没“天壤王郎”遗憾，无奈晚年遭受“靖康之乱”，国破家亡，丈夫去世，还面对“再嫁失节”的名节困局,但她执著于“谁怜流落江湖上？玉骨冰肌未肯枯”（《瑞鹧鸪·风韵雍容未甚都》）的信念，经历苦难风雨，风骨气节未改，在逆境中奋起，并借助时代变迁的推力，克服了女性词人的纤细柔弱姿态和心理，及女性词的小巧清浅，终于在浙地开词中新境、成大格局，成为在宋词中可与男性巨子苏轼、陆游、辛弃疾平起平坐的大家。

李清照出身有家学渊源和文化底蕴的士夫官宦家庭，更接近谢道韫。至于李和丈夫赵明诚，则是历史上浙地伉俪王羲之和郗璇、日后赵孟頫和管道昇的翻版，是志趣相投、夫唱妇随的神仙眷属典范。李清照早年词作中，虽有党争的阴影，以及和丈夫宦游分离的轻愁，主要反映的是夫妇俩“如兄如弟”的知己之情，研究金石、切磋书画的风雅生活，艺术虽出色，内涵和寻常女性词差不多。而她的人生到了中晚年，有了大变数。家国破碎、流亡南方，她被迫离开了熟悉的生活环境，又遇丈夫猝逝、没有子嗣，孤独苦寂。李清照在流亡失偶的惶恐无助中改嫁张汝舟，又疑似遭遇了张意在金石文物的骗婚。后来，李清照果断地和张对簿公堂，并使张被“编管”（指官员失去自由、戴罪的贬谪流放，如苏轼曾编管黄州），自己也险些因诉讼

直系亲属被下狱。这段至今众说纷纭的历史公案，尤其暮年再嫁、陷丈夫于绝境两事，使得这位完美才女一直被世俗目光好奇甚至恶意地窥视，也被狭隘的卫道士讥笑诟病，和朱淑真一样。但对于性格决绝、襟怀超逸的李清照，这段不快经历只是人生历练，和其他苦难挫折都成为她在人生、诗词上达到完满境界的积累铺垫。

朱淑真、李清照，还有处州（今丽水）张玉娘、湖州吴淑姬，被称为南宋浙地四大女词人，她们的人生、感情大都不顺，对她们的词创作很有影响。李清照晚年在浙地的词境之变再次验证了“赋到沧桑句便工”。

李清照是“南渡词人群”（北宋末南宋初即公元1126年至1138年10多年间从北宋都城汴梁等地追随宋王朝南迁，流亡到以南宋都城临安为中心区域的词人们，多爱国复兴思想）中的佼佼者。南宋初建炎三年（1129），正当宋室风雨飘摇之际，46岁的李清照又在此年夏天痛失丈夫。此后，孤身的她带着她和赵收集的珍贵金石，背负丈夫让她保存文物的临终嘱托，乘舟追随高宗南逃路线，辗转来到浙地，一路困顿流离，多经变故，看尽世态人情炎凉，她所能依靠的只有胆识勇气。

李清照此间的许多诗词和其中意象，显示了南渡词人群的共同遭遇和心态，也反映了她的独特心路。如她有著名的《乌江》（又名《咏史》《夏日绝句》）诗说“生当为人杰，死亦为鬼雄”，借项羽故事表达了倔强不放弃的复国之念，气概不输须眉，历代被人传诵。再如她有《上枢密韩公诗》诗二首之二说“欲将

清 崔错《李清照像》

血泪寄山河，去洒东山一抔土”，也借谢安东山再起书写了不逊色于陆游、辛弃疾等人的北伐爱国激情。《渔家傲·天接云涛连晓雾》词则写了雄奇瑰丽的梦境，“九万里风鹏正举”正象征高扬不灭的希望和理想。词句“载不动、许多愁”（《武陵春·风住尘香花已尽》）是借她南下时的小舟还有承载的文物道出命运的艰难沉重，隐喻了她和南渡诗人努力维系传承的宋文化和宋王朝在南渡中的命运缩影。《南歌子·天上星河转》词云：“旧时天气旧时衣，只有情怀不似旧家时！”委婉反映了突来的时代巨变带给词人的彷徨不安。这些都写于浙地。

南渡彻底改变了两宋之际很多人的生活常态。对于李清照，是从夫妻相濡以沫、锦衣玉食、风雅清华的官宦眷属的日子，骤然跌进险恶劳累、孤寂衰老之境，但这变化也使她的生活一改以往平淡的似水流年，最终以江海风波诡奇助益她成为词中大家。1135年后，李清照定居临安（今杭州），一度住西湖边清波门一带，从她的词中看那是一处种满梧桐、芭蕉、菊花的清幽庭院。她人生的最后二十年虽孤寂，却大有意义，不但收得女弟子韩玉父等人，在浙地传了女性诗词的衣钵，还在词上

“柳暗花明”，开创了新境。她词中的艺术成熟之作《声声慢·寻寻觅觅》《永遇乐·落日熔金》等都是晚年写于浙地。

李清照此时的词已不是早年“应是绿肥红瘦”“人似黄花瘦”的“为赋新词强说愁”，而是真的“这次第，怎一个、愁字了得！”（《永遇乐·落日熔金》）如她的《添字丑奴儿·窗前谁种芭蕉树》词里借南方庭院常见的芭蕉听雨声，芭蕉的叶叶舒卷似蕴含深情，点出了深藏心底、在孤枕难眠长夜才会被勾起的深沉故土之思，平淡而真切。再如《声声慢·寻寻觅觅》，先连用14个叠字“寻寻觅觅，冷冷清清，凄凄惨惨戚戚”渲染出宛如江南细雨般无边无际、无处不入、难以排遣的感伤无措、凄惶无奈。再用无法入眠、借酒消愁写孤苦生活实景。然后用“风雨”“大雁”等典型意象传递了环境的冷寂逼人，亲人已逝、归鸿声断、往事不再、难以归乡的幻灭苦涩心境。又以菊花陨落、梧桐打秋雨的景象加深了衰老、孤寂之感。在感情积累到一定厚度强度后她才说出一个“愁”字，说自己晚境难逃这个“愁”字。

《永遇乐·落日熔金》则写李清照晚年在杭州过的一次元宵节，和辛弃疾的《青玉案·元夕》以热闹反衬凄苦手法相似。每逢佳节，离乡、孤独、衰病的人尤其难堪。词中通过眼前热闹之景和当年在北方所过元宵节的繁华，还有追忆自己盛年芳华的对比重叠，说杭州的佳节虽热闹，可惜自己已是“如今憔悴，风鬟雾鬓，怕见夜间出去。不如向，帘儿底下，听人笑语”，流露了深沉压抑的辛酸，和她年轻时词中因为“红肥绿瘦”就“才下眉头、却上心头”的闺中闲愁大不同，附上家国变乱，显得格外厚重沉郁、富于历史感，这正是她的词能超越寻常女词人的根本原因。家国之变成为李清照生命中的劫难磨砺，也成为她艺术上涅槃变法的强大推动力。没有南渡后来到浙地，就没有成为大家的李清照。浙地成就了李清照。

最后来看李清照的《摊破浣溪沙·揉破黄金万点轻》词，写了浙地常见的桂花。宋人咏物词多学《离骚》借奇花异卉寄托高远情志。桂花朴素无华，却馨香远扬，比起“人似黄花瘦”的菊花，更适合来比拟、也能更深刻反映李清照的形象，一个在战乱流离中为保全传承文化而努力、在身世寂寥中无人理解却始终保留一缕心香不灭的奇女子。

智言慧思

生命诚宝贵，爱情价更高。若为自由故，二者皆可抛！

——殷夫译匈牙利爱国诗人裴多菲诗《自由，爱情》

阅读链接：

陈祖美：《李清照评传》，南京大学出版社，2005 年版。

孙崇恩选注：《李清照诗词选》，人民文学出版社，1994 年版。

沙灵娜译注：《宋词三百首全译》，贵州人民出版社，2008 年版。

词里南宋：南宋文化别一种解读

是北宋词还是南宋词更高妙？近代海宁学者王国维在《人间词话》里说北宋词自然有意境，容易感人，南宋词较雕琢，易令人生隔膜。这影响了数代人的词学观，使人们对南宋词先入为主有了成见。更不要说一度影响很大的简单两分法：将词分为豪放词（派、风）和婉约词（派、风），使得以往的南宋词除了辛弃疾、“辛派词人”外的大部分重要内涵都被忽略轻视。

现在人们已都能中肯地认识到南宋词与北宋词的各有千秋，更多人认识到南宋词在艺术上的“青出于蓝”。也不会简单地把词人或词一划为二或豪放或婉约，因为即使“词中之豪”辛弃疾的词也有妩媚的一面，情感再豪放，内涵再宏大，词体先天还是适宜含蓄的表达和委婉的意趣。看待宋史、南宋史包括南宋文学、南宋词，特别需要抛弃成见，采用辩证的视角、实证的态度。如宋代一度被简单地认为是“弱宋”，只注意到它军力、疆域上的不足，而没有看到它“隆宋”的一面如经济的发展、文化的繁荣。还有北宋也曾被简单地认为是因为极度腐朽黑暗才会灭亡，只有半壁江山的南宋更曾被妖魔化。而现在人们已渐渐明晰地认识到宋王朝尤其南宋、南宋文化在历史

中真实的重要地位，正如日本学者池田静夫说的“近代的中国文化，其实皆脱胎于南宋文化（《中国水利地理史研究》）”。南宋是一个文化集大成、承前启后的时代，和今天的关系比以往的唐代等都更深。我们对它有再多好奇都不为过。而且，更重要的是，因为南宋中心在浙地，有了对南宋文化的恰切准确认识，对人们重新认识浙地文化的重要地位也有较多作用。

南宋国力积弱和文化高度繁荣形成的强烈反差使它成为一个饱受非议和争论的朝代。而临安城（今杭州）作为南宋的重要象征，更曾成为替罪羊，被认为是浮华之都，还有唯美深情的南宋词，尤其是写临安城、西湖繁荣美丽的雅词，都曾被看作是和陈后主《玉树后庭花》、柳永《望海潮·东南形胜》词一样的亡国之音。其实，且不争论南宋国策的得失、政治人物的高下，至少南宋诗词并不都是称颂太平、无聊唱和、局促书斋、迷醉享乐之作，也多清醒犀利的关切现实、讽刺时弊、富于历史危机意识和时代责任感之作。

南宋临安城，无愧当时世上最繁华都市之称，耀眼文华与山川古迹相映发，150多年间的极致繁荣，并非南宋灭亡后一个外来客马可·波罗几声迟到的赞叹“华贵的天城”所能概括的。特别是西湖，在临安城中心，宛如明镜，全程无言见证了也静静凸现了南宋历史文化的种种变迁，并不只是朝野上下一片浮华奢靡、西湖如“销金锅”的简单一面。浙地南宋的西湖诗词，正是“史鉴”，镜中影像，复杂而容易引起错觉，需要细看。

南渡诗词曾给浙地诗词带来短暂而深刻的激昂热血，孝宗年间1163年的“隆兴北伐”及随后的“隆兴和议”奠定了南宋长期的和平，只是一雪靖康之耻的高歌不再是回旋在凤凰山麓西湖边的南宋庙堂里的主旋律。不过南宋君臣、士人百姓并没有都在游乐西湖湖山间消磨了激情壮志，仍一直有反思批判的声音。如温州平阳人林升的《题临安邸》诗“山外青山楼外楼，西湖歌舞几时休？暖风熏得游人醉，

直把杭州作汴州”，写南宋君臣在西湖上大兴土木、歌舞升平，委婉讽刺劝诫他们不要忘了北伐复国，不要沉迷富贵太平，警惕重蹈北宋灭国的覆辙，忧思之深沉、劝诫之恳切，千古以下仍清晰可感。和陆游同列“南宋中兴四大诗人”之一的杨万里为朝官时在临安居住多时，多有以西湖为题、直指现实的讽喻诗。当时的西湖四边都布满帝王的行宫御园和权臣的私人园林。皇帝、大臣们沉湎安逸闲雅生活，多选择湖上风光绝胜处建园，使西湖成为皇室与权贵的禁脔，普通百姓不能亲近。杨万里说“西湖旧属野人家，今属天家不属他”“阑入苑中啼不住，恨身不及一黄鹂”“好风借与归船便，吹近琼林却不吹”，都是讽刺这一现象。再如他写给陆游的《寒食雨中同舍约游天竺，得十六绝句呈陆务观》诗的一首说：“却将葑草分疆界，葑外垂杨属别人！”也以西湖为南宋王朝缩影，借西湖上的水生植物葑草将湖面分割，以小见大，将之暗喻为南宋半壁江山，对南宋君臣满足偏安一隅、不思北伐的意识进行了含蓄而极辛辣的讽刺。和《题临安壁》诗意思相近。

到南宋中后期宁宗年间1206年“开禧北伐”的中兴梦再次失败后，南宋君臣百姓对收复中原信心更少，朝野充斥低沉气氛，而且由于国土狭小、政事不公，社会环境恶化，志士才人多流落江湖、生活困顿，在丧失了仕进希望的同时社会责任感也减弱，情感心态由陆游、辛弃疾这一代诗人词家的希望与失望、激越与低落并存，渐渐蜕变为外在的冷漠虚无，不过他们身为宋型文人，内心的理想、责任感仍未改。南宋晚期著名

南宋马远的山水画《晓山雪行图》，清雅意蕴与南宋词相通

词人刘克庄《戊辰即事》诗中有“诗人安得有青衫？今岁和戎百万缣！从此西湖休插柳，剩栽桑树养吴蚕”的诗句，对南宋朝廷给敌国进贡大量丝织品进行了深深挖苦，和杨万里的诗一脉相承。

由于词本身含蓄蕴藉的特色，南宋人对时代的悲慨、反思、讽喻、警诫，虽然诗词里的分量是一样的，但词中直接明了表现现实的部分毕竟比诗要少。南宋浙词中，除了南宋前期的词人如山阴（今绍兴）陆游常有“有谁知？鬓虽残，心未死”的感慨，婺州（今金华）永康陈亮多有“不见南师久，谩说北群空。当场只手，毕竟还我万夫雄”的悲叹，很多词人都多写比较注重个人自我感受的咏物抒情之作，虽有对现实的深切关注，对历史的深刻理解，内涵深远，思想深邃，感情深挚，却囿于对词体本身特点的坚守，多用宛转的表达方式，需要细味才能隐约理解词意，成为王国维说的“隔”。所以南宋灭亡后，人们不但把西湖比成“尤

物破国”的西施，说“一勺西湖水。渡江来，百年歌舞，百年酣醉”（文及翁《贺新郎》词），多写西湖的南宋雅词、淡妆浓抹的“西子词”也枉担了误国的千古骂名。这真是冤枉，晚唐杭州诗人罗隐早就说过：“西施若解倾吴国，越国亡来又是谁？”（《西施》）其实，不是只有具有明确的爱国或讽喻现实题目、小序，风格硬朗激愤的词才是可取的，南宋一些貌似抒写闲情的词，较曲折委婉却也深切细致地折射了对现实的种种真实认识关注、复杂情感和历史细节，也很有价值。如姜夔和吴文英的词，和同时辛弃疾的词实相通，词中倒映的都是南宋史实世相。

阅读链接：

王水照：《南宋文学的时代特点与历史定位》，《文学遗产》，2011年第1期。

王水照、熊海英：《南宋文学史》，人民出版社，2009年版。

陶尔夫、刘敬圻：《南宋词史》，黑龙江人民出版社，2005年版。

词仙姜夔：雅词如古琴寒梅

南宋中后期的浙地，宋词达到了高潮。此时词坛主要是两派共存：一是志士豪杰的“诗化”词，呈现“豪放风格”;一是才人、知音律者的“乐化”词、“格律词”、“雅词”，呈现“婉约格调”“骚雅”风格。后者的“雅”不是故作玄虚的附庸风雅，而是深刻体现雅词艺术主张“语言不能俗、格调不能软媚、意思不能狂怪”的高雅、醇雅、雅正、清雅之“雅”。

两派中，前者学北宋时寓浙多年的苏轼词风，主要成员有辛弃疾等，包括在朝官员和在野的江湖诗人；后者以北宋杭籍词人周邦彦为祖，主要成员有姜夔、吴文英等，大都是江湖诗人。两派中都多浙地文人和长期寓浙者。两派并不像后人想象的那样泾渭分明，都深受志在北伐复国的南宋文化影响，辛弃疾和姜夔都被列为“中兴”词人，词都学《楚辞》比兴寄托“骚雅”意旨。不过辛派词人词中关注时局政事更多，词风较深刻尖锐狂放，“雅词”派词人写个人感受较多，词风更醇厚圆润内敛。辛弃疾的很多词学《离骚》风格，寄托隐喻内涵异常幽深广袤，就和吴文英词作相通。

两派互有交往，还曾互相学习切磋、欣赏包容。如姜夔也学苏轼清旷词风，在“雅词派”中形成自身独特的清空特色。他还受到辛弃疾影响，词风相似，辛豪宕而姜清刚，清人周济说他们“辛宽姜窄”，只是一个词境较宽广外向一个较细致内敛而已。

两派尤其“雅词派”的主要活动中心就在杭州、西湖畔，他们又都可归入“南宋临安（西湖）词人群”。辛弃疾词才虽高，身为高官（曾任浙东安抚使），他的雄才大略常人较难企及，雄肆深邃的词风更是超逸难以追摩，相比之下，姜夔和吴文英的江湖布衣身份让人感到平易近人，而且姜清空峭拔、吴绮丽绵密的词风容易深入人心，也容易学。所以后来姜派词人比辛派更多，“雅词”派很兴盛。

姜夔（1154—1221），号白石，不是浙地人士，但曾多次漫游、长年寓居吴兴（今湖州）、临安（今杭州）等地，娶在湖州为官的“中兴四大诗人之一”萧德藻的外甥女为妻，庆元六年（1200）寓居西湖边钱塘门水磨头石函桥（今少年宫附近），终老于此。可谓一生与南宋浙词的发展相始终。姜夔曾在词坛上被称为“南渡第一人”，是说他的词最具南宋特色，最能代表南宋词。而且，还因为后来学姜的词人甚多，他成为南宋词坛的广大教化主，比辛弃疾追随者更多。

淮南雪落雲繞戍王郎鳴鞭獵狐兔問君本是山陰人何不扁舟剡溪去人生樂事將無同知君此心如太空只今去踏龍尾道也似寒江簑笠翁鑑湖一曲荷花浦君不歸來花有語舊宅應添竹幾竿到家不覺秋如許十年雪裏看淮南聚米能作淮南山籌邊妙處須急吐政自不容脩竹間人道長江無六月日光正射青蘆葉何以贈君濯炎熱雪即是詩詩是雪

除夜自石湖歸苕溪 此詩錄寄誠齋得報云所寄十詩有裁雲縫霧之妙思敲金戛玉之奇聲

《姜夔诗集》书影

姜夔还曾得到“词仙”“白石老仙”之号。这是因为他性情淡泊，是多依附高官或文坛领袖为幕僚、喜欢干谒权贵以诗词换取钱物前途的江湖诗人中洁身自好的隐者。时人对他有“晋宋（指代南朝）人物”之称，说他风采飘逸一如那些宛如谪仙的东晋南朝名士。姜夔也是典型的宋型文人，多才多艺，擅长书画音乐，且造诣见解高妙，超逸时代，可媲美西湖“逋仙”林逋、“坡仙”苏轼。

姜词也恰如其人，风格清空飘逸，

其中还多有清雅脱俗的意象。如姜夔后继者、也属“南宋临安词人群”的张炎说“姜白石词如野云孤飞，去留无迹”，说姜夔其人其词像西湖上来去无踪、自由自在的一缕白云。再如姜词中那些野逸幽独的荷花、梅花意象，花、人、词几乎浑然一体。淳熙十四、十五年间（1187—1188），姜夔客居杭州时曾有《念奴娇·闹红一舸》词，写他欣赏喜爱的湖州千岩、杭州西湖的荷花是“嫣然摇动，冷香飞上诗句”，这也是典型的学《离骚》的咏物词，和他的偶像、词人周邦彦写荷名句“水面清圆，一一风荷举”的荷花一样灵动清雅、富于诗意，还突出了和《世说新语》里东晋南朝浙地名士神韵一脉相承、孤高清逸的南宋文人风骨意态，和他学习林逋诗意自创的词调《暗香》《疏影》里的梅花等名花异草的高品清韵、“千树压西湖寒碧”等美句，一同成为南宋雅词、南宋崇雅求正美学思想的绝好象征。难怪辛词思想艺术虽高绝，终不及姜词的易感可学、与时代氛围和谐。

清人刘熙载《艺概》概括说“姜白石词幽韵冷香，令人挹之无尽。拟诸形容，在乐则琴，在花则梅也”，说姜词情韵清幽冷艳，韵味无穷，如琴中古琴、花中梅花，是最醇雅清隽的意味。这比喻引来说姜夔其人、还有他奠定的南宋雅词也非常恰当。南宋雅词并非以往一些人误解的那样艰涩难懂，清雅朴素的姜词是最好的证明，宛如一朵高飞不羁的白云，一曲乐韵飘渺的琴音，一树冷香氤氲的梅花，一株清高不染的荷花，还与姜夔擅长的、简洁的南宋山水画和复古东晋书圣雅正风范的书法相通，无不显现了纷繁世变中，人们对理想、美好的不倦追求和不懈坚持，与《离骚》的“骚雅”意旨相似。南宋雅词和南宋文化的韧性柔性刚性兼备也与浙地文化传统非常合拍。

可见姜词及其代表的南宋雅词不但有音律之美、风格标致，还富于内涵思想，并不是空洞的靡靡之音。如姜夔寓居湖州时有《点绛唇·燕雁无心》词说“数峰清苦，商略黄昏雨”，暮色雨中数座清瘦山峰，在词人眼中却像正在谈论世间事的南宋文人，渲染了清寒苦涩的时代氛围，也深切体现了南宋词、词人和现实的深切不可分关系，

和南宋爱国词人陆游、辛弃疾的豪迈词境有内在相通处。如“数峰清苦”意象意境就和陆游咏驿边梅花的《卜算子·咏梅》词的“驿外断桥边，寂寞开无主。已是黄昏独自愁，更著风和雨”相通，都体现了纵然境遇艰难、内心仍多坚守的典型南宋文人情怀。再如姜写于湖州的《庆宫春·双桨莼波》词“老子婆娑，自歌谁答？垂虹西望，飘然引去，此兴平生难遏”，咏史词《满江红·仙姥来时》“却笑英雄无好手，一篙春水走曹瞒”，也与辛词豪迈豁达的见解情怀相似。

姜夔虽不是浙人，却是当之无愧的南宋“西湖词仙”，清雅人品和清空词风与浙地山水人文契合无间，而且在浙地词的发展中占据承前启后的重要地位。他继承了林逋、苏轼等北宋浙地本土文人或寓贤的诗词创作，就像他的《法曲献仙音·虚阁笼寒》词里说的“唤起淡妆人，问逋仙今在何许？象笔鸾笺，甚而今、不道秀句”，道出自己的雅词秀句和“逋仙”林逋、“淡妆西子”意象创始者苏轼之间的渊源默契。南宋时，姜夔就多浙地本土追随者如吴文英、张炎、王沂孙等，他的姜派词所代表的“雅词”“格律词”“乐化词”日后更在浙地文化中传承不绝，到清代还被浙西词派奉为典范，传衣钵者众多。

阅读链接：

（南宋）姜夔撰，夏承焘笺校：《姜白石词编年笺校》，上海古籍出版社，1981年版。

（南宋）姜夔撰，夏承焘校辑：《白石诗词集》，人民文学出版社，1959年版。

赵晓岚：《姜夔与南宋文化》，学苑出版社，2001年版。

词之义山吴文英：不是七宝楼台

南宋雅词代表人物中，比姜夔稍迟的南宋中晚期四明（今宁波）词人吴文英（约1200—1260，字君特，号梦窗），也是词史上极重要、却被严重误读和低估的词人。

吴文英是宋代词人中争议较多的一位。“梦窗词”在南宋时自有推崇者，在清末也曾风行一时，学的人几乎占了词坛半壁江山，很多近代词学大家都认为他是南宋后期词坛领袖。不过，对“梦窗词”的不同看法甚至贬低也一直存在。不少人不理解或不喜欢吴词，认为其表达雕琢堆砌，意思凌乱不明，整个面貌晦涩难懂，不但从艺术价值上比不上五代北宋词的明秀可亲，思想价值上更比不上南宋志士诗化词如陆游、辛弃疾的作品，甚至在南宋雅词内部也远远比不上词风简朴清秀的姜夔被接受程度高。

较早的、也是很著名的不佳评论来自比吴文英稍晚的南宋末湖州词人、同属南宋雅词一脉的张炎，其在《词源》里说“吴梦窗词如七宝楼台，眩人眼目，拆碎下来，不成片断”，即吴词都是由漂亮意象拼凑起来的，看起来很美，如果拆开来，就不成意思了。很多人对吴词不熟悉或读得不多，难免会觉得此言甚是。于是梦窗词如“七宝楼台”的说法就和苏轼的“郊寒岛瘦”说一样流传了下来。其实张炎的话是有问题的，就像一位前人说的那样好好的七宝楼台自成一体拆它做什么呢？南宋雅词派内部有两种风格倾向，姜夔的“清空”主张意象疏朗、意蕴空灵的词风，而吴文英的“质实”是一种意象密实、意蕴厚重的词风。张炎是学姜词的，不喜欢吴词

风格可理解，只是不能算是客观评价。到近代，王国维和胡适的说法更加深了人们对吴词凌乱堆砌的看法。王国维在《人间词话》里用吴自己的词句“映梦窗，零乱碧”来概括吴词特色，胡适则说吴几乎所有的词都是靠典故和意象堆砌的。两人虽是文化大家，但这些说法主要还是承袭前人为主。而且，王国维一向对南宋词有偏见，觉得南宋雅词学《离骚》以咏物意象寄托隐喻深意的手法有点隔，其实是他和南宋词有点隔；至于胡适，推崇白话诗，喜爱寒山诗风，自然不欣赏吴词。

历代文学作品，有一些较易读懂、能迅速感动人的，也有一些不容易读懂、难以令人一下子被感染，但如果读者进入语境，会觉得格外有味道。吴文英无疑属于后者，和他类似的作者还有杜甫、李商隐、周邦彦等。吴文英学的其实就是周邦彦潜气内转、富丽精工的词风，而他词中的意象、典故更多更浓密厚重，串连意象的情感叙事等线索则更内敛朦胧、幽微婉约，形成一种“浓得化不开”的美感，流传程度自然没有清空轻灵的姜词广泛。喜好哪种风格无可厚非，但不能成为吴词不如姜词、或说吴词不佳的证据。苏轼说“淡妆浓抹总相宜”，姜词、吴词都是“西湖雅词”，姜词是淡妆，而吴词正如清末词人况周颐说的“梦窗之词，则严妆盛饰之美人也”，具有馥郁浓丽、繁盛绵密的特色，是浓抹。也许有人觉得吴词失去了天然清秀面目，其实姜词、吴词的确各有千秋，吴词内涵饱满、感情浓烈、意蕴深邃等优点是姜词缺乏的。

不过吴词难解也确是事实，正如《四库全书总目提要》说的“词家之有文英，亦如诗家之有李商隐”。吴文英被认为是“词中李商隐”，除了他的词和唐人李商隐字义山的诗一样典故多、意思含蓄，少有知音解人，还因为他和李商隐一样身世朦胧、生平资料较少。不能“知人论世”、知晓词中本事，都影响了对吴词的深入理解和准确评价。

吴文英和同时很多江湖诗人一样，一生没功名也没正式进入仕途，只做过幕僚、门客，所以正史没记载他的生卒年、交游、政治面目。他甚至连姓、字都不确。如他的词友周密记述，吴文英本姓翁，浙地鄞县文人翁逢龙、元龙是他的亲兄弟，他因过继给他人才改姓。而从同时人的笔记和他自己的词来看，吴文英一生漂泊，曾流寓苏、杭等地，游历踪迹多在太湖流域一带，生活多潦倒，常衣食不周，晚年一说和姜夔一样贫困而亡。

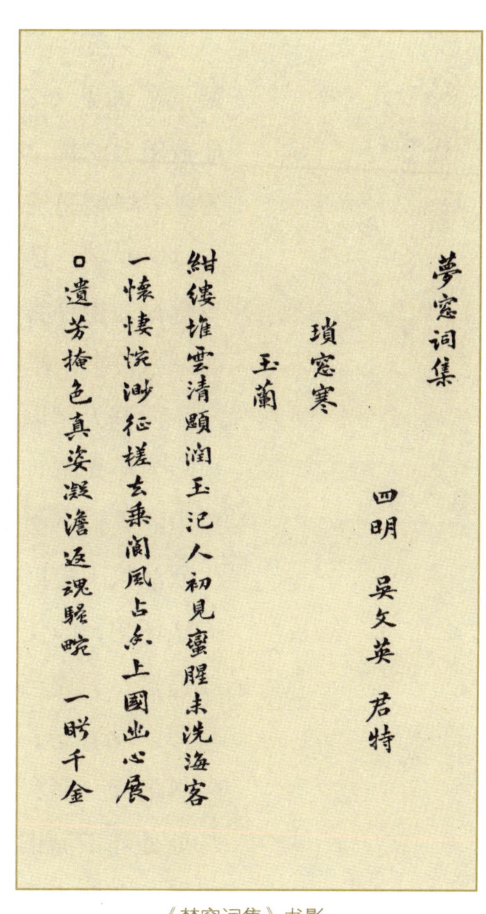
夢窗詞集
四明 吳文英 君特
瑣窗寒
玉蘭
紺縷堆雲清顋潤玉氾人初見蠻腥未洗海客
一懷悽惋渺征槎去乘閬風占香上國幽心展
□遺芳掩色真姿凝澹返魂騷畹 一盼千金

《梦窗词集》书影

吴文英曾随俗依附一些官员做过清客、幕僚来获得钱物以养家糊口，如他曾和同乡、宰相史浩之孙、权相史弥远之子史宅之交往，还和南宋名臣吴潜交往，有词酬唱。认为吴文英人品不佳、依附权贵的可能有点苛求，江湖诗人的生活常态是如此的，即使清雅绝伦的姜夔也曾受人馈赠、和权贵交往。和高官名流交往，只要不谄媚不为恶就不算大节有亏，何况吴潜为官清正，吴文英和他唱和也多忧国之语。

吴文英和姜夔一样隐居西湖边多年，写了很多雅词。身后留下了词集《梦窗甲乙丙丁稿》即“梦窗四稿”，佳作甚多。他较出名的词之一是《莺啼序·残寒正欺病酒》。他和周邦彦、姜夔一样精通乐理，自度了许多词调，《莺啼序》也是，分四阕，长达240字，是宋词中最长的一调。全词都写西湖风景，是伤春之词，也是身世之慨和家国之叹。此词写成，吴将其书写于西湖名楼丰乐楼壁上，一时千口传诵。

吴词大都以丽句写临安城和西湖的绚丽景色、浓郁情韵，也隐隐流露感时忧世的清醒疏离意识，暗讽了沉迷如梦繁华幻象中的人们。由于时世关系，吴词比姜词更内敛沉郁，宛如时代低沉氛围投射在人们心底说不出的郁闷不畅。他的词大都是追忆怀想，即使写景致艳丽、游兴正浓，也有一种“此情可待成追忆，只是当时已惘然（李商隐《无题》诗）”之感。如他常写西湖春游，写湖光山色浓醉如春酒，“梦残春故人旧，买断斜阳，西湖酝入春酒”，“流水曲尘，艳阳焙酒，画舸游情如雾”，却处处与旧游旧梦对比，流露出流光易逝、春去不留的感伤，弥漫着衰飒凄凉底色。这一源自身处末世、怀才不遇的人生迷惘，和同样身处末世、深受《楚辞》追求理想而不能情怀及隐喻寄托手法影响的唐代诗人李贺、李商隐的诗是相通的。

吴文英受二李影响，还多在词中用时空变换、虚实叠加等手法，多用生新意象、古雅典故，语言有强烈的色彩感、装饰感和象征性，形成奇丽风格。如吴的代表作《八声甘州·渺空烟四远》词写春秋吴越往事。“问苍天无语，华发奈山青”表

达了苍凉的历史意识。而且词中意象、意境较多，时空更是交错，仿佛现代的蒙太奇手法，形成宛如梦境或穿越的感觉，“幻苍崖云树，名娃金屋，残霸宫城”，词人说眼前仿佛出现吴宫旧事，给人强烈深刻的视觉冲击和浓郁悠长的联想回味。

张炎说吴词意境破碎，宛如断珠碎玉，是不理解吴词好处。吴词是真正的诗性思维，和现代西方的意象派诗有相似处。而且吴词绝不“隔”，而是富于真情、灵性、美感。曾有人说吴词如只只蝴蝶、片片飞花，自有生气、灵气，这个比喻比“七宝楼台”要更恰切精妙，可谓深得梦窗之心。吴文英常写有“忆西湖”“旧欢如梦”意蕴的西湖春日落花意象，如他的《高阳台·丰乐楼分韵得如字》词说“飞红若到西湖底，搅翠澜、总是愁鱼”，落花沉在西湖底，宛如红色小鱼儿，搅乱一湖绿色春水。由此可见吴词烹炼词句之妙，也可见吴词灵动绵密的诗意之美，意蕴之厚重绵长。

吴文英的密丽雅词和辛弃疾的豪放风格词、姜夔的清空雅词一样蕴含了深刻的现实寄托，都是南宋“骚雅”词的重要一部分。而且吴词、姜词所代表的“临安词人群”的西湖词，是南宋最精美也是最真切细致的历史写照，是南宋词艺术的高峰。

阅读链接：

夏承焘：《吴梦窗系年》（收入《唐宋词人年谱》），上海古典文学出版社，1955年版。

吴战垒：《吴文英词欣赏》，巴蜀书社，1999年版。

（南宋）吴文英著，吴蓓笺校：《梦窗词汇校笺释集评》（《两浙作家文丛》），浙江古籍出版社，2009年版。

宋末词：百年南渡、风吹雨打去

南宋存在150多年，在最后的40多年间，大约从宋理宗端平二年（1235）即蒙古铁骑南下攻打四川开始到1279年南宋灭亡，也就是姜夔去世后、吴文英开始隐出词坛之际，此时的浙地词，不但仍丰富，而且多变，与时世变迁同步，真实见证了南宋最后的历史巨变。一方面，此时的浙地词人仍继承南宋雅词传统，融合姜词清空、吴词密丽，似不改阳春白雪，不过词的内在更多隐忧迭起、暗愁涌动。另一方面，战火初起，打破百年和平安逸假象，时局瞬息多变，仿佛时空轮回，和百年前的南宋初年相似，很多浙地词也回归了南渡词书写现实血火、呈现豪迈悲凉风貌的面目。到南宋灭亡前夕，浙地词积蓄沉淀了更多抗争激愤与无奈沧桑，以及更深邃隐喻、更辛辣讥讽、更广漠历史命运感，然后延续到元初遗民词中。

周密（1232—1298）、张炎（1248—1320？）、王沂孙（生卒年不详，约和张炎年代相近）等是南宋雅词、临安（西湖）词人群的后继者，也是日后南宋灭亡后遗民词人的主体。他们都是南渡官宦望族或文化世家后裔、南宋的“王谢家族”子弟，如周密祖籍济南，流寓吴兴（今湖州），张炎家世更显赫，是循王张俊六世孙，祖籍今甘肃，寓居临安（今杭州）。经百年浙地人文濡染，他们早已和本土文人无异了。而在南宋成熟雅文化的深刻浸染下，周密等人的文学、艺术修养皆高超。敏锐感受到战争的隐隐威胁，在和平中成长、未识战乱也不识人生愁滋味的他们更投入地玩赏山水、酬唱雅集，企图借沉湎诗词与书画音乐等艺术之美，来避开暂忘人生和历史的严酷。如周密曾组织“西湖诗社”唱和，留下了《木兰花慢·西湖十景》等词中佳作。他们的雅词继承发展了姜词、吴词之美之雅，虽有思想内涵较平较浅、艺术过于追求精美的不足，却是南宋文化最后也是最美的色彩与声音的余响，后来的著名遗民诗人郑思肖就赞美他们的词是繁华世界、锦绣山水里的春光与清响。如周密《曲游春·禁苑东风外》的“看画船尽入西泠，闲却半湖春色”、《探芳信·西泠春感》的“桥外晚风骤。正香雪随波，浅烟迷岫”、《少年游·帘消宝篆卷宫罗》的“花深深处，柳阴阴处，一片笙歌”，都真的如画如乐。只可惜画里乐声内尚且如梦如幻，画外乐声外却流年如水，南宋大好江山，此时已渐渐都被“风吹雨打去”了。恰如周密词中意象“闲却半湖春色”，美则美矣，却像南宋画家马远、夏圭独创的被称为“马一角”“夏半边”的简笔山水，被时人误读贬称为“残山剩水”，仿佛南宋命运的不祥谶语，带着似遥远却实则已在眼前的那一抹末世斜阳阴影。周密等人词风的脱胎换骨、更趋沉郁凝重要待宋亡以后。

此外，这时南宋边城战争迭起，虽然和都城临安相隔尚远，对国家命运的关注、对战事和政局的忧患已明确而深刻地出现在此时的词里。寓居浙地的辛派词人陈人杰有《沁园春》词 31 首，虽也有对个人前途的迷惘无措，主要还是表达了对文恬武嬉、苟且偷安的社会现实的忧虑激愤。他的《沁园春·记上层楼》词也是登西湖边丰乐楼的题壁感慨之作，写于嘉熙四年（1240），正是元军兴兵南下、国事渐危时。词中小序说：“因诵友人‘东南妩媚，雌了男儿’之句，叹息者久之。酒酣，大书东壁，以写胸中之勃郁……”在这国事不可知之际，面对西湖如梦醉人的山水，陈人杰常

多感慨，于是在登楼望远时，对朝中士夫的无担待、无雄起之心、无忧患意识、贪享安逸发出一声叹息，问出心底重重疑问：浙地湖山妩媚，难道真的会“雌了男儿”即消磨了此间人的雄图大志？词人眼前的西湖山水如孤山、苏白两堤因为这一疑惑似乎蒙上了凄风苦雨，所谓“孤山霜重，梅凋老叶；平堤雨急，柳泣残丝”，甚至还和远方战争的“万里腥风吹鼓鼙”重叠在一起。这是南宋词里常见的借西湖山水寄托对南宋王朝命运的担忧，也体现了深沉的历史时空感。词中似责备浙地山水，实则有更深的寓意，词人也知道，就像不能责怪另一个妩媚西子越国西施亡了吴国一样，西湖山水也不会真的“雌了男儿”！

另一位也在此时寓居浙地的福建词人陈德武的《水龙吟·西湖怀古（东南第一名州）》词意思和陈人杰词相似。陈德武在词中回顾了“百年南渡”即南宋历史，说南宋初南渡词人都有北伐复国的壮志，如今百多年过去了，临安繁华、西湖如画，比北宋柳永《望海潮》词中的更美，“东南第一名州，西湖自古多佳丽……十里荷花，三秋桂子，四山晴翠”，然后说“使百年南渡，一时豪杰，都忘却、平生志”，说人们在安乐中忘了原来的志向。貌似也是责备佳丽西湖，其实词人也不是那么思想简单粗暴，让浙地山水枉担了虚名。词的后面说，到如今，又将要面临“天旋时异”的危亡时刻，当年有岳飞，今天要靠谁来一雪“靖康耻”？词人“登临形胜，感伤今古”，说仍只能寄希望于浙地山水，让其中承载浙地豪杰志士、先贤明君勾践和钱镠英风豪气的钱塘江潮水，为西湖洗尽岳飞留在其间的

英雄志未竟之泪。

两位词人笔下，虽然历史阴影渐近渐浓、危机感渐重渐深，却仍和南宋豪放词开山祖陆游、辛弃疾的词篇一样不失激愤与希望。而到了也寓居浙地的词人文及翁在《贺新郎·游西湖有感(一勺西湖水)》词中说的“一勺西湖水。渡江来、百年歌舞，百年酣醉。……天下事，可知矣”时，却已在抒发南宋末年时世不可救、不可逆转的无奈了。此词约作于理宗宝祐、开庆之间，文的故乡四川早已沦陷。无怪他将如此深的家国之恨移到眼前登高所见的“一勺西湖水”中，回顾南渡以来百年，南宋君臣在歌舞升平、笑乐酣醉中淡忘了亡国恨，也失去了复兴机会，以至于如今危机重现更甚。所以词人最后扼腕叹息南宋即将灭亡、重蹈南渡覆辙：“天下事，可知矣！”

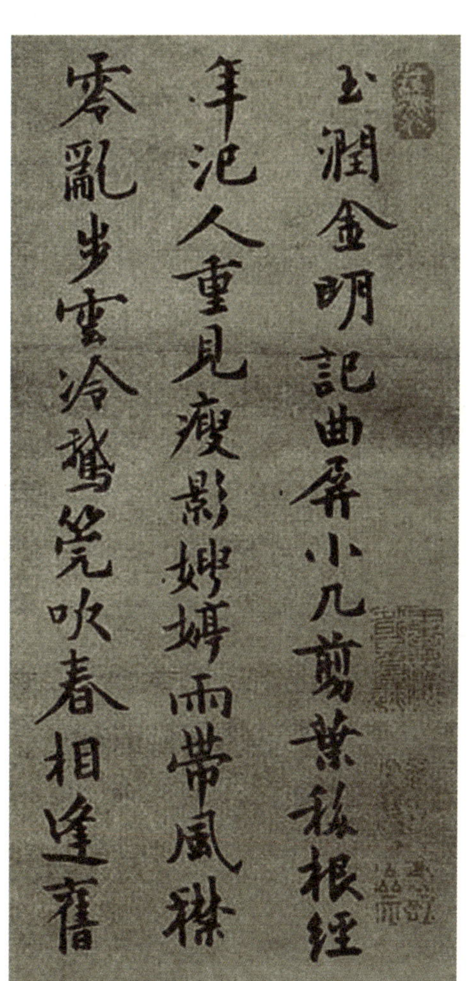

周密题赵孟坚《水仙图》的《夷则商国香慢·赋子固〈凌波图〉》词书法

转眼又到了宋末恭帝德祐元年（1275），临安有位年轻的太学生褚生作《百字令（念奴娇）·德祐乙亥》词，依然借山水美丽、时光流逝隐喻历史之易变、时事之不可追不可为。此时是临安城破前一年，西湖最美的暮春时节，词眼的“半堤花雨”和周密的“闲却半湖春色”一个意思，“新塘杨柳，小腰犹自歌舞”就是“西湖歌舞几时休”，都体现了更多“无奈情绪”和忧患意识：

春天快要过去了，包括南宋西湖山水间的雅词唱和、和东晋“兰亭雅集”一脉相承的永恒文化春天。湖山间，忽然来了“飞书传羽”，那是元朝大军南下的消息。战事已近，朝中文武且无人挺身力挽狂澜，词人哀叹悲慨如此时世，只能坐等“乐事赏心磨灭尽”。不过，褚生词虽感伤悲凉，仍不颓废绝望。

阅读链接：

夏承焘：《唐宋词人年谱》，上海古典文学出版社，1955 年版。

唐圭璋、钟振振主编：《唐宋词鉴赏辞典》，安徽文艺出版社，2006 年版。

吴松弟：《南宋人口史》，上海古籍出版社，2008 年版。

遗民咏物词：用心良苦的史诗

虽然宋末词人的种种预感预言就像杜甫在“安史之乱”前杜鹃泣血般的提醒一样触目惊心，仍不能阻挡强大的历史车轮。元军南下，南宋王朝灭亡，但南宋文化仍没有终结，在无数仁人志士就义成仁的遗民文化中延续。不说南宋丞相文天祥在浙地抗元留下的大哉浩然正气，来看大时代中几位小人物的词中心史，一样的惊天动地、光照青史。

文天祥早年的诗词平淡无奇，参与抗元大业后因精神境界的提升，诗词发生蜕变，他也跻身史上一流大家。这一奇迹在宋末宫廷琴师汪元量身上也出现过。汪元量（1241—1317？），杭州（一说寓居杭州）人。他是宫中乐官，和杜甫《江南逢李龟年》诗中的李龟年、高适《别董大》诗里的董庭兰身份相似，地位似不如正统文人高。不过汪元量历经万难用诗词把亲历的南宋覆灭劫难忠实记录下来，成就“宋亡之史诗”，时人都敬重他，把他和“诗史”杜甫比，他以人格力量获得无上荣耀。南宋德祐二年（1276）临安陷落后，汪元量随帝后、宫人被掳北上。在元大都时，他常往狱中探视文天祥,以诗唱和相勉,成为患难中的莫逆之交。此后他还在极北之地十年,饱受磨砺，也得以亲历了南北文化的交融，成为传奇人物，一如汉代苏武。晚年，他回到杭州，以道士身份漫游，自号水云子。

汪作品中最有史料价值的就是反映宋亡国变的诗篇《湖州歌》98 首、《越州歌》20 首、《醉歌》10 首，因为有独特的近距离视角、高度的纪实性，即使文笔朴实，

也得到了超出同类作品的深度、广度，补正史之不足，道史官所不能言。如《醉歌》诗说“侍臣已写归降表，臣妾签名谢道清”，就如实记录了太皇太后谢道清（临海人）签署降表、抱着5岁的恭帝出城投降并献出玉玺、标志南宋朝廷覆灭的历史一幕，且直言不讳，体现了真正的史家担待与胆识。而《满江红·和王昭仪韵》词是汪和宫中女官王清惠的唱和之作，更能见他及当时人的遗民心态。

王清惠是度宗昭仪，也被掳去北方，漫漫路途中她对前途命运惶恐不已。途经北宋旧都汴梁时，她在驿站壁上题了首《满江红》，末尾“问嫦娥、垂顾肯相容，同圆缺”，问月中嫦娥肯不肯带自己去月中隐居，表达了逃避现实之念，也借咏“月”这一因阴晴圆缺而具有特别意义、代表国家命运变迁的意象，表达了对昔日的怀恋、对将来的忧虑。这首词很快传遍中原，身为囚徒的文天祥读后认为王的态度有些软弱，便写和词说“世态便如翻覆雨，妾身原是分明月”，表达了在历史转折关头坚忍决绝的气节，也最完美地阐释了南宋咏物词学习《楚辞》、以“香草美人”意象寄托坚贞情操意志的历史最强音。文天祥主要是针对当时士人多投降、无气节而表示愤慨与批判，并非苛求这位柔弱女子。在大时代洪流中，成为富于正气的英雄烈士或坚守心底一己清源的遗民都是可贵的，文天祥毕竟只有一个。汪元量也作《满江红》和词说“事去空流东汴水，愁来不见西湖月”，通过反思宋代历史、对杭州这一故国家园的怀念，也和王清惠词一样体现了对乱世中普通人命运的关注。汪元量

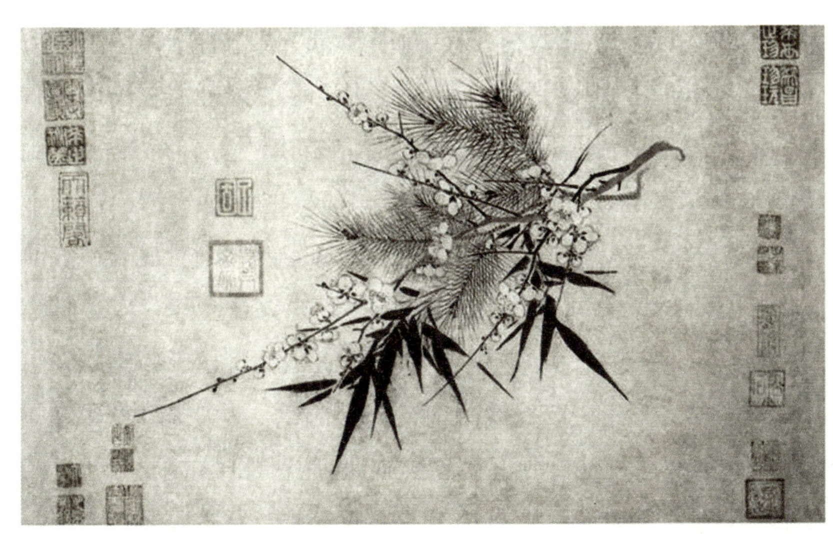

南宋　赵孟坚《岁寒三友图》

南归杭州时，已出家为僧的宋恭帝赠诗给他说“寄语林和靖，梅花几度开？黄金台下客，应是不归来”，表达了对不能归去故国的无限惆怅隐痛。汪元量和恭帝、王清惠，组成了大时代中的南宋遗民群像一角。而西湖、孤山梅花、林和靖、阴晴圆缺的月亮、破碎的菱花镜等意象都成为南宋遗民心头永恒的伤、词中特殊的符号，寄托了他们深沉不能忘却的亡国之痛。这种故国之思、对文化与人格的忠诚和坚守，在宋末元初影响力极大，甚至引起了看似处于敌对阵营，实则在文化上互相融通、惺惺相惜的元代文人的共鸣认同。元代蒙古族诗人乃贤（马易之）就说汪是“知章喜得黄冠赐，野水闲云一钓蓑”，将他比作归隐为道士的越地名士贺知章，非常恰当又是很高的评价。

宋亡后著名的爱国遗民诗人词家还有曾与文天祥一起抗元的谢翱、谢枋得及郑思肖、林景熙等，林是浙地人，其他人也都和浙地关系密切。如宋亡后曾住西湖南边“水南半隐”的郑思肖，这位写了记录亡国心迹奇书《心史》装入铁匣投进枯井

以求留给后人看、自称“大宋孤臣”的遗民，也是画家、诗人。南宋亡后，他坐卧必向南，自号所南，以示不忘宋。还将厅堂命名为“木穴世界”，也隐喻“大宋”。他最善画兰，却从不画土、根，意谓国土已被外族夺去。和郑思肖画兰之意一样，宋亡后为避人耳目，遗民诗人词家们继承并发扬光大了南宋诗词喜好以奇花异卉寄托心底对自由高洁境界向往的优秀传统。遗民咏物词的常见主题，除了体现气节情操的兰、荷、梅、桂、水仙、菊等传统主题，如谢枋得有诗“几生修得到梅花”、郑思肖《寒菊》诗说“宁可枝头抱香死，何曾吹落北风中”，也常用百年前南渡词人笔下体现“国破山河在”意境的新月、金瓯缺、破镜重圆、春水、落叶、萤、秋声、孤雁等意象。此外，冬青树、莼、蝉、龙涎香等意象也在此时被赋予了特殊意义，作为南宋遗民词的独特意象，含蓄寄托苦涩之思。这和著名的“宋六陵”事件有关。这一事件也是促使多位遗民诗人词人和汪元量一样精神升华涅槃的重要契机。

元初至元二十一年（1284），江南释教总统、元僧杨琏真珈为从精神上打击南宋遗民，盗挖了在会稽（今绍兴）的宋皇陵的六位宋帝及后妃墓，还用帝王遗骨修建镇南塔、行巫术，以求永固元统治。当时遗民诗人、温州平阳人林景熙正在绍兴人王英孙（王沂孙兄长）家中，激于爱国义愤，在谢翱等协助下，冒险寻得高宗、孝宗、理宗尸骨，葬于当年兰亭雅集之地绍兴兰亭山。这里是浙地人文精神源起之地，也是南宋王朝发祥地，林、谢等遗民诗人的作为极富深意。

林景熙移植宋皇陵的冬青树种于墓上为标志，还作《冬青花》和《梦中作》等四首诗以记其事，有“冬青花，花时一日肠九折”之句，富于寄托意义。时人都尊敬林的节烈义气，这并非愚忠，宋六陵和皇帝遗骨是国家和信仰、尊严的象征。受此影响，此时遗民诗人词家写“冬青”的诗词很多，如谢翱《冬青树引》说：“愿君此心无所移，此树终有开花时！”经冬不凋的冬青寓意了对南宋文化、民族正气不灭的坚信。林景熙还和多位诗词名家结“汐社”等词社吟咏此事、抒写悲慨，以王沂孙、张炎的词最出色。

王沂孙号碧山，张炎号玉田，都是雅词传人，都学姜夔，善咏物词。以“冬青”等物事意象寄托、象征深沉的亡国之痛，抒写渺小个人在大时代里的人事荣悴、身世感慨正是他们最擅长的。如张炎有“张孤雁”之称，词中多写孤雁意象，南宋遗民词人的“孤雁”心态与当年南渡词人的“大雁南飞”意象意蕴有所不同，是天涯虽大、再也无处可飞的难言沉痛。谁说爱国之辞只能是慷慨激昂的？再如咏物词最得后人推崇的王沂孙，他的《眉妩·新月》词以月的千古盈亏圆缺隐喻国家的兴衰无常，个人身处历史巨变中的无可奈何宿命感，“看云外山河，还老尽、桂花影”道出了遗民们想归去月中河山、与月中桂树花影同苍老，从此忘却世事纷扰、山河破碎的幽远苍凉心境，和王昭仪的“问嫦娥、垂顾肯相容，同圆缺”意思相通，虽不如文天祥的“妾身原是分明月”气派正大、态度坚决，却真实体现了遗民文人们精神的柔韧隐忍。王沂孙还有《齐天乐·蝉》“一襟馀恨宫魂断”词，起因是“宋六陵事件”中盗挖翻出一个前朝后妃或宫女残留的如蝉翼的发髻，也被赋予“寒蝉凄切”的兴衰之思。他的《水龙吟·白莲》《天香·龙涎香》词也源出“宋六陵事件”，都寄托了对故国、南宋文化的无限怀恋。王沂孙词和吴文英词有些相似，思想极深刻，感情极浓烈，无论用什么比喻象征，都成为他深切遗民情怀的寄托对象，这是南宋咏物词、雅词的最高境界，也和文天祥的诗凭借爱国热情和浩然正气超越寻常诗词

的费力构思和华丽技巧是一样的。难怪那些真正读懂王沂孙词的人将他比为“词中杜甫”，赞美他的词包罗万象的内涵，沉郁、潜气内转的厚重含蓄艺术风格。

元初的南宋遗民词人，无论原先是走苏辛派豪放词风的还是学周姜派骚雅词风的，在这样的时世中，都喜欢用咏物词含蓄表达故国之思，这是南宋词的殊途同归，也是雅词的蜕变、走向更广阔天地。如辛派词人殿军刘辰翁的《兰陵王·丙子送春》词就说“送春去。春去人间无路”，用“春去”暗寓亡国。宋末元初的历史兴亡、仁人志士的济世情怀、历史感慨，都沉淀镌刻于此时的遗民词中。

智言慧思

零落成泥碾作尘，只有香如故。

——（南宋）陆游《卜算子·咏梅》

见了你朝霞的颜色，便感到我落月的沉哀。

——戴望舒《山行》

阅读链接：

夏承焘：《唐宋词欣赏》（大家小书），北京出版社，2009年版。

夏承焘、唐圭璋、缪钺、吴熊和、周汝昌、叶嘉莹、钟振振：《宋词鉴赏辞典》，上海辞书出版社，2003年版。

方勇：《南宋遗民诗人群体研究》，人民出版社，2011年版。

曲状元马致远：秋思之祖在浙地

马致远（约 1250—1321 至 1324 间），同时名列元曲四大家（其他三人是关汉卿、郑光祖、白朴）和元剧五大家（元曲四大家再加王实甫），是谈元代文学绕不开的重要人物。他的《天净沙·秋思》是当之无愧的元曲之首，他的《汉宫秋》也被认为是元杂剧第一。马是元大都（中心在今北京，一说马生长于元大都附近的今河北沧州）人，也多有人说他就是杭州人，和另一个元文人、原籍北方长期寓居浙地的《三国演义》作者罗贯中情况相似。

了解马致远和浙地的深刻缘分前，先看看“元曲”是什么。唐诗、宋词、元曲并称。在元代，诗、词等传统诗歌形式继续存在、有所新变，元曲则异军突起，分去半壁江山。元曲是最能反映元代时代特色的诗歌样式。广义的元曲包括元杂剧和散曲，前者如关汉卿的《窦娥冤》，后者如马致远的《天净沙·秋思》，都发源于北方，用北曲为演唱形式。杂剧包括剧本中按套数组成的曲文即各角色的唱词，还夹杂了宾白和科范（旁白和动作）；散曲之名就是为了和杂剧的整套“剧曲”相区别而设，是供清唱的歌词，又分小令、散套（套曲）。散套是由数支同韵的曲子组成，小令一般只是一支曲子。

本篇的“元曲”只包括属于诗歌的散曲，杂剧将在戏剧部分提及。虽然后世元杂剧影响较大，不过当时散曲数量更多，影响不小。散曲有不少别名。如“词余”，和词叫“诗余”相对，因为它和词很像，都有一定的格律、每句字数不等、配乐演

唱。也叫“乐府”，和词的别名相同，因为它们都和音乐有密切关系。正如词比古诗更自由，散曲也比词样式更自由、内容风格更通俗。虽然每一曲牌的句式、字数、平仄都固定，但也可变化，如可加衬字，还可增句，押韵可平仄通押，比诗词都灵活。加上来自民间不久、和世俗生活联系不断，散曲一直保持通俗新奇、富于表现力的面貌。

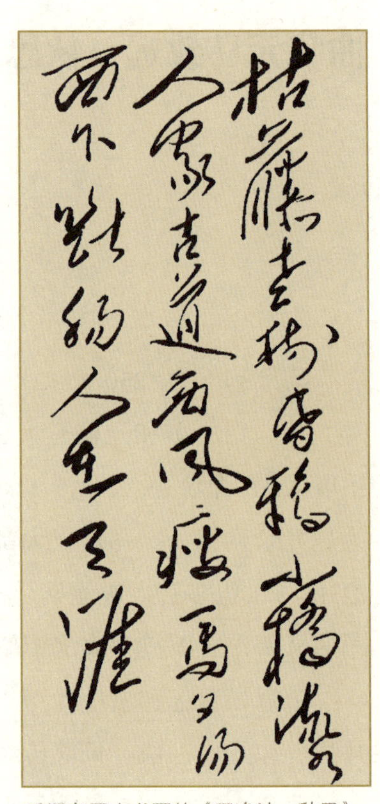

毛泽东同志书写的《天净沙·秋思》

散曲和杂剧都经历了南迁。元代时大都和杭州是散曲的先后两个中心。浙地在元代中后期再次成为诗（曲）的渊薮。散曲在浙地文化的涵养下焕发新彩。

元初散曲盛于北方，作者多为北人，如马致远就是其中翘楚。元代中后期很多人全力写散曲，且在艺术上求精，作者南北兼有。马致远也来到浙地，并留下曲中精品。此时在浙地散曲中心杭州声名鹊起的还有张可久、徐再思、贯云石、乔吉等人，前两人是浙地本土文人，张可久是庆元路（今宁波）人，徐再思是嘉兴人，贯云石、乔吉和马致远一样都是寓居浙地的北人。张可久等 4 人都受马致远影响，一些人还与他有交往。

由于元代科举不振，而且元曲作者部分不是正统文人，所以元曲作家多未能以科举仕进，即使入仕也多为小官吏，正史里有关他们的记载很少，很多人的生卒年都不详。元人钟嗣成记录同时曲家生平的名作《录鬼簿》就成于杭州，但也不能理清所有曲家的生平。即使大名鼎鼎如马致远，也只能从多部书的零星记载、马本人散曲的自述生平中勾勒出他的一生大概，不过他与杭州的因缘很清晰。

马致远的丰富人生经历对其散曲创作、形成亦雅亦俗曲风都有助益，是他成为“曲状元”的重要基础。马致远以字行于世，名不详，一说名“千里”，似可见他早年的高远志向，而晚年号“东篱”，则显示了他饱经世事后学陶渊明的隐逸情怀。

马致远曾热衷功名，早年献诗朝廷，但没得到仕进“上天梯”的机会。元代统治者不重视儒学儒生，曾几度废除文人的重要进身之途科举，元代百年来录取的进士只有千人，汉族文人更少。马致远眼看“佐国心，拏云手”的政治抱负不得施展，一度转移生活重心，作为风流名士，和大都的艺人们多有交往，他的杂剧、散曲创作自此开始。后来他还加入专业创作剧本、曲子赢取生计的“元贞书会”，作品更多。

马致远中年中进士，因江淮行省调整，做了七品的江浙行省务官，南下来到杭州。他后来又行役漂泊各地二十余年。到晚年再次来到杭州，过着“酒中仙、尘外客、林间友”的隐居生涯。可见马一生在杭时间很长，虽然只能确定他的散曲如《湘妃怨·和卢疏斋西湖》《新水令·题西湖》是在杭时所作，杭州是他重要的创作福地无疑，他的很多曲子都有浙地风物、文化的影子。马致远现存《东篱乐府》散曲集一卷，收入小令 100 多首、套曲 17 套，就以写隐逸生活情趣为主，风格豪迈、清逸兼备。

马致远散曲佳作很多，但最为人所知、流传最广的就是一曲 28 字的小令《天净沙 · 秋思》：“枯藤老树昏鸦，小桥流水人家，古道西风瘦马。夕阳西下，断肠人在天涯。”曲子很短，意思却很深长。作者先以三组意象营造了一幕似真似幻，仿佛陌生遥远在无尽远方又仿佛人人经历过、就在眼前如在心底的时空背景。秋日黄

昏，意境感伤凄凉，正是适合“倍思亲”的时节，就像当年孟浩然在经过浙地写的那首《宿建德江》诗里说的“日暮客愁新”，每一个离别家乡的日子到了黄昏都会滋生更深一重的客愁。然后马致远在这一诗意时空中再凌空数笔，勾勒了一个风骨嶙峋、宛如剪影的天涯旅人背影简写，却寄托了自己以及千古羁旅者漂泊旅途时思乡之情不可遏制油然而生的浓浓孤寂彷徨，还让人自然联想起很多历史上的相似诗意如浙地贺知章的“少小离家老大回”、孟郊的“游子身上衣”，只是比他们的更深沉、更趋于极致。于是这些古往今来的黯然销魂的“断肠（断肠指感情深浓到极点，如朱淑真有《断肠集》）”情绪就在元末一个黄昏的瞬间被重重叠加在一起，从此这二十八个字里的每一句、每一个意象尤其“断肠人在天涯”一句都负载了最深邃沉痛的情思感受。“夕阳西下”等意象还象征了“夕阳无限好，只是近黄昏”的乱世末世苍凉萧瑟氛围，这也是“人在天涯”之外，“断肠人”所以“断肠”的重要原因。这首小令含蓄凝练却自然天成，容易感人却又寓意深厚，所以和贺知章、孟郊的诗一样千古传唱不衰。

虽不能落实《秋思》写于浙地，但“小桥流水人家”确是典型的江南风景。“枯藤”三句应不是一时一地之景，而是马致远数十年漂泊异乡（包括多年在浙地）经历过的多处场景，当时只道是寻常，但黄昏时归树的乌鸦、水边小桥旁的庭院、驿道上朝着一个方向缓行却努力不止的驽马等意象，都暗自指向回归家园。所以，当又一个黄昏来临，而作者又一次无奈地

徘徊于天涯，感受亘古如此的“断肠”忧伤时，这些记忆中的影像就在顷刻涌上了脑海笔尖。浙地的“小桥流水人家”不是马致远籍贯上的家乡，却是他的第二故乡、精神家园。就像苏轼，这又是一个视浙地为“我心安处即吾乡”的诗人。

因为《秋思》里秋日黄昏羁旅途中的思乡之情深刻而具有普遍意义，所以元人周德清赞誉它是“秋思之祖”，此人就是北宋杭州大词人周邦彦的后代。《秋思》也当得起近代学人、海宁王国维在《人间词话》里提出的“一切景语皆情语”的情景交融标准，《秋思》里的每个意象、画面都是“景语”，更都是“情语”。

《太和正音谱》是明人、朱元璋之子宁王朱权所作，是第一部较完备的北曲（杂剧和散曲）谱，对元代著名散曲家及作品都有诗意形象的评论，影响很大。朱权很推崇马致远，将他列于元曲家之首，将他的曲风比作“如朝阳鸣凤”，说像旭日东升中昂首鸣叫的凤凰，可见马曲子的出类拔萃及典雅清丽风格。

阅读链接：

徐朔方：《马致远的杂剧》，《浙江学刊》，1992 年第 3 期。

谢无量：《中国六大文豪：罗贯中与马致远》（《谢无量文集》第六卷），中国人民大学出版社，2011 年版。

李德身编著：《困煞中原一布衣：马致远篇》，河南文艺出版社，2006 年版。

张可久：散曲大成、小令曲仙

在众多元代作家包括散曲家中，庆元路（今宁波）人张可久的生卒年（约1270—1348以后）还算清楚，这和他曾为小官有关。张可久曾在浙地任桐庐典史、嘉兴路吏等职，一生辛苦不得志，七八十岁时仍奔波江湖。他早年和马致远、贯云石等人交好，深受马致远的影响，如他有散曲《庆东原·次马致远先辈韵》说“山容瘦，木叶凋。对西窗尽是诗材料”，和《秋思》意趣相近。他晚年和当时不少诗人包括马致远一样隐居西湖边，如他的散曲《普天乐·暮春即事》说“老梅边，孤山下。晴桥螮蝀，小舫琵琶。春残杜宇声，香冷荼蘼架。淡抹浓妆山如画，酒旗儿三两人家。斜阳落霞。娇云嫩水，剩柳残花”，处处可见浙地明媚风光、浙地诗词清雅风格的影响。

张可久，字小山（一说号小山），有《小山乐府》。他尤擅小令，又有《张小山小令》。现存小令855首，套曲9首，当之无愧是元代传世散曲最多的作家。数量占现存元散曲数量的五分之一。这当然和浙地多藏书楼尤其张可久故乡宁波有天一阁等大藏书楼分不开，如《小山乐府》有天一阁版，于是得到较好保存。不过，张本人成就也的确很高，在当时就很有声望，成名

较早，也利于散曲的保存。元代200多位较著名的散曲作者中，当时就有集子传世的只有张养浩、乔吉和张可久，前两人的集子都是晚年或去世后才出版的，唯独张可久生前较早就已有四本散曲集《苏堤渔唱》等传世，而在当时著名散曲选集《阳春白雪》和《乐府群英》中他被选中的曲子数量也最多。张可久的散曲不但流传于民间，还传入宫中，元武宗在宫中赏月时就让宫女唱他的曲。

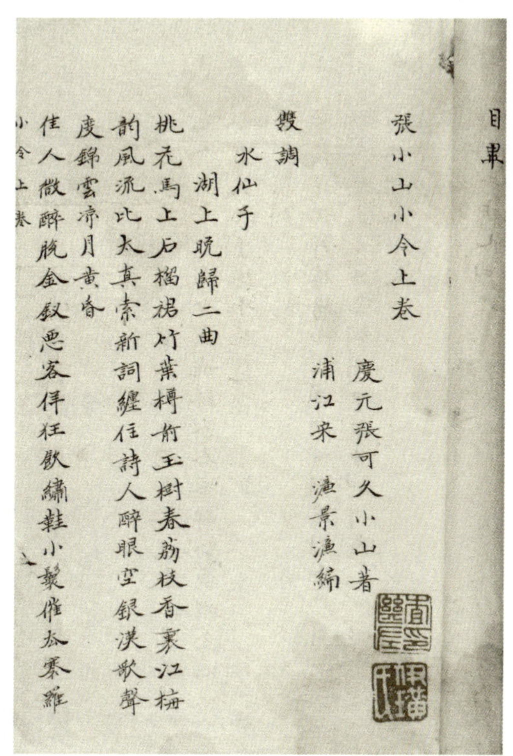

目録

張小山小令上卷

慶元張可久小山著

浦江宋濂景濂編

雙調

水仙子

湖上晚歸二曲

桃花馬上石榴裙竹葉樽前玉樹春荔枝香裏江梅

韵風流比太真索新詞纏住詩人醉眼空銀漢歌聲

度錦雲涼月黃昏

佳人微醉脫金釵惡客佯狂欲繡鞋小鬟催奈寒羅

小令上卷

《张小山小令》书影

张可久的散曲在元后期风靡，也和曲坛风气转移有关。元曲自从进入文学主流、更多著名文人参与后，从民间转入书斋，从朴实通俗向典雅转化。尤其散曲中心移到浙地后，受浙地诗词文化影响，散曲主流风格也从北方的豪放粗犷变为江南的清丽含蓄。张可久通音律，善诗词，也影响了他的散曲，情致委婉，词藻清秀，善于化用前人诗词佳句，开创了散曲中清而且丽、华而不艳的“清丽派”，影响了元后期的散曲面目。张可久与乔吉合称曲中“双璧”，与张养浩合称“二张”，地位超然。

朱权在《太和正音谱》里称张可久是“词林（指可唱的诗如乐府诗、词、曲等领域）宗匠”“曲家翘楚”，说他是元散曲的集大成者、艺术最出色者，评价很高，却也得当。明代传奇作家李开先也说“乐府之有乔、张，犹诗家之有李、杜”，说元曲里有乔吉、

张可久，就像唐诗中有李白、杜甫，更是极尽赞美。张可久的名声还突破国界，如元代大食（阿拉伯）人大食惟寅有小令《燕引雏·殿前欢奉寄小山先辈》“词林谁出先生右？独占鳌头……声传南国，名播中州”，说作曲子谁能胜过张可久？他独秀一枝，名声传遍南北。

不过，也有人以为张可久的散曲雅化倾向太明显，词、曲太相似，化用前人诗词名句太多，不用俚俗之语，用含蓄的典故、意象来寄情表意而不是直抒胸臆，失去了曲子直率的本色。其实张的散曲内容很丰富，元散曲的主要主题他都曾涉及。除了写浙地风光，他还多怀古之作，如《卖花声·怀古》说“美人自刎乌江岸，战火曾烧赤壁山，将军空老玉门关。伤心秦汉，生民涂炭，读书人一声长叹”，抒发了和张养浩《山坡羊》九首尤其著名的《潼关怀古》“兴，百姓苦；亡，百姓苦”一样的历史感慨、爱民心声；还有表达厌恶官场、向往陶渊明隐逸生活的《寨儿令·次韵》：“陶家，为调羹俗了梅花。饮一杯金谷酒，分七碗玉川茶。不强如坐三日县官衙？”以及讽刺世人爱钱如命、斯文扫地、清廉绝迹的诸多弊端丑恶的《醉太平·人皆嫌命窘》：“人皆嫌命窘，谁不见钱亲？水晶环入面糊盆，才沾粘便滚。文章糊了盛钱囤，门庭改作迷魂阵，清廉贬入睡馄饨。葫芦提倒稳。”由以上佳作看，张可久的散曲虽有温雅的一面，骨子里仍是旷达苍凉、豪放直率、铿锵悠扬、酣畅自在的散曲，不是婉转、含蓄的词。

朱权称张可久的曲子如“瑶天笙鹤”，像空中九霄传来的仙乐、飞来的仙鹤，不食人间烟火、飘逸优雅，所以后人称张可久是“曲仙”。这也不由让人想起张可久晚年隐居的西湖上的几位前朝隐士诗仙林逋、词仙姜夔。浙地文人思想和艺术上的传承无时不在，常常超越时空鲜明凸显了文化基因的契合无间。

智言慧思

弃微名去来。心快哉！一笑白云外。知音三五人，痛饮何妨碍？醉袍袖舞嫌天地窄。

——（元）贯云石《清江引·竞功名有如车下坡》

阅读链接：

严迪昌编选：《金元明清词精选》，江苏古籍出版社，2002年版。

（元）张可久撰，吕薇芬、杨镰校注：《张可久集校注》（两浙作家文丛），浙江古籍出版社出版，2000年版。

孙侃：《沉抑曲家——张可久传》，浙江人民出版社，2007年版。

《酸甜乐府》：南北曲融合象征

在明人、《太和正音谱》作者朱权笔下，元后期主要活动在江南包括浙地的散曲家曲风，马致远如丹凤清鸣，张可久像仙鹤飞翔，而另一位散曲名家、嘉兴徐再思是“桂林秋月”，说他的曲子像桂花林般暗香浮动，秋日明月般清幽皎洁，是和马、张一样的富于地域特点的秀雅曲风，只是更委婉纤巧、更生活化些。

徐再思也是元代少数创作散曲百首以上的大家。因他好吃甜食，所以有了个“甜斋”的别致别号。透过元代和唐宋文人别号的不同风格，也可窥见此时文化的雅俗兼备。

徐最出名的曲子是《折桂令·春情》：“平生不会相思，才会相思，便害相思。身似浮云，心如飞絮，气若游丝。”说因为不懂爱，才会害了相思、一见钟情，却还不知道自己已堕入爱河。只觉得身体飘飘然，心里浮动惴惴然不能安定，想念对方到气息奄奄的地步，难怪叫“相思病”呢。谁说中国古代是爱情诗的沙漠？这支曲子写爱情的真诚深挚，就生动而奇妙，所以在后世民间流传甚广，有人以为它开启了明代汤显祖戏剧《牡丹亭》里“情不知所起，一往而深。生者可以死，死可以生”

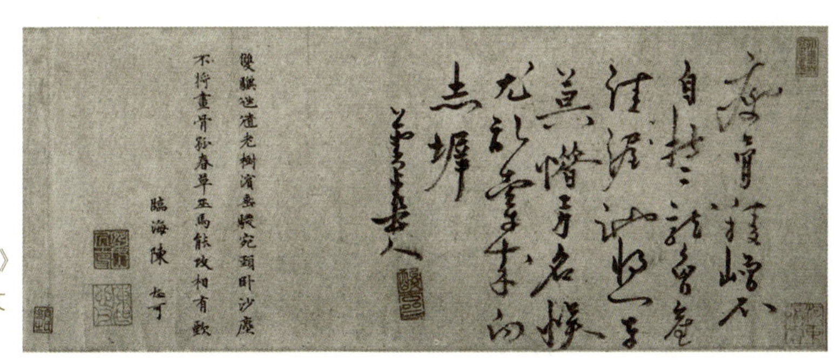

贯云石题赵孟頫《双骏图》书法，见证了元代浙地文学的南北交融

对世间真情的肯定宣扬，也近似明清小说“三言二拍”的感情取向。再如徐还有《清江引·相思》也写感情“相思有如少债的，每日相催逼。常挑着一担愁，准不了三分利。这本钱见他时才算得”，说堕入爱河就像欠上债，每天受煎熬、生担忧，宛如时时刻刻要还利息，只有见了爱人的面，得到回应，安了心，才像还了本钱。这表达也是极通俗生动又有趣深刻，和元代浙地社会商品经济发达及市民思想成熟都有关。徐再思还有写西湖的《朝天子》说“里湖，外湖，无处是无春处。真山真水真画图，一片玲珑玉。老苏，老逋，杨柳堤梅花墓”，概括了西湖的经典风景、前贤诗意，如写了春天的里西湖、外西湖，写到苏轼的苏堤和林逋的墓，还有，问了西湖到底是虚华“销金锅”还是山水“锦绣窟”？浑然天成，平朴自然，不失诗意，也不失俏皮诙谐。是有别于诗与词的典型曲子风，而且是真正宛如桂花香气、甜食美味的雅俗共赏“甜斋”曲风，名不虚传。

据现有的少许资料，徐再思一生没离开江浙一带。而元后期的大曲家还有一位隐居西湖、被誉为“擅一代之长”的贯云石。贯云石原名小云石海涯，维吾尔族贵族出身，父亲是元代高官，他却把世袭官职让给弟弟。贯云石后因向元仁宗上为民万言书当过翰林学士，是第一个维吾尔族翰林学士，但他的确无意为官，而且深惧朝中党争，于是壮年时便辞了官。贯云石的心声都在一曲《清江引·竞功名有如车

下坡》"竞功名有如车下坡，惊险谁参破？昨日玉堂臣，今日遭残祸，争如我避风波走在安乐窝"里表现得淋漓尽致，说争功名利禄就像车子下陡坡，危险而不能控制，还说历史上很多政治人物，昨天还是高台稳坐，今天就被杀下狱，还不如自己隐居安乐避开了风险。生在乱世，贯云石的处世哲学虽世故，仍可谓深通历史和世情的清醒犀利。

贯云石因对江南文化、风物的由衷喜爱，后来就隐居浙地杭州，改名贯云石，还换了汉服，自号"芦花道人"，曾以卖药为生。在杭州，贯云石不但曾与张可久等人游湖观潮、饮酒唱和，还在西湖湖山间留下很多故事，如他常乘一条叫"贯虹"的小舟游西湖，妙通音律的他还曾于月夜在湖上高歌"问胸中谁有西湖？算诗酒东坡，清淡林逋"，歌声激荡云表，连湖上宿鸟都为之惊飞。他说古往今来谁是西湖风色的主人、谁懂西湖？只有诗酒风流的苏轼、清雅淡泊的林逋，还有自己，大有当年苏轼夜航西湖独享湖山、林逋泛舟西湖以湖为家的狂客狷士风范。他还喜欢和杭城的市井布衣交往，一如当年的骆宾王、苏轼等人，西湖民间留下他吟咏虎跑泉、才压群士的"泉、泉、泉，乱迸珍珠个个圆。玉斧斫开顽石髓，金钩搭出老龙涎"等佳句。受独特的人生经历影响，贯云石兼得南北曲风的刚健豪放与柔美清雅，如他写西湖的曲子《小梁州》说"雷峰塔畔登高望，见钱塘一派长江。湖水清，江潮漾。天边斜月，新雁两三行"，是秀美山水，却意境阔大。他的曲风还兼得苏轼的清旷豪迈和林逋的清逸优雅，如他在另一曲《清江引》里说"弃微名去来。

心快哉！一笑白云外。知音三五人，痛饮何妨碍？醉袍袖舞嫌天地窄”，是隐逸之心，却以旷达狂放的笔调出之。朱权将他的曲子比作“天马脱羁”即天马行空、自由飘逸，也很合适。元代文人多南北曲风融合经历，也多隐逸旷达兼备曲风，贯云石、马致远都是典型代表。

贯云石寓居浙地日久，与张可久多有唱和。他还作为最早的散曲评论家为张的《小山乐府》和当时曲子选集《阳春白雪》作序。至于他和徐再思，交往唱和虽无明确记载，两人在浙地时间也有先后，但贯云石有“酸斋”之称，也许是“酸斋”“甜斋”别号太有缘分，今人任讷便把两人曲子合编为《酸甜乐府》。徐再思是典型的江南曲风，而贯云石喜欢兼收并蓄北方“胡夷之曲”和江南“里巷歌谣”，这个“珠联璧合”的“酸甜”称呼正好象征了北方散曲来到江南后融入浙地文化的过程。还有，贯云石曾和浙江海盐澉浦文人杨梓交往，后将自己所创曲调传给杨氏，就是后来著名的“海盐腔”，流传至明代成为“昆腔”的先声。贯云石其人其曲在元代文学、文化史上都有重要意义，“酸甜乐府”成为最好的见证。

阅读链接：

邓绍基主编：《元代文学史》，人民文学出版社，1991年版。

黄天骥主编：《元明清散曲精选》，江苏古籍出版社，2002年版。

邓子勉编：《元曲三百首》，广西师范大学出版社，2008年版。

浙西词宗朱彝尊：江东第一人

清人物画大师禹之鼎笔下的朱彝尊

朱彝尊（1629—1709），清初浙地著名学者、词家、诗人，嘉兴人，以号“竹垞”较著名。他是在清代独领三百年风骚的“浙西词派”的创始人和大宗师。和陈维崧、纳兰性德被称为清前期三大词人，也是清代最重要的词家诗人之一。

朱彝尊的一生是清初文人从遗民到入仕新朝身份重新认定的典型象征。和浙地前贤钱惟演、赵孟頫等人一样，他也可列入浙地各个文化融合时期文化融通者的行列。朱的人生可以清康熙十七年（1678）50岁时的“知天命”之年为界点分为前后两部分。

清廷入关后，和元代不同，清顺治三年（1646）就开科取士，到康熙十八年（1678）又开博学鸿词科，征举天下名士为己所用。这对有遗民心态的清初文人震撼很大。名士遗民辈出的江浙一

带，不同的选择使此间文人的人生从此分化，此年可谓江南士林风气的分水岭。如浙地老一辈遗民吕留良等人被推举后坚拒不出，年轻一点的文人却多出山。朱彝尊也应博学鸿词科，入京参试得中，而且作为50名高中者里的“四大布衣”，被授予翰林院检讨，入值南书房，入史馆任《明史》纂修官，实现了文人千古梦想。所以朱被列入清初文人。他的选择在当时并非个别现象，也非一时冲动。

朱彝尊在明末崇祯二年（1629）生于官宦世家，自小过继给了他身为明末“复社”重要成员的伯父。朱长在嘉兴，少年时还亲历了清廷残酷镇压反清者的“嘉定三屠”，所以遗民思想挺深厚。成年后朱彝尊曾游历天下，与他交往的士夫文人面目很复杂，正如当时士林缩影，有遗民诗人、反清义士屈大均和顾炎武，还有已出仕清朝但暗中与遗民交往的钱谦益等。明末清初文人和宋末元初时一样，不存在后世人想象中泾渭分明的两派，这是他们互相转化的基础。康熙元年（1662）朱彝尊还曾受“通海案”影响，远去永嘉（今温州）避祸。但此时南明政权已覆灭，清政权日渐稳定，遗民中的老一辈渐退出历史舞台，较年轻的一代对亡国较少切肤之痛，在科举的吸引，为国为民责任感、文化传承使命感感召下，思想开始转变。才高志远、仍值壮年的朱彝尊在此时出应博学鸿词科，是可以理解的。

而朱能在高手如云的浙地得到为数不多、虽被不少人放弃却在另一些人眼中非常珍贵的应鸿词科名额，后来还成为“四布衣”之一，是因为在50岁前，他已凭诗、词、史学等方面的成就在浙地乃至全国士林文坛声名斐然、卓然大家。尤其是他在词学创作研究、浙词传承方面集大成的成就。

顺治七年（1650）朱彝尊22岁，当时浙西即今浙北、苏南一带士人在嘉兴南湖集会结社，有“（浙西）十郡大社”之说，浙地参与者有嘉兴的“柳洲（嘉兴嘉善地名）词派”盟主曹尔堪，杭州的“西泠诗（词）派”领袖陆圻等。年轻的朱彝尊也在。这些清初浙西的文化精英聚会唱和三日后订交而别，成为文坛佳话，也成

为日后江南包括浙地文学发展的重要基础和象征。参与者日后大都成为某一领域的一代宗师。

朱彝尊少年时跟从嘉兴藏书家、词人曹溶学习并游历天下。曹溶词风融通北宋、南宋词，开清初“浙西词派”的先河。朱彝尊继承曹溶对宋代词风的综合，推崇南宋浙地词风中姜夔、张炎宛如“瘦石孤花、清笙幽磬”的清空骚雅词风为典范，也暗暗寄托遗民心态，倡导“浙西词风”发扬光大，成就“浙西词派”的辉煌。

朱彝尊在 44 岁时曾编订词集《江湖载酒集》，收入 200 多首词，体现了他前半生漂泊江海的感慨，也多寄托遗民的家国之思。《解佩令·自题词集》一首尤能体现朱本人生平和“浙西词”的特色：“不师秦七，不师黄九，倚新声、玉田差近。落拓江湖，且分付、歌筵红粉……”说自己词风不学北宋秦观（秦七）、黄庭坚（黄九），而学南宋张炎（玉田），还感叹自己落拓江湖，不能入仕一展才华学问，只能都化入词中。《江湖载酒集》还和其他 5 个嘉兴词人词集合刻，成为“浙西六家集”。这是“浙西词派”奠定的一个重要标志。

自朱彝尊入新朝，一度很受皇帝信任，曾任皇帝身边的 8 个“日讲官起居注”之一。此时，老一辈的遗民顾炎武、与朱彝尊有交往唱和的明末词坛领袖陈维崧相继去世，象征着时代更替。但朱彝尊和新朝貌似亲密的关系不久也有所疏离，他因爱书成癖私自带抄书手进禁中抄书，被贬官一级并迁出禁垣，寓居宣武门外古藤书屋。朱彝尊在失意之余却也重获自由，他此时在京城交往唱和的浙地文人有：和朱彝尊同中博学鸿词科、也和他名列“江南三布衣”之一的慈溪学者姜宸英，朱彝尊的表弟、在他之后成为浙地诗坛领袖的海宁诗人查慎行等。他们都和朱彝尊一样有遗民思想，如查慎行是黄宗羲学生，却又有功名声望之欲，日后也大都因思想的摇摆多经历贬谪或文字狱，如姜宸英入狱而死，查慎行经历文字狱而劫后余生。这应该也是这些文人将重心从诗文转向学术的潜在重要原因，如朱彝尊此时著《日下旧闻》《经义考》等学术著作。

朱彝尊还在京城刊印出版了宋末浙地遗民词人周密、张炎、王沂孙等人富于寄托的咏物词集《乐府补题》并加以评论唱和，形成咏物词风行风潮。他还乘机宣扬清空骚雅的“浙西词风”。这对清朝作为一个新王朝确立新的雅正端严、区别于明末清初乱世自由氛围的文学风尚影响很大。

到康熙二十八年（1689），朱彝尊 61 岁，恰逢浙地余姚籍学者、遗民黄宗羲 80 寿辰，朱彝尊作《黄征君寿序》曲折表达了对出仕清朝的悔意。此后，他经历再次贬谪罢官和回乡，但还与朝廷保持微妙的和睦关系，康熙几次南巡到浙地或江南，朱彝尊都去接驾，进言或进书。朱彝尊的多面人生和复杂内心丰富了他的词章。

朱彝尊自幼读书过目不忘，成人后熟知经史，还精于金石考证之学。后《清史稿·朱彝尊传》就说清初名士王士祯工诗，毛奇龄工于考据，而朱彝尊兼有众长。朱彝尊的学问广博和浙地包括朱的家乡嘉兴多藏书楼、他早年从师藏书家、他在《曝书亭著录》里提到自己晚年藏书 8 万卷都有关。朱彝尊 80 寿辰时，查慎行有诗说他是“风清李泌神仙骨，帝锡张华博物名”，赞美他风骨飘逸如仙、得到皇帝渊博之誉，还说他“倏然出处行藏外，要是江东第一人”，这和诗中的“当代龙门望不轻”意思一样，说朱是当代江南乃至天下诗人学者之冠。

虽然名声显赫，朱彝尊仍对出仕清朝有憾，所以和赵孟頫等乡贤一样，对自己作为文化传承者的地位更为在意。他在临终前几天对孙子说不知自己的文集何时可

刻完，自己恐怕不能等到那一天了。到康熙五十三年（1714），朱彝尊死后5年，他的《曝书亭集》才出版。朱彝尊的深刻期许可谓浙地文人文化意义上的“家祭无忘告乃翁”。

智言慧思

谁希望有花儿果儿？但愿在春天里活几朝。

——戴望舒《断章》

我也是历史的长子，我是海燕，我是时代的尖刺……

——殷夫《血字》

可爱的人生——人生底可爱呀！没有一朵花不是柔美而皎清，没有一个人底心不像一朵春的花！

——应修人《欢愉引》

阅读链接：

王利民：《博大之宗——朱彝尊传》，浙江人民出版社，2006年版。

罗仲鼎选注：《朱彝尊诗词选注》，浙江古籍出版社，1989年版。

叶嘉莹：《清代名家词选讲》，北京大学出版社，2007年版。

剑气箫心龚自珍：三百年来第一流

清后期嘉（庆）道（光）年间，适宜滋养思想蜕变的时代氛围里，在人才辈出的浙地、杭州西湖边又出现了一位旷世奇人志士——思想者、社会改良活动家、诗词大家龚自珍（1792—1841）。卒于近代史开始次年的龚自珍，他的人生轨迹、思想追求和比他稍早的同乡、传统才子型的诗人袁枚迥然不同，展现了新气象。

龚自珍出身官宦文化世家，自小眼界高远、志向不凡且天分很高。由于时世的变迁，成年后的他不但像许多浙地前贤一样在仕途上勤于进取、践行为国为民的理想，而且，还通过丰富的人生历练、广泛的社会交往和思想交流，逐渐形成志在变易、改良社会现状的较成熟新思想。可惜他不到50岁便英年早逝，不难想象如果假以时日，他一定会在介绍西学、改革维新的道路上走得更远。袁枚是浙地古典诗意的终结者，他之后浙地古诗走到了因缺乏原创和新意虽有才情难出大家的窘境。幸而此时有龚自珍应运而生，成为浙地诗词进入近现代的传承开拓者，思想、艺术上都开拓了新领域。

和袁枚一样，龚自珍长年不在浙地，他自小随为官的父亲去了京城，归乡时间不算多，但他对家乡感情极深，常在诗词中提及。如“从此与谁谈古外？马婆巷外立斜阳”，“马婆巷”就指他的出生地杭州城东（今杭州清泰街旁）。今天此处的龚宅已不存，人们把巷中另一位清代文人汪远孙的“小米山房”辟为龚自珍纪念馆。21岁的龚自珍曾在清嘉庆十七年（1812）回乡，有《湘月·天风吹我》词，此时他

2012年是龚自珍诞生220周年，常有他的倾慕者来到杭州龚自珍纪念馆纪念这位超逸时代的思想先行者

已离乡10年，词中的“乡亲苏小”用袁枚将唐诗“钱塘苏小是乡亲”刻成私章的典故，流露了游子思乡情。透过词句，还可见作者此时科举仕途不得志、怀才不遇、年华流逝的迷惘焦虑，“屠狗功名，雕龙文卷，岂是平生意？！”但他《离骚》般的远大理想、坚忍志向都未曾改，“渺渺予怀孤寄”。1814年，龚自珍又回杭州，也有《湘月·湖云如梦》词说“苏小魂香，钱王气短，俊笔连朝写。乡邦如此，几人名姓传者？”道出对浙地人文历史的独特见解。龚自珍对故乡的深情、不满和期待都在他著名的《己亥杂诗》组诗中的一首里表现得最明白：“浙东太秀虽清孱，北地雄奇或犷顽。踏遍中华窥两戒，无双毕竟是家山。”说浙地山水如越地过于清秀给人孱弱之感，北国山

水虽雄伟瑰奇却过于粗犷粗野。但自己走遍全国南北，看过南北两方疆域（两戒），还是觉得家乡浙地最美。《己亥杂诗》是 48 岁的龚自珍在道光十九年己亥（1839，即林则徐虎门销烟那年）辞官归乡时所作，他终于归去故乡，但两年后就暴卒。

《己亥杂诗》315 首可谓龚自珍一生深邃思想、新锐见解的小结。这种记录亲身所历所感的自传体式大型组诗，继宋末诗人汪元量后又有了新发展，也是一个杭州人所写，也恰逢乱世，但不只是单纯的慷慨悲凉的亡国悲叹，而是体现了晚清世变中一个时代先知先觉者对国家、故乡这身心依附之地的复杂情怀，新意新境，极能震撼读者灵魂。

龚自珍和清代很多文人一样，都深受“清学”即乾嘉朴学的考据训诂之学影响，他的外祖父就是文字训诂家、古文经学者段玉裁，他自小奠定了深厚朴学基础。龚自珍长成后，因清末社会凋敝、朝廷腐朽、政局动荡、危机四伏、强敌压境，面临“三千余年一大变局”，他决意放弃古文经，学习讲经世致用的今文经。他的很多想法对后来康有为等人的变法强国很有启发。

龚自珍不像袁枚只当过县令等地方小官，他曾进入中央政权，担任内阁中书等职。他也曾抱着由翰林登卿相之位的千古文人梦，如他曾在殿试时学王安石上万言书高论时政，受到排挤嫉恨，未入翰林。靠近权力中心固然使龚自珍有了更宽广远大的视野胸襟，可惜他和朝中皇帝权臣的保守思想格格不入，无人懂他的超前思想，都骂他为“狂生”，他被压抑了 20 多年。其间作为封建社会里又一个“一肚子不合时宜（苏轼语）”者的龚自珍开始走上另一道路。幸好时代不同了，他并非“前不见古人，后不见来者”的绝对孤独者。

龚自珍赞同林则徐禁烟，还和“变古师夷”的启蒙思想家、“睁眼看世界”的先驱魏源惺惺相惜。他更在诗词文里敏锐尖利地指出时政包括专制统治的种种弊端，大声疾呼改革社会、抗御外侮、通经致用、振衰起敝，开“慷慨论天下事”的进步

阅读链接：

钱仲联选编、陈铭校点：《清八大名家词集》，岳麓书社出版社，1992 年版。

王元化：《龚自珍论》，《王元化集卷六（思想）》，湖北教育出版社，2007 年版。

傅国涌：《从龚自珍到司徒雷登——他们为当代注入灵魂》，江苏文艺出版社，2010 年版。

士风。因关系己身最切的缘故，龚自珍思考最多的就是专制社会造成萎弱堕落士风的问题，提出了个性解放、自由发展、人格完善的主张。梁启超后来就说"晚清思想之解放，（龚）自珍确与有功焉（《清代学术概论》）"。还说光绪年间的新学家者大都经过崇拜龚的阶段，初读《定庵（龚自珍号）文集》，心灵头脑如受电击。龚自珍曾作《病梅馆记》，说在盛产梅花的杭州西溪湿地见到被摧残的"病梅"，因为"以曲为美"的时代审美趣味，"江浙之梅皆病"。龚自珍为之痛哭愤慨，还甘受时人的不理解与诟病，说要穷其一生来"疗梅"。江浙在清代仍是人文渊薮地，梅花则在北宋浙地隐逸诗人林逋尤其南宋浙江志士诗人陆游和浙地雅词词人之后常用来比拟文人的高洁不谐世俗形象和精神。龚自珍用"病梅"意象，寓意家乡乃至天下当时文人普遍的自私狭隘病态，不要说林逋、陆游等人笔下的风神傲骨，连健全的身体和人格都欠缺。龚自珍痛惜广大人才被压抑、摧残的现实，批判的矛头直指社会习惯势力是造就举世病态喜好的根本原因，熟知历史的他更沉痛直言嘉道年间天下"万籁无言"的死水微澜局面是清朝廷数百年来不遗余力实行思想控制、铲除异端人物所作所为造成的恶果，见解极深刻却更大胆。龚自珍热切期待不受腐朽文化毒害的新人生、自由个性，宛如长夜里出现的第一声春雷，恰与他《己亥杂诗》里的名句"九州生气恃风雷，万马齐喑究可哀。我劝天公重抖擞，不拘一格降人才"契合。

浙地古典诗词到了清后期，一度出现颓势，但借助它源自

大禹治水和勾践“卧薪尝胆”精神的百折不屈内在生命力，在龚自珍等人笔下，作为记录特定时期历史变迁、文化转型和文人心路历程的史书，在传承中开新。像龚自珍的诗词中常见的“箫”与“剑”的意象组合，承自古人，又被赋予了近代文人的新型人格和现代理想，如“怨去吹箫，狂来说剑，两样消魂味”（《湘月·天风吹我》），“来何汹涌须挥剑，去尚缠绵可付箫”（《又忏心一首》），“少年击剑更吹箫，剑气箫心一例消”（《己亥杂诗》），“一箫一剑平生意，负尽狂名十五年”（《漫感》），抒写了龚自珍多情易感的个性、孤傲悲慨的情怀，也寄寓了他狂傲任侠的志向、睥睨俗世的精神、高扬飞越的人格。后秋瑾等浙地诗人也喜欢用这两个豪迈诗意意象。

龚自珍笔下并非一味豪放，也有太多真情热情深情柔情，他说“欲为平易近人诗，下笔情深不自持”“铁石心肠愧未能，感慨如麻卷中见”“少年哀乐过于人，歌泣无端字字真”（《己亥杂诗》），可见也想和袁枚一样做隐者写平和的诗，也想学很多同时文人一样貌似温柔敦厚、“乐而不淫，哀而不伤”，实则冷漠无感，却只能听从心声，和纯真少年一样容易被感动、常常放声纵情歌哭。他诗词中的厚重情感都出自对天下万物包括家乡山水和“病梅”的无私热爱以及“化作春泥更护花”的浪漫真情。难怪现代大家钱钟书要用“瑰丽悱郁”的赞语，说龚的诗词思想瑰伟华美、感情浓郁悱恻，富于寄托深意，不愧他自认身兼“庄（庄子）骚（屈原）”。

龚自珍的“箫心剑气”、狂傲个性，追求自由的精神、对国家民族前途的期盼、“百年心事归平淡”寓意的个人身世兼历史感慨，在鸦片战争后社会剧烈动荡时，对文人们有强大楷模作用。龚虽有“但开风气不为师（《己亥杂诗》）”之说，后来学他的诗人很多，如南社诗人柳亚子就说龚是“三百年来第一流”，即清代一流诗人。一直到秋瑾、郁达夫等浙地诗人词家，龚的深刻影响都不可忽视。

秋瑾：从闺秀到女侠

关于秋瑾，人们已知道很多。这里只是以秋瑾诗词为文本，探寻一个清末闺阁诗媛是如何艰难挣脱家族家庭、性别还有心灵的种种樊笼枷锁，成为一代革命者、盖世女侠的心灵史。秋瑾的人生就是浙地（包括本土和长期客居）女诗人谢道韫、李清照故事的后续。鲁迅有《娜拉走后怎样》的杂文，和他的小说《伤逝》里女主角子君的命运对照，犀利地指出了自我意识觉醒后的女性走出封建家庭、走入男权社会后的迷惘无助。秋瑾比子君生活的年代早得多，却能以义无反顾的决心、刚强坚韧的意志，获得人身、思想的自由，勇敢追求理想，可谓伟大女性。

秋瑾和谢道韫一样曾遭遇“天壤王郎”的不如意婚姻，和李清照一样身处“山河破碎风飘絮”时代、曾漂泊江海，也和许多清代浙地女诗人一样经历心灵蜕变、萌生自我意识。只是她更坚强不折，更能主动把握甚至追逐机遇，当然也拜晚清充满可能性和变易的历史时空所赐，她终于完成并超越了多位同乡同性前辈在诗词中留下的理想和遗憾。她超越了谢道韫的“林下”名士风度，更获得和男性一样的社会文化地位；超越了李清照对文学主要是宋词的高妙评论，更获得和男性一样的话语权和深刻社会见解；还超越了清代浙地女诗人群的“欲为男儿身”，更成为巾帼更胜须眉的典范。

秋瑾（1875—1907）最初只是一个普通的清末闺秀，绍兴府山阴（今绍兴）人，出身没落官宦家庭。她原名秋闺瑾，后留学日本时改成秋瑾，也许从她拿掉名字里的“闺”字，可窥见她要与过去断然划分、“昨日种种譬如昨日死”的决心。从此闺秀秋闺瑾变成革命志士秋瑾，她此时改的字（一说别号）为“竞雄”，自称“鉴湖女侠”，还有努力消去闺阁气息的诗词，都很耐人寻味。

秋瑾的不凡，自小就有一些迹象。她生在福建，自幼习文练武。1886 年，秋父在台湾为官，还是 10 岁小女童的秋瑾曾渡海去过台北。1894 年秋父在湖南为官，将秋瑾许配给湘潭富家子弟王子芳，1896 年秋瑾出嫁，后生一子一女。此时她和日后同盟会第一个女会员、辛亥女杰唐群英，日后共产党革命家蔡和森与蔡畅的母亲蔡建豪交往唱和，后来人称“潇湘三女杰”。不过，秋瑾虽生长在变革思想浓厚的浙江、福建和湖南，但如果没有后来家庭的多重变故尤其是入京的契机，她反礼教、反男权的叛逆思想也许不会野火燎原。她的婚姻虽和日后好友、无锡女诗人吴芝瑛与丈夫廉泉宛如李清照和赵明诚般的志同道合有差异，但开始两人还算相安。1901 年，秋父在任上去世，次年秋家所办钱庄倒闭。接着王子芳捐了户部主事，秋瑾和丈夫一起迁居京城。此时她 25 岁，思想渐成熟，蜕变由此开始。

秋瑾一直是个爱梦想的女子，从她少时的诗词看，常以花木兰等自喻，幻想能像这些古时巾帼英雄女扮男装为国效力。她曾有《题芝龛记》诗三首，赞美羡慕明代女豪杰四川秦良玉和浙江萧山女英雄沈云英的功业，虽幼稚，情感很真，说“谁说红颜不封侯？”不可忽视，秋瑾自小具备的侠气和巾帼英雄梦是她后来走上革命道路的重要基础。而由以下这首《杞人忧》还可见身处闺阁的她已渐多关切国家命运的意识：“膝室空怀忧国恨，谁将巾帼易兜鍪？”这是八国联军入侵北京时，秋

瑾深感国之兴亡、匹妇有责，于是感慨如何才能为贫弱、屡受欺凌的祖国效力。

秋瑾来京后，邻居多是京官及家属，她遇到有维新思想的吴芝瑛，两人频频唱和，志趣相投，还曾结拜。1904 年，秋瑾决意变卖首饰自筹资金东渡日本留学。作为一个 28 岁的女子，一个妻子和母亲，能有勇气抛下一切，改变命运，实现理想，时代风气的影响不可忽视。因为思想境界的变化，秋瑾此时的诗词大有变化，思想成熟，内容充实，观点深刻，气势宏大，不再是闺秀气韵，可见她此去日本确已深思熟虑。如她的《满江红·肮脏尘寰》词说“算只有蛾眉队里，时闻豪杰。……算弓鞋三寸太无为，宜改革”，提到“自由”“家国”“改革”等新观念，还明确指出女子解放的必要性。

秋瑾在去日本途中的船上，也许是放开襟怀，多有期盼，此时更多英风豪气的佳作。如一首《日人石井君索和即用原韵》说“漫云女子不英雄，万里乘风独向东”，可见虽对国势有担忧，此时奔向理想的她还是意气风发的。她在《泛东海歌》里说自己年近三十，还没有为国为民立半点建树，空自背负对时局的忧虑，却没有驱逐鞑虏（清统治者）的计策。因势单力薄，才决意泛海奔赴日本，希望在那里找到志同道合的壮士，完成理想。她此时还有《鹧鸪天·祖国沉沦感不禁》词说“祖国沉沦感不禁，闲来海外寻知音。金瓯已缺终须补，为国牺牲敢惜身？嗟险阻，叹飘零。关山万里作雄行。休言女子非英物，夜夜龙泉壁上鸣”，也说不忍心听任祖国陷入厄运困境，来到海外寻

多面秋瑾：男装秋瑾

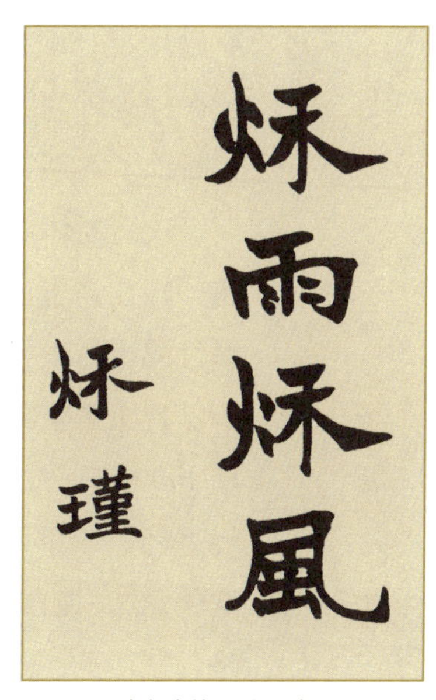

秋瑾绝笔：秋雨秋风

求革命同伴。山河已破碎，如需要用鲜血和生命来补救，岂敢吝惜自己区区身体？更何况如今的渡海长行。诗里出现了“剑（龙泉）”的意象。出自故乡越地、刚柔相济的剑，正是秋瑾的自我期许、象征，她说不要说女子不是拯救山河的杰出人物，我宛如墙上的宝剑，每夜发出龙吟般的鸣叫，希望有朝一日能出鞘，有所作为。

龚自珍之后，维新派、革命党诗人的诗词中都多剑和箫的意象，尤其“剑”，如浙地的越王剑、干将莫邪剑等，都隐喻象征复国复仇的强烈心愿、凛冽刚烈的意志和不屈不挠的努力。秋瑾能武，又向往巾帼英雄，在日本时常随身携带一把日本刀，而且她加入光复会等革命党组织后，在很多场合都表现得如同“刀剑”一样锋利、咄咄逼人，毫不妥协，非常“铁血”，甚至有在争论时拔刀陈志的激烈行为。此时秋瑾诗词中的“刀剑”的意象更多，如有《剑歌》《宝刀歌》《红毛刀歌》等以“刀剑”为题的诗，其他如在《对酒》诗里说“不惜千金买宝刀，貂裘换酒也堪豪。一腔热

血勤珍重，洒去犹能化碧涛”，她是很早就决意像谭嗣同等前贤一样为国为民洒尽鲜血，为了不连累丈夫子女甚至不惜和他们断绝了关系。

较清晰体现秋瑾此时“铁血（赤铁）主义”思想的是《剑歌》诗。她在诗里说“千金市得宝剑来，公理不恃恃赤铁。死生一事付鸿毛，人生到此方英杰”，说世间只有强权没有平等公理，所以我买了宝剑，兴国强邦只有靠锋利的宝剑了。由此可知秋瑾1907年在故乡发动的武力暴动是她因坚信而选择的救国必经途径。所以她要以宝剑自喻，“空山一夜惊风雨，跃跃沉吟欲化龙”，说自己已沉潜积淀太久，如宝剑藏在匣中沉吟许久，是剑气冲天、变化为龙、锋芒毕露的时候了。最后，秋瑾还说“除却干将与莫邪，世界伊谁开暗黑？斩尽妖魔百鬼藏，澄清天下本天职。他年成败利钝不计较，但恃铁血主义报祖国”，认为除了“铁血主义”，除了用“干将莫邪”，怎么能劈开黑暗现实，斩尽妖魔鬼怪！为了清除天下妖雾，自己的成败得失甚至生死都可以不在意了。秋瑾《宝刀歌》的“赤铁主义当今日，誓将死里求生路。……世界和平赖武装”也是同义，要以自己一死求国家民众生路，以武装求世界和平。再如她在从日本回国途中写的《黄海舟中日人索句并见日俄战争地图》诗里说“拼将十万头颅血，须把乾坤力挽回”，这是在1904至1905年日俄战争期间，秋瑾船行到黄海，有日本人向她求诗，秋瑾看到日俄战争的地图都蔓延到中国境内，心情复杂，诗的最后难耐愤懑不平，说拼将生命，也要使祖国不再蒙受屈辱。

作为革命者的秋瑾看似和“刀剑”一样的锋利无情，但细看她的诗词，可知她骨子里仍是柔肠似水的浙地闺秀诗人，是时代促使她化身女侠。来看她的《如此江山·萧斋谢女吟〈秋赋〉》词，说“世界凄凉，可怜生个凄凉女。曰：‘归也’，归何处？”她漂泊海外，内心软弱时也会有“无处可归”的悲凉感，可是“猛回头，祖国鼾眠如故。外侮侵陵，内容腐败，没个英雄作主。天乎太瞽！看如此江山，忍归胡虏？豆剖瓜分，都为吾故土”，一见祖国仍如酣睡的狮子，受尽欺凌，不由侠骨热血全付给国家，忘记了小我的柔肠百结。

秋瑾起义失败后，不愿逃离，情愿以自己的血警醒世人。她从容就义于故乡闹市后，多亏两位闺阁诗友，盟姐吴芝瑛和她回浙后一见如故的盟妹、浙地桐乡女诗人、同盟会会员、南社社员、被柳亚子赞赏为谢道韫李清照朱淑真重生的徐自华为她营葬，葬在西湖边的西泠桥畔，是为“鉴湖女侠秋瑾之墓”。柳亚子有多首《吊鉴湖秋女士》诗，其一说“于祠岳庙中间路，留取荒坟葬女郎”。秋瑾身为女子，在西湖边的足迹身影没与李清照等归为一处，更不与苏小小、冯小青一处，她在天下人心目中获得了与岳飞、于谦两位千古英雄相同的地位，是近代思潮影响、男女平权得到肯定的结果，也正是秋瑾追求的。她泉下如有知，自当感到欣慰。

阅读链接：

夏晓虹：《晚清女性与近代中国》，北京大学出版社，2004 年版。

夏晓虹：《女性之死与晚清社会》，《稷下大讲堂——文化名人报告文集》，山东文艺出版社，2008 年版。

郭蓁：《漫云女子不英雄——秋瑾诗词注评》，上海古籍出版社，2004 年版。

诗界革命两君子：近代化第一步

夏曾佑像

清末浙地，龚自珍、秋瑾之外，还有很多诗人的诗词里发出激越不平的时代之音，展开历史新意。变化首先发生在诗词的意象中。如写浙地山水，钱塘江、大海等较开阔宏大的景观取代了以往多出现的西湖等秀丽山水，体现了诗人心灵胸怀的趋于开放、对古典诗境的超越。此时几位非浙籍诗人写于浙地、或写浙地事的诗，就是如此。如道光年间，龚自珍好友、改良派人士魏源有《西湖》诗："宜乎林逋诗，峭拔苦不足。……我已西湖恋，恐被西湖束。一笑上吴山，豁我海天目。"说传统浙诗如林逋诗气势不足，用登上吴山最高峰、不望西湖而眺望远方海天处的举止，暗示对更高远境界、阔大情怀的追求。光绪年间，维新派领袖康有为有《闻意索三门湾，以兵轮三艘迫浙江，有感》诗说"绝好江山谁看取？涛声怒断浙江潮"。此时是戊戌变法失败的次年，听说意大利入侵三门湾，流亡日本的康有为在诗中用变身浙江潮、归来复仇的伍子胥精神自比，道出对民族国家复兴的期待。“浙江潮”是此时浙诗的典型意象，和“箫”“剑”一同展现了晚清危难时局中文人士夫的激愤之情、积极作为。

晚清浙诗里，还出现了比钱塘潮水更澎湃、比大海天空更辽远的物象、境界，是前代诗人难以想象、更不曾摹写过的。“诗界革命”倡导者、杭州人夏曾佑和“诗界革命”重要成员、诸暨人蒋智由的诗值得大书一笔。

“诗界革命”是指出现在清光绪二十四年（1898）戊戌变法前后，以容易感人的较通俗诗歌形式宣传新学、鼓吹变法思想的诗歌改良运动，是古典诗歌有意识迈向近代化的正式发端。“诗界革命”力倡“旧体新诗”，希望顺应时变，以古诗形式表现新思想新事物，拓展古诗天地，成一代“潮音”。但保持旧体诗形式，即使用了新词、平仄较自由，也仍不免束缚了手脚，使得“诗界革命”只是旧瓶装新酒，对古诗的改革推进不大。直到 10 年后即 20 世纪初新文学革命开始，真正的新诗才出现。不过“诗界革命”的重要意义仍值得重视。黄遵宪、梁启超、谭嗣同等人外，浙人夏曾佑、蒋智由等都是倡导开拓尝试者，他们继承浙地诗人龚自珍、袁枚的强调个性和富于创造精神，在艺术上奉行“我手写我口”，得到不俗成果。

在辛亥革命后曾任北洋政府教育部社会教育司司长、京师图书馆馆长的浙地杭县（今杭州）人夏曾佑（1863—1924）早年与梁启超、谭嗣同、严复等维新派交好，还曾随清代五大臣赴日本考察宪政，梁启超称赞他是“晚清思想界革命的先驱者”。夏曾佑现在名气不大，在当时可谓名流。他眼界很高，曾说敬重温州瑞安孙诒让的学问，畏惧余杭人章太炎的学问，友人严复可交流切磋，天下再没他看得上的人了。是和龚自珍一样的有才狂士。

光绪二十二、二十三年间（1896—1897），夏曾佑写了些“新诗”。身为历史学家，他对和维新思想息息相关的今文经学和讲求变易的佛学很熟悉，还熟知外国史地知

识和自然知识。于是他在诗歌语言上开始用代表新事物、新知识的词汇。旧体诗里不时夹杂着佛教、儒教、西方耶教经书的典故译名还有科学名词，在今天看来有点可笑，但在当时却令人耳目一新，是可敬的探索。更有很多合理因素被后来真正的新诗汲取。来看夏曾佑的《杂诗》七绝二十六首之一“冰期世界太清凉，洪水茫茫下土方。巴别塔前分种教，人天从此感参商”，写了不断变易的上古世界历史，冰河世纪、创世纪洪水，还有神话中的各国人合力造“巴别塔”企图登天，被上帝造了各种语言使人们交流不通，造天塔计划失败。体现了夏曾佑对当时西方和中国对立的深刻思考，也可用来影射印证中国历史的变革维新，就是他写的《中国古代史》的缩影和诗意表述。这一尝试是较成功的，得到了梁启超的赞许，认为很好体现了“诗界革命”的“以旧风格含新意境”（《饮冰室诗话》）。梁启超还解释“冰期”“洪水”用地质学家术语，“巴别塔”用了《旧约》典故。

“诗界革命”“新派诗”一开始反响不大。到戊戌变法失败、梁启超逃亡到日本，在《新民丛报》等刊物上辟专栏推进文学改良，发表了谭嗣同、康有为、黄遵宪、蒋智由、夏曾佑等人诗文，又大力鼓吹，称赞一些既通俗又有深意、可配合音乐吟唱、回归古诗（如越地古诗《候人歌》《越群臣祝》）及民歌风格的歌诗，如蒋智由的《醒狮歌》等是“中国文学复兴之先河”，这些诗人是中国的莎士比亚和弥尔顿。“诗界革命”诗人才为人熟知。

蒋智由（1865—1929）和清末很多浙江青年一样，选择到地理位置较近、明治维新成功的日本留学，后参加了光复会。他是“诗界革命”主将，还和夏曾佑、黄遵宪被梁启超称为“近代诗界三杰”。如蒋智由的《有感》：“落落何人报大仇？沉沉往事泪长流。凄凉读尽支那史，几个男儿非马牛？”说读完中国的五千年历史，看着勾践等人复国复仇，每一段历史都充满血泪，尤其是那些隐藏在历史背后的黑暗血腥，每个中国人都深受专权奴役。诗中感慨万千，感情充沛深挚，气势豪迈强悍，和夏曾佑《中国古代史》中对古代史的清醒理性分析各有千秋，和龚自珍、秋瑾等的沉痛激愤可相通。还有他的《醒狮歌》：“狮兮，狮兮！尔前程兮万里，尔后福兮穰穰！吾不惜敝万舌、茧千指，为汝一歌而再歌兮！愿见尔之一日复为威名扬志气兮，慰余百年之望眼，消百结之愁肠！”自拿破仑说中国是睡狮后，国人都以醒狮自许，蒋智由也希望苦难深重的中国能早点醒来，“前程万里”“后福无穷”，自己愿为此尽力高歌、竭力奋斗，只希望有生之年能看到中国重振雄风、扬名天下，自己也就“百年心事归平淡”了。这让人想起春秋越国大臣文种《越群臣祝》“前沉后扬”的祝愿，还有陆游“家祭无忘告乃翁”的殷殷期盼。

近代文人林纾所绘的浙地山水图

戊戌变法失败后，蒋智由写有著名的《卢骚》诗：

“世人皆欲杀，法国一卢骚。民约倡新义，君威扫旧骄。力填平等路，血灌自由苗。文字收功日，全球革命潮。”以法国启蒙思想家、法国大革命思想先驱卢梭（卢骚是当时译音）影射变法维新的“戊戌六君子”和康、梁等人，道出对六君子“我以我血荐轩辕”、愿以自己生命换取国人清醒，换来民权、自由、平等的敬佩景仰，最后说自己的诗也是为了唤醒国民，什么时候天下革命潮起，也是自己收笔不写诗时。他的《久思》也是鼓吹诗歌唤醒国民的功效。“地覆天翻文字海，可能歌哭挽神州”，说文学力量不小，可引起天翻地覆，诗中的“歌哭”（悲喜）可感动民心。蒋智由的诗明确体现了“诗界革命”倡导者意图借诗歌力量反对专制统治、追求自由平等、期盼民族复兴强大的迫切心愿。

夏曾佑、蒋智由两君子的诗在浙地乃至中国近代化的进程中大有作用。

阅读链接：

夏曾佑：《夏曾佑讲〈中国古代史〉》，凤凰出版社，2010 年版。

汪辟疆著，李培军笺证：《光宣诗坛点将录》（上下），中华书局，2008 年版。

汪辟疆：《汪辟疆说近代诗》，上海古籍出版社，2001 年版。

大师打边鼓：白话诗新尝试

沈尹默像

一般认为中国现代文化史、文学史始于新文化运动期间（1915—1923）。1917 年胡适在新文化运动核心杂志《新青年》上发表了 8 首白话新诗，标志着诗歌进入新诗占主导地位的时代。而此前后浙地诗人在诗歌走向现代化的过程中居功甚伟，和浙人在散文、小说上的功绩不相上下。

在欣赏现代文学史上第一个现代文学社团、第一个新诗团体“湖畔诗社”诗人在浙地写出较成熟、优美可读的白话新诗前，先来缅怀一下新文化运动前期（1915—1919）那些最早写白话新诗、自称“打边鼓”、诗歌创作如昙花一现却永镌史册的浙地诗人们，尤其要向那些勇于尝试的已成名大家们致敬。

新文化运动开始时，几位主将为鼓吹白话文学，纷纷写起白话新诗来。除了安徽人胡适，几位浙江籍主将写的白话诗在当时也很出名，如绍兴鲁迅、周作人、刘大白，湖州沈尹默。

鲁迅他们的这一步可比稍早的浙地诗人夏曾佑等人的“旧瓶装新酒”的“诗界革命”跨得远得多，是要把存在了千年、在他们牙牙学语时就耳濡目染、沁入骨髓的古典诗歌形式扔了。都是有深厚古典文学功底的人，偏要去学写白话诗，真的难为了他们。结果这些大家写的白话诗有的是故意不合平仄的古诗，有的则如顺口溜

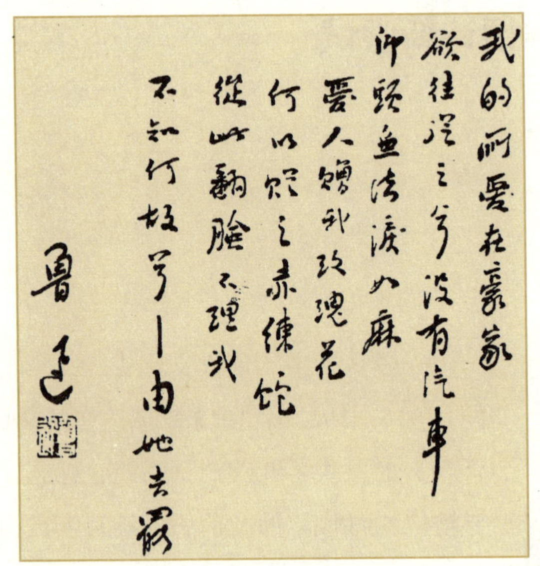

鲁迅新诗《由她去罢》

或打油诗，有的很像外国诗。在今天看来是寻常甚至显得有些笨拙，在当时却是很可贵的探索。

周作人的长诗《小河》以拟人化的手法写年轻的小河追求自由理想的成长历程，意义深长：“我愿他能够发出了石堰，/ 仍然稳稳的流着，/ 向我们微笑，/ 曲曲折折的尽量向前流着，/ 经过的两面的地方，都变成一片锦绣。”《小河》被胡适称为新诗中第一首杰作，朱自清后来更高度评价它“全然摆脱了旧镣铐”，还说“周作人随刘复（刘半农）作散文诗后而作《小河》，新诗乃成立”（《中国新文学大系·诗集》导言）。今天看《小河》，可能会觉得太散文化，缺少诗味。其实，在当时，这是为了与古诗区别开来的必要手段。《小河》确为新诗里最早的成熟之作，比很多半成品流畅有味得多。

沈尹默的散文诗《月夜》被称为中国第一首散文诗，而他更著名的作品是《三弦》诗。“旁边有一段低低土墙，挡住了个弹三弦的人，却不能隔断那三弦鼓荡的声浪。”这首诗是这一时期新诗中最有诗意的，较好继承了古诗含蓄蕴藉、余韵不尽的优秀传统。

刘大白写过著名的同情民生疾苦的《卖布谣》，是带方言的儿歌民谣，鲜明体现了此时新诗对现实主义、通俗化的追求。

这些浙地大家写白话诗少成功范例，除了不能完全忘却放下原本的文学根基，还因为他们虽然名声大、才情高，却都不是专业诗人，只是偶然为之、浅尝辄止，难以深入触到新诗的灵魂。不过这些大家只是新诗的铺路人，而年轻的新诗人们已带着更成熟的新诗将在下一个历史转角出现，一同汇入浙地历代诗人的行列。

此时浙地的这些业余诗人中，还要特别提一下文学成就很高、却不以诗著称的鲁迅（鲁迅散文诗《野草》一般归入散文）。其实鲁迅也曾以笔名在《新青年》上发表过 6 首抒情新诗《梦》《爱之神》《桃花》等，也算是最早写新诗的人之一，后来他不无自嘲地说：“我其实是不写新诗的，只因为那时诗坛寂寞，所以打打边鼓，凑些热闹，待到称为新诗人的一出现，就洗手不干了。”（《集外集·序言》）自认只是为年轻人开开道、呐喊一下。

鲁迅说的“新诗人”应是指以浙地海宁诗人徐志摩为首、在 20 世纪 20 年代后期带来较完美新诗的新月派诗人。不过，比徐志摩更早，在 20 年代前期还有几位年轻的浙地诗人曾写出美好的白话诗，虽声势不如新月派，却也闻名一时，就是“湖畔诗社”的“湖畔诗人”。“湖畔”是指诗社诞生在杭州西湖边。

“湖畔诗人”汪静之、应修人、潘漠华、冯雪峰（汪是长居浙地的安徽人，其他三人是浙籍）和鲁迅等大家不同的是，虽然他们中的三人还是当时浙江省立第一师范学校（简称“浙一师”，旧址在今杭州高级中学内）的学生，却都如他们的老师、

阅读链接：

罗昌智：《新诗的碑纪——浙江诗人群与中国新诗的现代化》，浙江大学出版社，2008 年版。

朱自清选编：《中国新文学大系 1917—1927》（诗集），上海文艺出版社，2003 年版。

孙玉石主编：《中国现代诗导读 1917—1937》，北京大学出版社，2008 年版。

曾任“一师”教师和“晨光”文学社导师的新文学散文家、诗人朱自清所说的是“专业致志”写诗的诗人。而且，他们很年轻，只有 20 岁左右，古典诗词底子不深，感情纯净充沛，没有包袱，反而容易写出白话诗的韵味。

同时的文坛巨子“创造社”和“文学研究会”的郭沫若、叶圣陶、郁达夫等人对“湖畔诗人”和他们的诗集《湖畔》也都很赞赏。关于汪静之的一首爱情诗《过伊家门外》因为感情坦率热烈而在当时被视为不雅，鲁迅、周作人还与旧势力进行了人性解放的大论争，鲁迅极力赞美汪的爱情诗是“情感自然流露，天真而清新，是天籁，不是硬做出来的”，评价“湖畔诗人”的诗是“血的蒸气，醒过来的人的真声音”。更不要说四人的老师叶圣陶、朱自清对他们的帮助引导及舆论和评论上的支持。这些新文学的大人物和“湖畔诗人”的关系让人想起历史上的中唐文坛盟主韩愈和他门下的浙地苦吟诗人孟郊，还有南宋浙地的叶适和“永嘉四灵”的关系。大家们自己有大成就，却还能意识到自身不足，对那些能作自己不能作的清新小诗的年轻人宽容而赞许。“兼容并蓄”的文化氛围是浙地大家蔡元培提出的，是“五四”时文化风气的恰当概括，这也是一个时代的文学能蓬勃发展的重要前提。

湖畔诗人：青春之歌

“湖畔诗人”中最出名的汪静之是安徽绩溪人、胡适老乡，但一生大部分时间在浙江，就像他自己说的终生是“湖畔诗人”。汪静之在1921年和浙江省立第一师范学校（浙一师）同学武义人潘漠华、义乌人冯雪峰、宁海人柔石等组建“晨光文学社”，并请了老师叶圣陶和朱自清为顾问。同时汪开始在新文学核心杂志《新潮》、《小说杂志》上发表新诗。在上海做银行职员的慈溪人应修人也喜欢写新诗，和汪通信作笔友。1922年3月底，两人相约在杭州见面。汪静之又找了潘漠华、冯雪峰，4人驾舟游西湖。4月4日“湖畔诗社”诞生在西湖山水中。为何取这个名字，除了他们想在杭州这一古来诗意之地、西湖这一泓古典诗词之湖中开一方新境，也受英国19世纪浪漫主义山水诗派“湖畔诗派”影响。

“湖畔诗社”正如冯雪峰后来说的，和当时主要文学团体“文学研究会”和“创造社”的组织严密、纲领明确、人员众多、关系复杂不能比，即使和后来的“新月派”也不能比，只是几个爱好文学青年友谊的产物，就像他们在西湖上乘的小船，虽小却轻灵而诗意满溢。不过，也拜诗社小而灵便之利，“湖畔诗人”唱和的结晶很快诞生了，虽然只是一册薄薄的诗集，一些短短的小诗，在面世后，却因为真挚美好的内容、质朴动人的表达，马上轰动一时。

1922年5月，载有61首小诗的四人诗歌合集《湖畔》在应修人一力资助操作下出版，共3000册，得到受“五四”新思想濡染的年轻人的由衷喜爱和深深共鸣，

对很多人的文学道路影响深刻。

《湖畔》里有什么这么感人？其实就是最朴素的人间真情。如写真挚的爱情，四人中应修人有《妹妹你是水》，潘漠华有《向美丽的姑娘》，冯雪峰有《落花》，汪静之则有著名的《过伊家门外》（伊是“五四”时惯用的人称代词，相当于“她”）写经过心上人家门口时“我冒犯了人们的指摘，一步一回头地瞟我意中人，我怎样欣慰而胆寒呵”。“五四”解放了很多人的心灵，但社会风气还是保守，可以想象汪静之这首感情纯真美好但在当时却因描写真切细腻、表达直白深情而显得大胆的小诗道出了多少情窦初开年轻人心底共同的隐秘心声，引起多少人的心底微澜，又惹来多少卫道士的非难指责！当时很多文学青年都追过《湖畔》，心底都留下《湖畔》的影子。

“湖畔诗”写爱情题材的虽多，也多写母爱等题材。潘漠华的《游子》说“都缕缕抽出快乐的丝来了，穿在母亲缝衣底针上”，是对浙地前贤孟郊《游子吟》名篇“慈母手中线，游子身上衣”“临行密密缝，意恐迟迟归”诗意的现代改写，依然自然贴切，感情也一样深挚。可见只要是好诗意，白话诗和古诗没有必然的高下。再如表达对自然和美好事物的爱，应修人有《欢愉引》诗：“可爱的人生——人生底可爱呀！没有一朵花不是柔美而皎清，没有一个人底心不像一朵春的花！”恰是追求真善美的“五四”精神的诗化表现。应修人还有《心爱的》诗，“有心爱的诗集，终要读在心爱的湖山的”，也就是《湖畔》扉页中写的“我们歌笑在湖畔/我们歌哭在湖畔”，都揭示了“湖

虽说今西湖边六公园湖畔居里的“湖畔诗人纪念馆”成为“湖畔诗人”粉丝的朝圣地，其实“浙一师”（旧址在今杭州高级中学内）才是湖畔诗社、湖畔诗人的真正诞生地

畔诗”的主要诗意主旨就是歌咏自然、美、真情。

“湖畔诗人”四人虽然年纪相近，写的诗也相似，但仍具有鲜明的个人风格。应修人的《心爱的》诗用诗意语言描述了其他三人的个性诗风，“柳丝娇舞时我想读静之底诗了；晴风乱飐时我想读雪峰底诗了；花片纷飞时我想读漠华底诗了。漠华的使我苦笑；雪峰的使我心笑；静之的使我微笑。我不忍不读静之底诗；我不能不读雪峰底诗；我不敢不读漠华底诗”。朱自清对“湖畔诗人”的评价比应修人的自评更理性也更中肯。朱自清在《湖畔》诗集问世伊始，就有《读〈湖畔〉诗集》评价四人诗作。13 年后的 1935 年，朱自清在编写《中国新文学大系·诗集》导言中说潘漠华诗“最凄苦，不胜掩抑之致”，冯雪峰诗“明快多了，笑中可也有泪”，汪静之诗“一味天真的稚气”，应修人诗“却嫌味儿淡些”。综合两人见解，可见潘漠华的诗风是感伤，冯雪峰的是明朗，汪静之的是天真，应修人的是淡远。

至于“湖畔诗人”以新手写诗得到成功的原因，朱自清首先指出这是因为“湖畔诗”是“五四”精神的宁馨儿，“《湖畔》作品……少年的气氛充满在这些作品里”。

阅读链接：

漠华等：《湖畔》（新文学碑林），人民文化出版社，1994 年版。

汪静之：《蕙的风》，人民文学出版社，1957 年版。

李骞：《20 世纪中国新诗流派研究》，中国社会科学出版社，2012 年版。

少年的诗，写的是少年的喜怒哀乐、少年眼中的世界，清新、充满热情和爱意，这样的青春气息、青春歌唱正符合“五四”这个青春时代，所以“湖畔诗”能成为新诗的合适代言人。也许他们太幼稚、有不足，“湖畔诗人”仍能以纯真美好的诗意、认真扎实的创作给文坛带来宛如西湖湖上的清风，所以他们的新诗尝试得到巨大成功。其次，湖畔诗人成为文坛黑马是因为他们初生牛犊不怕虎，也是受到勇于革新、尝试的“五四”精神的影响。如诗社中的三人来自当时思想极活跃的“浙一师”，还有叶圣陶、朱自清等名师的指点、濡染。其三，也是最根本最重要的内在原因，后朱自清在《中国新文学大系·诗集》导言中总结“五四”十年的新诗创作时感慨：“真正专心致志做情诗的，是‘湖畔’的四个年轻人。他们那时候差不多可以说生活在诗里。”专心认真，和古代的苦吟诗人一样，也是他们成功的必然途径。

后来“湖畔诗人”还以浙地为中心出过冯、应、潘的诗歌合集《春的歌集》（1923），汪的个人诗集《蕙的风》（1922）和《寂寞的国》（1927）。

随着五卅运动发生，“湖畔诗社”成员有了新的追求，暂歇了个人的吟唱，各自走上不同的革命道路。如冯雪峰加入了中国共产党。诗社暂停了活动，但从未解散。半个世纪后的 1981 年，汪静之在西湖边的湖畔居恢复了“湖畔诗社”，表达了对青春岁月、“五四”时代、新诗的致敬和缅怀。

诗哲徐志摩：诗如新月渐完满

从开始的白话诗尝试、“湖畔”诗到“新月”诗，中国新诗在现代和传统、通俗和典雅间终于寻寻觅觅到了微妙的平衡。浙江诗人在这一过程中留下了令人难忘的屐痕。

胡适们的白话诗是走得太远了，不免缺乏诗味。当然这也是变化改革的必经之途，变革旧事物一开始总要偏激、矫枉过正些，不然何以让新事物有机会萌生？到新事物成长发育到一定程度可以再微调变革的力度。新诗有很多不足，都是当时诗人急于剪断和传统的血脉而致，反封建把传统精华也一起抛弃了。当新诗渐渐被接受、取得地位后，“新月派”诗人就及时提出“新格律派”诗的概念，要找回曾被全盘抛弃的古典格律诗的合理长处，如它的形式、内涵和神韵美，写出真正有民族特色的新诗。

何为“新月”？就是新月主将、海宁诗人徐志摩说的“它（新月）那纤弱的一弯分明暗示着，怀抱着未来的圆满”（《新月的态度》），它今日的纤弱，却孕育着明天的完整，寓意新诗的萌芽发展、充满生机、趋向成熟。

新月社是 1923 年由胡适、徐志摩、闻一多等在北京创建的。1927 年迁往上海。约结束于 1933 年。“新月”发展中，凝聚了一批钟情“新格律诗”的诗人。“新月”诗的特色，闻一多在《诗的格律》中提出的诗歌“三美”概括得最适当：“音乐美（音节）、绘画美（词藻）、建筑美（节的匀称和句的均齐）”，这是特别针对新诗发展中

一度形式过分散文化、失去诗歌特色的弊端而提出的。

“新月派”对现代新诗影响很大，但它人员多、构成复杂。这里只选四位浙籍重要“新月”诗人，看他们在新诗这弯“新月”逐渐完满的过程中所起的作用。

徐志摩（1897—1931）是“新月”诗人群里极重要的一员。即使有胡适和闻一多，他依然因为符合中国传统文化重视的“诗如其人”，当仁不让地成为“新月”诗人的象征。

徐出身海宁望族，和另两个海宁望族蒋氏和查氏都有亲戚关系。如他和民国著名军事家蒋方震（百里）是亲戚，文武双全的蒋也是“新月”成员。徐后留学英国。当时浙江年轻人留学多去一海之隔的日本，除非是得到政府资助，否则只有富家子弟才能去欧美。受日本文学文化影响（如鲁迅兄弟）和受欧美文学文化影响某种程度也是后来文坛上形成流派、对立甚至分歧的重要原因。

海宁徐志摩墓

徐志摩虽天资极高，才华与学识兼备，却个性单纯率真、与世俗隔膜。他一生都不倦追求“爱”“自由”与“美”（胡适语），个人形

象的翩翩风雅和他的诗高度契合，体现他一片真诚地对“真善美”理想境界和诗意人生的极致探寻。这是他的诗一直充满美感和纯净的主要原因。

体现徐志摩深受英国浪漫主义诗歌影响的《再别康桥》一诗自然脍炙人口，也许是现当代被改编最多次、被最多歌手吟唱的现代诗，到 21 世纪仍有不少年轻的创作者歌者（他们就是今天的诗人）以自己的方式改编演绎《再别康桥》，作为对徐志摩的致意。“轻轻的我走了，正如我轻轻的来；我轻轻的招手，作别西天的云彩……寻梦？撑一支长篙，向青草更青处漫溯；满载一船星辉，在星辉斑斓里放歌……悄悄的我走了，正如我悄悄的来；我挥一挥衣袖，不带走一片云彩。”深情唯美的歌词依然深受青少年的喜爱，因为这诗里活着一个永恒的“不老的少年”。再来看徐志摩的《偶尔》诗：“我是天空里的一片云，偶尔投影在你的波心——你不必讶异，更无须欢喜——在转瞬间消灭了踪影。”轻灵纯美的诗句、优雅矜持的格调中自然流露圆熟明澈的哲理思辨，不管你是否喜欢这样的风格，徐于“新格律派”、新诗的功绩是不可忽略的。1931 年 11 月，徐志摩飞机失事遇难，不久“新月社”解散，“新月派”也黯然。可见他于“新月”的重要性。

徐志摩这轮渐已圆满明净的“新月”，作为新文学大家，自然比“湖畔诗人”的“小荷才露尖尖角”内涵丰富。他学贯中西，有多面的成就。还有，拨去那些不尽真实的绯色传闻的浮云，他不但执著爱情，并非风流才子，还是有理想、有强烈社会责任感的现代知识分子。他的诗也不止《再别康桥》《偶尔》《沙扬娜拉》这一种风格，他的爱情诗其实不算太多，他的诗集还有《志摩的诗》《翡冷翠的一夜》《猛虎集》《云游》等等，多有对现实的严谨思考，所以他还曾被人称为“诗哲”。徐志摩的一生虽短，但并非只有和林徽因、陆小曼的情事，绝不狭隘、轻浮，他的思想和诗境都是明朗阔大的，正宛如空中新月。后来徐的学生陈梦家在徐创办的后期新月派刊物《诗刊》的《叙语》里说徐一直努力，想“让诗代表时代或民族不可错误的声音，也成为一

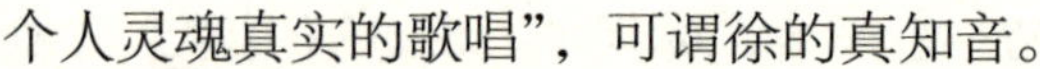

个人灵魂真实的歌唱”，可谓徐的真知音。

英年早逝的徐志摩于“新月”渐圆满的未竟心愿，后来和他关系匪浅的浙地“新月三子”以自己的创作以及人生，帮他完成了。

智言慧思

淡抹浓妆山如画，酒旗儿三两人家。

——（元）张可久［中吕］《普天乐·暮春即事》

里湖，外湖，无处是无春处。真山真水真画图，一片玲珑玉。

——（元）徐再思《朝天子》

阅读链接：

陆小曼编：《徐志摩文集》，商务印书馆香港分馆，1983 年版。

梁仁编：《徐志摩诗全编》，浙江文艺出版社，1990 年版。

韩石山：《徐志摩传》，人民文学出版社，2010 年版。

周静庭：《逝水人生——徐志摩传》，杭州出版社，2004 年版。

浙地新月三子：沧海明月

祖籍上虞的陈梦家（1911—1966）在今天以古文字学家为人熟知。但他在20世纪30年代曾和闻一多、徐志摩、朱湘被誉为“新月诗派”四大诗人。1936年在伦敦出版的第一部英语版的中国新诗选本《中国现代诗选》也选入他的诗。

陈梦家生在南京一个深受欧美文化濡染的家庭，自幼又喜欢唐诗，传统和西方文化融为一体的教育，正和后来“新月派”风格相符，“新月”的领军人物闻一多和徐志摩都是学贯中西的学者型诗人。1927年，爱写诗的16岁少年陈梦家进入大学，遇到教英美文学的闻一多，受到闻诗歌格律化的影响。1929年，他遇到另一位教欧美诗歌的老师徐志摩，成为徐的弟子。

到20世纪30年代初，国家民族的危难使身处象牙塔中的陈梦家的诗风有所改变。他此时有《秦淮河的鬼哭》等诗，开始直面惨淡人生。

1931年，后期“新月诗派”形成，20岁的陈梦家此时已成长为诗派主将。同时他的第一部诗集《梦家诗集》出版，诗名大噪。他还应徐志摩之请编选“新月诗派”的里程碑式作品集《新月诗选》。陈梦家以对诗派的熟悉和独到眼光选出前后期重要“新月”诗人及代表作共18家80首，并指出“新月”作为新诗一脉，特点是内涵醇正、技巧周密、格律谨严、态度严正。

1931年9月，仿佛有所预感，徐志摩将《诗刊》交给陈梦家主编，完成了形式上的衣钵相授。此年徐志摩去世后，陈梦家成为“新月派”最重要的诗人之一。

此时的他也清醒地觉察到了“新月诗”在时代前显示的不足。1932 年初，“一·二八”事变爆发，十九路军在上海抗日的可歌事迹激起了年轻诗人心底的爱国激情，他毅然弃笔投戎，随军向前线进发。严冬时分，当陈梦家目睹沪宁铁路线上绵延数十里的难民，写下《哀息》一诗，他的诗已在血与火中悄然蜕变，突破了“新月”的藩篱。其实，如果徐志摩还健在，诗风应也有所改变吧。陈梦家有《在蕴藻浜的战场上》诗写战士的新坟，苍凉悲壮风格和之前“新月四子”诗风大不相同：“在蕴藻浜的战场上，血花一行行 / 间着新鬼的坟墓开开在雪泥上 / 那儿歇着我们的英雄……”他还用民歌风写了《老人》一诗表达了农民对故土的热爱不弃。这些生活、情感都是陈梦家以前陌生的。这些他在抗战前线写下的史诗风格诗作，朴实深沉、没有技巧却充满力量，后编成诗集《陈梦家作诗在前线》。由此一役，陈梦家已脱胎换骨，从严守格律到舍弃外在格律，却得到比格律更深沉重要的诗的内在节奏。他和当时很多诗人一样，都将对国家民族兴亡的关注替换了对个人喜怒哀乐的描绘，他们的诗都从写小我变成写大我——和国家民族合一的“我”。

1933 年初，日寇又发动侵略。陈梦家出于义愤，决定自行从北平到抗战前线为国效力。出榆关时看到了峻拔雄阔的边塞风光，激发了从小爱读唐诗的他无限的爱国情愫。每个诗人都有诗歌“变法”的缘由，对陈梦家，上次的入伍和这次的出塞就是。他反映此时所见所感的《古北口道中》《承德道中》等诗，比李白、岑参的从军诗和边塞曲丝毫不差。不久，由于政府采

陈梦家和夫人赵萝蕤（德清人，也是诗人），是才子才媛、神仙眷属典范

取退让政策，陈梦家壮志未酬，愤然返回北平，创作了抒情长诗《往日》与《泰山与塞外的浩歌》，这是他爱国情绪达到的最高点，也是他诗歌的巅峰和最宽广境界。《往日》是他回顾生平的长诗，分三章《鸿蒙》《昧爽》《陆离》，是有《离骚》浪漫主义风格的力作。《泰山与塞外的浩歌》更是800行的长诗，回顾登临泰山、出塞抗敌的爱国热情。同题材的诗作还有《西山野火》《黄河谣》，都是现代文学里爱国诗的杰作。1934年陈的《铁马集》出版。

可惜，陈梦家的诗歌生涯在巅峰时戛然而止。1936年他留大学任助教，从此专注古文字学、史学研究。这是闻一多的影响，不少后期“新月”诗人也都转型成学者。这也是源于深沉的爱国主义。既然诗歌不能救国，就寄希望于文化，希望通过研究传统文化，在民族文化的起源找到治疗国家和国民性的神丹妙药。

“新月派”除了前面提到的“四子”，还有另一个“新月四子”说，就是孙大雨等四人。孙大雨（1905—1997）和陈梦家一样祖籍浙江，是诸暨人。“新月派”多英美留学者，因此也多教授学者。孙大雨留学耶鲁大学专攻英国文学，回国后历任各大名校英国文学教授。他曾翻译了八部莎士比亚戏剧，还把屈原的诗和东晋唐代诗翻成英文，质量极高。他创作的诗也非常出色，是英国古典诗和《楚辞》的结合体，如一首《老话》，用十四行诗（商籁体）写中国古老文化，《楚辞》的华美瑰丽神话想象融合西方宏大苍茫的宇宙观，读来让人惊心动魄，如诗中主角“一颗古老中国的灵魂”说“自从我披了一袭青云凭靠在渺茫间，头戴一顶光华的轩冕，四下里拜

阅读链接：

陈梦家：《新月诗选》，解放军文艺出版社，2000 年版。

陈梦家：《梦家诗集》，中华书局，2007 年版。

陈钟英、陈宇编：《林徽因诗集》，人民文学出版社，1985 年版。

林杉：《细香常伴月静天：林徽因传》，国际文化出版公司，2011 年版。

伏着千峰默默的层峦，不知经过了多少年，你们这下界才开始在我底脚下盘旋往来……”气势万千，令人民族自豪感油然而生。

孙大雨也是“新月”派、现代新诗人里的一轮沧海明月，他才华横溢，眼界也极高，评论“新月”人物，闻一多和徐志摩也不尽入他的眼。可惜曲高和寡，虽然他活到了“新月”诗人少有的高龄，知道他的人到底不如知道徐志摩的多，很长一段时间里他只是一颗被人遗忘的沧海遗珠。曾有文章称他为“月亮上的顽石”，说他个性狂傲不羁，所以半生蹉跎。的确，“新月”诗人多是本色诗人，多个性鲜明的才子才女。女诗人林徽因（1904—1955）也是这样一位女子。

林徽因祖籍福建，出身文化世家。父亲林长民曾任北洋政府司法总长；堂叔林觉民是黄花岗烈士，《与妻书》作者。林徽因 1904 年生于杭州陆官巷（今吴山广场西），5 岁时迁居蔡官巷（今清波门附近），8 岁迁居上海。虽然佳作甚多，一首《我说你是人间的四月天》也许是她最出名的诗作：“你是一树一树的花开，是燕 / 在梁间呢喃，——你是爱，是暖 / 是希望，你是人间的四月天！”这首诗有多种解读，有说是写爱情，有说写亲子之情。其实“诗无定解”才能真正体现诗的魅力，这么美的诗句，不要太过拘泥，可以更宽泛地理解这首诗，看成是“新月”诗人对自由、爱情、美的向往。正如不要把林徽因和徐志摩的情感庸俗化，也不要将林和徐的人生简单化。林徽因这个出生在浙江的女子，又为浙江女性赢得一项第一，她是中国第一代女性建筑师中的佼佼者。

雨巷诗人和诗词大家：文人相亲

20 世纪前期的很多新诗作者，都是学贯中西者。兼学中国古典诗词和英国浪漫主义诗歌之长的“新月”诗人之后，融通古典诗词和法国象征派诗、现代派诗的杭州诗人戴望舒（1905—1950）登上诗坛。

戴望舒早年曾学过新月派。从写于 1927 年的诗歌名篇《雨巷》开始，也和他此时留学法国有关，他的诗有象征派（后有现代派）影响的痕迹，也有了鲜明诗风特色：含蓄的感伤之美。

戴望舒在 1950 年 45 岁时英年早逝，关于他的诗的争论却一直存在。如对他那首传诵很广的“代表作”《雨巷》诗情绪低沉、脱离现实沉湎个人情绪的批评。对他艺术、才情的质疑也有，如语言的中西融合不够、有佳句无完篇，诗的思想力度、内涵厚度不足等。台湾当代诗人余光中曾评点戴诗，见解尖锐，一些批评属于见仁见智，更有一些是爱之深求之切，也有切中肯綮的。

评价一个诗人，要将其放在历史中，加以“同情之理解”。于戴望舒，首先要看到，他 24 岁时的成名作《雨巷》的确不是他最好的作品，不应当作他的代表作。其次，他有很多成熟佳作，无愧现代诗歌名家的称号。

《雨巷》：“撑着油纸伞，独自 / 彷徨在悠长、悠长 / 又寂寥的雨巷，/ 我希望逢着 / 一个丁香一样地 / 结着愁怨的姑娘。”当年因为在音调上比“新月”诗更回环往复、悠扬动听，叶圣陶曾赞许它是新诗音节的新纪元。因通俗动听，《雨巷》流传甚广。

其实这首诗写一个少女在小巷里的飘逸孤独身影，意象意境虽美，却比较柔弱狭窄暗淡，而且似未能以小见大、引人深思。虽然以往有说这首诗曲折反映了1927年大革命失败后的白色恐怖给知识分子带来的心理阴影，似乎牵强。

戴望舒诗如其人，他是个多愁善感的人，所以另一种较简单直接的说法似乎更可信，即《雨巷》是戴望舒为好友施蛰存之妹、影响他前半生甚深的杭州少女施绛年所作，体现了对“伊人”的缠绵不可忘之思，爱情没得到回应的黯然神伤。或者，只是诗人借自己最熟悉喜爱的故乡诗意意象、江南常见的细雨长巷（戴住杭州城中心的大塔儿巷）情景，寄托郁闷情绪。又也许，这个撑伞少女形象只是化用了南唐词人李璟《浣溪沙》词“青鸟不传云外信，丁香空结雨中愁”名句之意，抒发爱情求之不得的苦恼。

《雨巷》会流行，是因为得到较多人的喜爱。历代能流传深远的作品一般都具备通俗易懂、琅琅上口、容易引起联想、能让人有代入感等特点，是否一流作品或诗人代表作则不一定。《雨巷》就是例子。

来看看那些真正能体现戴望舒成熟风格的诗。

从戴望舒出版早期诗集《望舒草》到后期的《灾难的岁月》，其间他曾被日寇逮捕入狱，受尽折磨，他后来早逝也和这大有关系。但他的后期诗风并没有发生明显蜕变。戴望舒始终是个本色诗人。这并非不好，就像一个人不是一定要能演性格反差很大的角色才是好演员，能一直演好一种角色甚至表现本色自我也是难得。如戴望舒人生的最后一首诗《偶成》:“如果生命的春天重到,/古旧的凝冰都哗哗地解冻,/那时我会再看见灿烂的微笑,/再听见明朗的呼唤——这些迢遥的梦。/这些东西都决不会消失,/因为一切好东西都永远存在,/它们只是像冰一样凝结,/而有一天会像花一样重开。”仍和他早年的诗一样,优美晓畅,婉转、感伤中却有坚持执著在里面。就是多了几分乐观,可能和新中国建立有关。就像诗里说的“好东西都永远存在”,如果诗人有鲜明风格,即使一生没有变法也不失为大诗人。

而且,20 世纪 30 年代、40 年代的丰富现实社会生活为戴望舒的诗提供了最深厚丰沛的素材,正可补《雨巷》被诟病的风格纤弱、内容空洞的不足。戴望舒最具思想内涵和情感力度的两首诗,应该是他在狱中所作的《狱中题壁》和《我用残损的手掌》。他的诗脱胎换骨主要表现在内容上,而不是外在的风格上。1937 年“八一三”事变后日寇占领上海,文化人纷纷出逃,戴望舒流亡香港,出任《星岛日报》副刊主笔,编发了很多抗日文学作品。1941 年日军侵占香港,他被捕入狱。史上不少诗人写过《狱中题壁》,如谭嗣同的“我自横刀向天笑,去留肝胆两昆仑”就豪情万丈,戴的《狱中题壁》则仍以温和婉转的语气写自己的执著无畏。面对疼痛恐惧、生死一线,这个感情敏感细腻、被爱人放弃也会哭泣的杭州书生在诗中令人信服地体现了中国文化优秀传统的柔中带刚,浙地精神传统里的坚忍柔韧,对民族大义的坚持,对祖国未来的热切向往,宛如他的同乡前贤汪元量和于谦诗词中表现出的信仰、勇气,让人感佩至深:“如果我死在这里,/朋友啊,不要悲伤,/我会永远地生存/在你们的心上”。更感人的是《我用残损的手掌》,“我/用残损的手掌摸索/这广大的土地:这一角/已变成灰烬,那一角/只是血和泥;这一片湖/该是我的家乡,(春天,堤上/繁花如锦幛,嫩柳枝折断/有奇异的芬芳)我触到/荇藻和水的微凉”,诗人用受刑后的手掌,在疼痛迷乱中,摸索想象中的祖国大地,遍地都是战火,这

里是灰烬，那里是渗透鲜血的泥土。似真还幻中，诗人想起家乡杭州西湖，那些青春岁月里曾和雨巷一起领略过的美景，看到的春堤繁花、闻到的柳枝清香、触到的湖水微凉与水草悠游。这些感觉就是用现代派笔法表现的，因为诗人的敏锐，而且在非正常状态下，被放大加深了，给人强烈震撼。多么奇异的思乡之情表达，比之贺知章、孟郊的古典方式各有千秋。诗人在心底摩挲过故乡及祖国南北河山后说："只有那辽远的一角／依然完整，温暖，明朗，坚固／而蓬勃生春。在那上面，我／用残损的手掌轻抚，像／恋人的柔发，婴孩手中乳。我把全部的力量／运在手掌贴在上面，寄与／爱和一切希望，因为只有那里／是太阳，是春，将／驱逐阴暗，带来苏生……"那么柔和朴素的表达，那么深沉执著的情感，让人瞬间动容流泪。一般都以为"辽远的一角"是指解放区，这也是戴诗中最乐观积极的一首，和《雨巷》有较大反差。只要有这首诗，戴望舒跻身现代诗人前几名应没悬念了。

戴望舒还有很多抒情小品诗很出色，尤其是那些将古典诗词的婉转情韵和西洋现代派诗的直击心灵糅合一起，语言上也达到天然质朴且厚重有深味有境界的诗作。先看《旅思》"栈石星饭的岁月，／骤山骤水的行程，／只有寂静中的促织声，／给旅人尝一点家乡的风味"，共八句平淡的诗，起承转合，写寻常景色旅程，却深切感人，宛如唐宋诗中五律七律的化身，让人想起温庭筠《商山早行》的"鸡声茅店月，人迹板桥霜"、陆游《旅思》的"废亭草满青骡健，野店灯残宝剑鸣"。还有《我

思想，故我是蝴蝶》，“我思想，故我是蝴蝶 / 万年后小花的轻呼， / 透过无梦无醒的云雾， / 来震撼我斑斓的彩翼”，有法国哲学家笛卡尔“我思故我在”的影子，也可见道家庄子“不知周之梦为蝴蝶欤，蝴蝶知梦为周欤”的影响，还学晚唐诗人李商隐的“庄生晓梦迷蝴蝶”。再如《秋夜思》的“谁家动刀尺？心也需要秋衣……而断裂的吴丝蜀桐，仅使人从弦柱间思忆华年”，不但学李白《子午吴歌》的“长安一片月，万户捣衣声。秋风吹不尽，总是玉关情”和《静夜思》，还有李贺《李凭箜篌引》的“吴丝蜀桐张高秋”和李商隐《无题》的“一弦一柱思华年”。而和浙地前贤孟郊《游子吟》题目相似的《游子谣》：“海上微风起来的时候， / 暗水上开遍青色的蔷薇。/——游子的家园呢？”却全是西方神话的底色。

戴望舒是个多情的人，不止对爱人，对友人也如此。他的《萧红墓畔口占》诗说“走六小时寂寞的长途， / 到你头边放一束红山茶。/ 我等待着，长夜漫漫。/ 你却卧听海涛闲话”，四句淡得几乎不像诗的诗，仿佛传统的绝句。这首诗的背景，先是 1941 年作者在香港沦陷的困境下，步行 6 小时，将只是约稿对象和文友的女作家萧红葬在浅水湾；后来他从狱中获释，婚姻再度失败，友人云散，又再次步行 6 小时只身来到萧红墓前，凭吊这位和自己一样爱情不幸身世可怜（萧和戴都有过三段婚恋，结局都不圆满）的天才作家。这首诗就像杜甫在“安史之乱”中误会李白已死而写的悼诗《梦李白二首》“死别已吞声，生别常恻恻”，“千秋万岁名，寂寞身后事”。诗中写两人沧桑，却熔铸了一段宏大历史、千万人的命运。生死距离是冰冷而无奈的，但友人的惺惺相惜纵然隔了生死也是温暖的。戴望舒的一生常是孤独的，就像他的笔名“望舒”——中国古典神话和《离骚》里写到的曲高和寡的月神，他最真的情感和最好的诗篇都少有真正的知音。不过，正如鲁迅给瞿秋白的题词说的“人生得一知己足矣，斯世当同怀视之”，他也有幸像李白得到杜甫、萧红得到他一样，有一位友情经得起生死考验的文学知音——施蛰存。

阅读链接：

孙玉石：《我思想，故我是蝴蝶》，北京大学出版社，2010年版。

北塔：《雨巷诗人——戴望舒》，浙江人民出版社，2003年版。

戴望舒：《戴望舒全集》（诗歌卷），中国青年出版社，1999年版。

祖屋在杭州水亭沚的施蛰存和戴望舒是同乡、同学。1922年，就像“湖畔诗人”的结社一样，考入杭州之江大学的施蛰存结识了还是中学生的戴望舒、张天翼等人，组成“兰社”，创办刊物《兰友》。后施、戴两人来到上海，有结伴留法打算。1927年，大革命失败，上海一片恐怖气氛，戴去松江施家暂住避难，一起翻译外国文学作品并写作。和施绛年的不幸情感使戴望舒写出了较早的出色篇章，但没有影响施、戴的友谊。后来戴望舒到法国留学，留在国内的施蛰存在经济上资助他，还在创作上鼓励、引导他，转告他国内有评论者说戴倡导象征派诗，当时新诗都摹仿他，希望他成为徐志摩之后的中国大诗人。正由于施蛰存在国内的不断推介，尤其是在他主持的《现代》杂志为戴望舒登载诗作，和戴在法国的学习、写作相得益彰。戴望舒终于成为出色的象征派、现代派诗人。古今文人多相轻，现代文学史上的无谓论争也很多，这样的文人相“亲”尤其难得。戴望舒去世后，施蛰存即使在十年浩劫艰难时世中仍记得为亡友出诗集的心愿。新时期戴望舒和徐志摩等现代诗人一起重回人们视野，施蛰存居功甚伟。

施蛰存一生学贯中西。文学创作除了现代派“新感觉”小说外，也写诗歌，主要是旧诗，一部《北山楼诗》，风格老辣。他有深厚的唐诗宋词功底，晚年还出过《唐诗百话》《宋元词话》《北山楼词话》等，所以他才能成为戴望舒的真正知音。

红色诗人殷夫：若为自由故

殷夫像

殷夫是1931年2月在上海被国民党特务秘密杀害的“左联五烈士”之一，其他四位烈士是胡也频、柔石、冯铿（女）、李伟森。象山小伙子殷夫出生于1909年（据王艾村《殷夫年谱》是1910年），牺牲时最多只有21岁。他原姓徐，又有笔名白莽。

“五烈士”中，柔石（赵平复）和殷夫是浙江人。5人的新文学创作也以他俩影响较大，宁海人柔石长于小说，殷夫善写诗。

近现代革命史上抛头颅洒热血的烈士不计其数，其中很多都是很有才华、前途无量的年轻人，为了心中的革命理想，甘愿舍弃年轻生命。只以浙籍新诗诗人为例，“湖畔诗人”应修人也在1933年牺牲于上海，潘漠华于1934年牺牲。

殷夫也较早就有牺牲自我的准备。很多人都会背诵引用匈牙利爱国诗人裴多菲的短诗“生命诚宝贵，爱情价更高。若为自由故，二者皆可抛！”这4句诗就是由殷夫从德语译文里转译的。殷夫19岁时在他大哥、留学德国的徐培根的德文书里看到了这首诗。当时中国已有不少大家对这首原名为《自由，爱情》的诗进行了翻译。周作人有“古典版”的译文：“欢爱自由，/为百物先；/吾以爱故，/不惜舍

身；/ 并乐斓爱，/ 为自由也。”茅盾有“白话版”的译文：“我一生最宝贵，/ 恋爱与自由，/ 为了恋爱的缘故，/ 生命可以舍去，/ 但为了自由的缘故，/ 我将欢欢喜喜地把恋爱舍去。”初出茅庐的殷夫因为很崇敬裴多菲、也很喜欢这首诗，便自己进行了翻译再创作，无心插柳柳成荫，他的译文竟被广泛赞扬、接受，后来更成为约定俗成的译法。这不但因为殷夫将诗巧妙地译成了富于声律美的五言绝句，语言又雅俗共赏，琅琅上口；还因为他在四句诗里加入了自己的思想，那是一个轻视死亡、向往自由、神采飞扬、锐气横生的年轻灵魂，轻灵跳荡的口吻、豪迈爽朗的性情几乎呼之欲出。难怪这么多年过去了，这四句诗仍活在人们心底口头，不但因为裴多菲，还因为和裴多菲一样爱国爱自由的殷夫。

殷夫出身小康，父母开明。他是幼子，和三个哥哥都受过良好教育。两个哥哥任国民党军中高官，尤其大哥徐培根对他期待甚深。1923 年，在象山已受到新思想影响的殷夫被大哥接到上海读初中，14 岁的他开始新诗创作，有组诗《新脚时代的足印》八首，虽还有些幼稚，却已初次表露了为理想献身的坚决无畏。1925 年五卅运动中，殷夫积极参与。1926 年他在高中加入共青团，走上革命之路。1927 年，“四一二”反革命政变爆发，殷夫第一次入狱，囚禁了三月，险些被枪决，最后被大哥保释。殷夫在狱中写下的长诗《在死神未到之前》说：“朋友，有什么呢？革命本身就是牺牲，就是死，就是流血，就是在刀枪下走奔！”“同志们，快起来奋争，你们踏着我们的血、

骨、头颅，你们要努力地参加这次战争。”再次表露了对牺牲的无惧。此后，他考入同济大学补习德文，并成为了一名共产党员。1928年，殷夫参加了共产党人蒋光慈、钱杏邨等组成的文学团体“太阳社”。此年秋，殷夫第二次被捕。他出狱后还一度转移到象山。1929年他又回到上海。此年夏天，殷夫参加罢工斗争中第三次被捕，他没有再让大哥保释，被关了一段时间，受了几次毒打，终于获释了。

鲁迅就是此时第一次见到了还不到20岁的殷夫。殷夫死后5年，1936年3月11日，一个寒冷的春雨之夜，殷夫的浙江同乡和忘年交、革命青年作家的导师鲁迅因为他和殷夫的一个共同旧友来信让他为殷夫遗诗《孩儿塔》作序，被勾起了深长的回忆。这一晚鲁迅深夜独坐，为小朋友（相对于殷夫这个像职业革命家的名字，鲁迅更习惯称他白莽这个更像诗人的笔名）写了《白莽作〈孩儿塔〉序》,文中回忆说：“他（殷夫）的年青的相貌就又在我的眼前出现，像活着一样，热天穿着大棉袍，满脸油汗，笑笑的对我说道：‘这是第三回了。自己出来的。前两回都是哥哥保出，他一保就要干涉我，这回我不去通知他了。……’”这就是定格在鲁迅脑海中的永远年轻的殷夫。

1930年左联在上海成立，殷夫是发起人之一。1931年1月，殷夫参加党内秘密会议，因人告密，与柔石等人被捕。狱中，殷夫还帮柔石学德文。很多人都认为这只是殷夫的第四次被捕而已，鲁迅也相信很快有一天殷夫会再次来到眼前，笑笑说“这是第四回了”。可惜，当时历史情况很复杂，虽然有很多人在营救他们，结果措手不及，2月7日晚，殷夫、柔石等20多人被秘密杀害于上海龙华的荒野里。1933年，“左联五烈士”两年祭时，鲁迅在著名的杂文《为了忘却的记念》里怀着深深悲愤回忆说，1931年2月“忽然得到一个可靠的消息，说柔石和其他二十三人，已于二月七日夜或八日晨，在龙华警备司令部被枪毙了，他的身上中了十弹”。真是晴天霹雳，难怪鲁迅当时会写下七律《无题（惯于长夜过春时）》说“忍看朋辈成新鬼”。

到 1936 年，五年了，鲁迅一直难以忘却这个热情、充满生气的小朋友，他痛惜殷夫离去太早，于是在《白莽作〈孩儿塔〉序》里说“一个人如果还有友情，那么，收存亡友的遗文真如捏着一团火，常要觉得寝食不安，给它企图流布的”，很想为殷夫的遗诗出版做点事。

殷夫的诗不是雅正优美的，也不讲求语言和风格，正如鲁迅所说 :“这《孩儿塔》的出世并非要和现在一般的诗人争一日之长，是有别一种意义在。这是东方的微光，是林中的响箭，是冬末的萌芽，是进军的第一步，是对于前驱者的爱的大纛，也是对于摧残者的憎的丰碑。一切所谓圆熟简练、静穆幽远之作，都无须来作比方，因为这诗属于别一世界。”鲁迅真是殷夫的知音。殷夫出于“若为自由故，两者皆可抛”的热情天真憧憬，把革命的红色鼓动诗引入自己创作中，追求口号式，要有煽动力，如他写于“五卅运动”中的《血字》“我是一个叛乱的开始，我也是历史的长子，我是海燕，我是时代的尖刺……”，真是神采飞扬。再如他写给兄长的决裂诗《别了，哥哥(算作是向一个“阶级”的告别词吧！)》，也是感染力很强。还有他写于 1929 年的《让死的死去吧！》:“让死的死去吧！他们的血并不白流……他们光荣地死去了，我们不能向他们把泪流……让死的死去吧！他们的血并未白流……”革命中总是需要牺牲的，再次传达了自己的无惧死亡。殷夫的这些诗确和同时“新月”派和现代派诗人的诗属于两个世界。

鲁迅确是很了解殷夫，除了为他写《诗序》，连裴多菲的译

诗也是鲁迅在他的书中发现的。这样的惺惺相惜是因为他们都是“越（文化）之子”。就以《孩儿塔》集中的《孩儿塔》一诗为例，其实就是鲁迅提倡的浙地乡土小说在新诗中的表现。诗中的“孩儿塔”本是浙地普通古塔，民间传说使它负载了县官为推行封建孝道杀死无辜顽童的阴暗沉重底色、背景，殷夫借此表达了和鲁迅一样的“救救孩子”的反封建意识：“你们为世遗忘的小幽魂……哟，你们有你们人生和情热，也有生的歌颂，未来的花底憧憬。”而在鲁迅眼中，“孩儿塔”也是很适合的意象，可以寄托对无辜被杀、还是孩子的殷夫的缅怀。

智言慧思

这一片湖/该是我的家乡，（春天，堤上/繁花如锦幛，嫩柳枝折断/有奇异的芬芳）我触到/荇藻和水的微凉。

——戴望舒《我用残损的手掌》

阅读链接：

殷夫：《孩儿塔》，人民文学出版社，1984年版。

王艾村：《殷夫年谱》，上海文艺出版社，2010年版。

倪墨炎：《鲁迅旧诗探解》，上海书店出版社，2002年版。

九叶之穆旦：传奇家族的传奇诗人

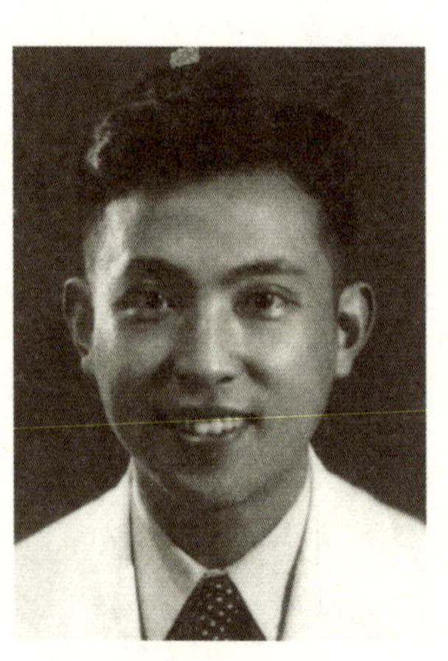
青年穆旦像

“九叶诗人”包括穆旦等九人，和“新月”诗人陈梦家、孙大雨还有现代派诗人戴望舒等，都曾一度被历史遗忘，而在20世纪80年代又重新被发现。他们的出色诗歌才华、深沉爱国情感、感人生平事迹在重重尘埃下依然熠熠生辉。随着对“九叶诗人”及诗的了解渐多，人们也日益发觉穆旦其人其诗的传奇色彩，不少人推崇他是中国现代新诗第一人、现代最好的诗人，其中有穆旦同辈人、诗坛前辈，也有年轻人。近年，穆旦的爱国主义力作《赞美》更被选入高中教科书，这首意象繁复多变、抒情含蓄甚至可说稍显晦涩、格局凝重宏大、和孩子们以往接触到的晓畅新诗不太一样的作品却得到了他们由衷的喜爱。这不是错爱，《赞美》是穆旦少年时所作，也许这也是吸引年轻人的重要原因之一吧。当然，穆旦诗的气势开阔浑然、内涵厚重深邃、语言精粹耐读更是不容置疑的。

何为“九叶”？“九叶诗派”是抗日战争后期和解放战

争时期（1938—1946）一个有现代主义倾向的新诗流派，萌生于 1938 年北京大学、清华大学、南开大学三校西迁昆明组成西南联大时，成员半数曾是联大学生，他们在此受到新诗诗人如闻一多等人的现代派诗歌思想影响，开始诗歌创作。1946 年，联大师生回到北平、天津等地。20 世纪 40 年代末，后来的“九叶诗人”中的杭约赫、辛笛、陈敬容（女）、唐祈、唐湜等在上海创办《中国新诗》杂志，与此时在北方的穆旦、杜运燮、郑敏（女）、袁可嘉遥相呼应，一起宣扬现代诗潮。这是“九叶诗派”正式形成的标志。世事多变，直到 1981 年，9 位诗人的诗作才由其中几位硕果仅存的诗人选编出版，名为《九叶集》，引起巨大轰动，改写了很多年轻人的诗歌理念。此后，“九叶诗人”和“九叶诗派”这个迟到了数十年的称号才算尘埃落定。此时，穆旦已于 1977 年病逝。“九叶”中有三个浙江人，除了祖籍海宁的穆旦，还有慈溪袁可嘉和温州唐湜。

20 世纪 40 年代战火纷飞的大时代中，“九叶诗人”顺应时代的心声，倡导“人的文学”“人民的文学”，诗里不见无病呻吟、纤巧柔媚，写小小书斋、花草虫鱼也折射出时代和历史的风云光影。还努力将现实主义和现代派艺术进行了有机融合，所以“九叶诗”既有广阔深远的时代感、历史感，营构了恢宏广袤的历史时空，很多形象具有“中华民族”“中国人”的深刻内涵，富于强悍生命力；也有独立鲜明的个体形象，体现了广泛反映现实与深度开拓内心的统一，注重锻造新奇的意象和境界。“九叶诗”是戴望舒和“新月”后期诗人之后中国新诗在学习现代派艺术的进程中更进一步的重要体现。正如穆旦说的“平衡把我变成了一棵树”，“九叶”很好融通了坚持民族性和学习现代派艺术关注现实和讲求艺术的平衡关系，才长成参天大树。

“九叶”中那重要的“一叶”穆旦（1918—1977），原名查良铮，是海宁查氏家族后裔，生在天津。

海宁查家是明清以来浙江乃至江南有名的文华世家、书香望族。清初，查氏盛极

一时，查慎行和弟弟等七人是进士，其中五人是翰林，有“一门七进士，叔侄五翰林”之说，皇帝还赐给“唐宋以来巨族，江南有数人家”的赞语。查慎行是清代“浙派诗”宗师黄宗羲的弟子，又是“浙西词派”大家朱彝尊的表弟。他任翰林时作诗说“臣本烟波一钓徒”，皇帝就赐名“烟波钓徒查翰林”，可谓佳话。可惜皇恩无常，查氏家族成也才子、败也才子，多次被文字狱、政治斗争牵累，受到冲击。康熙初，查继佐就曾卷涉入惨烈的“明史案”。清雍正四年（1726），查慎行已退隐家乡多年，堂弟查嗣庭卷入“考题案”，查家和浙江读书人再次元气大伤。此年，查嗣庭出的考题先有“雍正”之“正”，后有“止”字，犯了大忌。民间更传说他是以《诗经》里的“维民所止”为题，“维止”寓意雍正去头。查嗣庭病死狱中后仍遭戮尸枭首。亲族、弟子多人受株连。查慎行身为家族之长以失教之罪被逮入京，放归后不久去世。

查慎行入朝为官后，曾随军队到西南，又曾随驾去东北，饱览南北风光，襟怀开阔，多有纪游怀古之作。如他的凭吊北宋往事的怀古诗《汴梁杂诗》“千秋疑案陈桥驿，一着黄袍遂罢兵”很有见地。他的诗有才气，技巧也纯熟而朴素自然，很有表现力，浙派诗人殿军袁枚曾有《论诗绝句》称赞查慎行这位浙派前辈的诗：“他山（查慎行的号）书史腹便便，每到吟诗尽弃捐。一味白描神活现，画中谁似李龙眠？”说他满腹诗书，写诗时却不被书袋子拖累，还说他是诗中的白描高手，一如艺术功力深厚的北宋大画家李公麟，一片性灵，深得浙派神韵。赵翼《瓯北诗话》则认为查慎行是“香山、放翁后一人而已”，说他学白居易和陆游的白描朴实现实风格。还认为查慎行是清诗代表，可列在李杜苏陆之后。查慎行一生像陆游那样写了一万多首诗，后删削为 4600 首，仍可谓汪洋恣肆，无论是数目还是内涵，所以后日查氏家族后辈金庸小说《鹿鼎记》的回目都是集查诗中的对句，诗人作品数量多、内容丰富才便于集句。

诗人的命运仿佛会遗传。查良铮也继承了查氏先祖的诗歌才华及朴实有力的表现方式。他的祖父是清末官员，家中多藏书，包括查慎行著作。查良铮受家族文化濡染，打下深厚的古典文学功底，6 岁就能诗文，11 岁开始新诗创作，16 岁时第一次以“穆旦”之名发表作品。这个笔名就是将姓上下拆分，得到“木旦”两字，取其谐音，写成“穆旦”。也有寓意学习家族先贤的意思吧。无独有偶，日后穆旦的同族兄弟查良镛将名字中的“镛”字左右拆分，得到“金庸”两字为笔名，也是不忘家族之本之意。

穆旦少年时，正是抗战爆发前夕，他所在的京津危机四伏。穆旦曾有《哀国难》诗倾吐了忧患意识和爱国激情，虽稚嫩，却也沉挚。1935 年他考入清华大学，从地质系转入外文系，继续关注外国现代派诗歌。

来看穆旦在西南联大和中国远征军中的经历。1937 年“七七事变”后，穆旦作为护校队成员先随大学南迁长沙，1938 年 2 月又在闻一多等教授带领下，和两百多名老师同学组成“步行团”，徒步跨越湘、黔、滇三省，全程 3500 里，历时 68 天，抵达昆明，可谓文化苦旅、长征。这段“西征”的日子对年轻的穆旦影响很大，离开城市，走过鲜活的华夏山水、真正的乡土中国，他关注生活在其中、“流着汗挣扎，繁殖”的坚韧不屈的中国人民。穆旦后来立志要做“中国诗人”，就和此时经历大有关系。此后，在昆明，穆旦在闻一多等教诲下，开始系统了解西方现代派诗歌，创作发生蜕变，走向更成熟的诗境界。他发表了《赞美》《诗八首》等代表作，成为真正的诗人。

1940 年穆旦从联大毕业，留校任教。到 1942 年 2 月 24 岁的他响应“青年知识分子入伍”的号召，毅然投笔从戎，参加了中国入缅远征军，在杜聿明第五军部下，

阅读链接：

穆旦等：《九叶集》，江苏人民出版社，1981 年版。

陈伯良：《穆旦传》，世界知识出版社，2006 年版。

高秀芹、徐立钱：《穆旦：苦难与忧思铸就的诗魂》（跨文化沟通个案研究丛书），文津出版社，2007 年版。

以中校翻译官的身份进入缅甸抗日战场。同年 5 月至 9 月的 4 个月间，穆旦经受异常严峻残酷的心身考验，亲历滇缅大撤退的历史性时刻，这段不寻常的人生历练使他的诗有了更大蜕变。当时，由于战局变迁，第五军无奈退入野人山，穆旦这个书生也和战友一样踏上亡命之途，后有日本追兵，前面是茫茫丛林。他绕过战友的尸体，忍受着无尽的疲惫，还有丛林里的种种危险如痢疾、蚂蟥、蚊子，以及可怕的饥饿。他曾断粮八日。最后他幸运地带病逃出野人山，徒步到达印度。1945 年，他写了《森林之魅——祭胡康河上的白骨》等诗篇，缅怀了这段铭心刻骨的岁月，哀悼了永远留在 3 年前的战友们。

穆旦后也和陈梦家一样放弃了写诗，一心翻译。他的大部分诗篇都源自战乱岁月的青春回忆，诗里的穆旦是永远年轻的。如他的代表作、写于 1941 年的《赞美》，是 1938 年那次“西征”在他脑海里留下的永恒印象。诗中喟叹：“走不尽的山峦和起伏，河流和草原，数不尽的密密的村庄，鸡鸣和狗吠……在忧郁的森林里有无数埋藏的年代。它们静静地和我拥抱：说不尽的故事是说不尽的灾难……我有太多的话语，太悠久的感情，我要以荒凉的沙漠，坎坷的小路，骡子车，我要以槽子船，漫山的野花，阴雨的天气，我要以一切拥抱你，你，我到处看见的人民呵，在耻辱里生活的人民，佝偻的人民，我要以带血的手和你们一一拥抱。因为一个民族已经起来……”有人把穆旦比成杜甫，不是溢美之词，从他诗中爱国情愫之深看，穆旦的确可当此誉。

艾青的自我蜕变：乡土歌颂者

青年艾青像

艾青（1910—1996）和写新诗的同乡前辈，如“新月派”的徐志摩、现代派的戴望舒，都曾留学欧美，但他不是学文学，而是学绘画。这使他在一众红色诗人中显得非常独特。不过，留学法国、近距离接触现代派诗歌的经历，还有绘画的功底，都是艾青成为眼界开阔、技艺精湛的大诗人的重要原因。

艾青对自己的出身是痛恨的，这倒并不全是因为他后来接触了革命思想所以对地主出身感到耻辱，而是他从小的遭遇加深了他对那个阶级的厌恶。艾青原名蒋海澄，生于金华的一个地主家庭。因母亲难产，算命的又说他“克父母”，为了避祸，他生下来就被送到一个农妇家抚养，5 岁后才得以回家，此后仍受冷遇，只能管父母叫“叔婶”。不过艾青很幸运，那个淳朴的农妇、他的奶娘真心喜欢爱护他，使他得到了真正的“母爱”。

这个无名农妇，只能跟从艾青的诗称呼她“大堰河”，这是方言“大叶荷”的谐音，因为她是童养媳，没有名字，是大叶荷村人，就被叫成“大叶荷”。这是个没有文化却心胸宽广、善良的女性，正是因为有了和“大堰河”血脉相融的联系，艾青的人生里、诗中多了很多深沉的底色，让他一生受用无穷，正像穆旦在“西征”时走过中国西部的千山万水得到的历练。“大堰河”的形象也是真实而且无比重要的，

她是艾青的乳母，也是中国万千民众的象征，就是穆旦在《赞美》中写到的那些“在耻辱里生活的人民，佝偻的人民”。“大堰河”给予艾青的不只是生命的乳汁，最初的亲情温暖，她给予艾青良多，就像她代表的这一方祖国、浙江家乡的土地能给予的。

所以，在 1933 年（一说 1932 年）冬天的一个“雪朝”，艾青已留学归来，因在上海参加了“左翼美术家联盟”、从事革命活动而被捕入狱。透过监狱狭小冰冷的窗，看到漫天的雪，艾青想起了“大堰河”温暖、宛如故乡乡土般的怀抱，于是诗情喷薄而出，自然流畅，如同许多年前浙地前贤贺知章在阔别一甲子后回到家乡时的《回乡偶书》、孟郊见到离别已久的母亲时的《游子吟》，只是这次的倾吐倾诉长了很多很多。艾青在狱中写了一首长诗《大堰河，我的保姆》，透过自己的童年、和“大堰河”血脉相融的感情，写了乡土的凋敝、民众的苦难。这首诗，也是浙江乡土文学的重要一分子。

这首长诗虽是自叙体，却并不狭隘自恋，尤其年轻的艾青感情热烈而自然，倾诉流畅而又委婉含蓄有节制，能够轻易击中读者心底最柔软的部分。艾青是真诚的，他在诗中频频说，“我是地主的儿子；也是吃了大堰河的奶而长大了的”，表达了对死去的奶娘和乡土给予自己良多的无限感激，还有深深无以报答的愧疚。在诗的最后，艾青更是说“大堰河！今天，你的乳儿是在狱里，/ 写着一首呈给你的赞美诗，/ 呈给你黄土下紫色的灵魂，/ 呈给你拥抱过我的直伸着的手，/ 呈给吻过我的唇，/ 呈给你泥黑的温柔的脸颜，/ 呈给你养育了我的乳房，/ 呈给你的儿子们，我的兄弟们，/ 呈给大地上一切的，/ 我的大堰河般的保姆和她们的儿子，/ 呈给爱我如爱她自己的儿子般的大堰河。/ 大堰河，/ 我是吃了你的奶而长大了的 / 你的儿子，我敬你 / 爱你！”在这样的诗句中，年轻的艾青终于完成了心灵的洗礼、灵魂的蜕变，脱去迷惘，多了坚定，再次确定了自己的身份和责任。

这是艾青第一次用这个笔名发表诗歌，就以真情征服了诗坛。到他 1935 年出狱，次年出版的第一本诗集也叫《大堰河》，可见“大堰河”这个乡土意象对艾青的意义之不寻常。

到 1938 年，艾青又有一首非常著名的诗《我爱这土地》。“假如 / 我是一只鸟，我也应该 / 用嘶哑的喉咙 / 歌唱：这被暴风雨 / 所打击着的 / 土地，这永远汹涌着 / 我们的悲愤的 / 河流，这无止息地 / 吹刮着的 / 激怒的 / 风，和那来自林间的 / 无比温柔的 / 黎明……——然后 / 我死了，连羽毛 / 也腐烂在土地里面。为什么 / 我的眼里 / 常含泪水？因为 / 我对这土地 / 爱得深沉……”他把自己这个诗人比成一只歌喉嘶哑的鸟儿，坚守在这片灾难深重的土地上，奋力歌唱，直到死去，血肉羽毛都留在这方土地也心甘情愿，因为对这方土地“爱得深沉”。正如他对这土地和土地的代表“大堰河”“爱得深沉”。

“大堰河”诗碑

正因为艾青对祖国、乡土“爱得深沉”，所以《大堰河——我的保姆》和《我爱这土地》后来都被选入教科书，教育滋养了数代人的爱国爱乡情操。

“大堰河”对艾青的哺育在于给了温暖的童年和健全的人格，教给他“深沉的爱”。而浙江

文化给予艾青的还有很多，如艾青在 1928 年进入杭州国立西湖艺术学院（即今中国美院前身）绘画系，由于天分出众，得到校长、著名画家、教育家、中国现代美术启蒙者和奠基人、曾留学法国的林风眠的鼓励，于是在次年到法国勤工俭学。在法国，他不但学习绘画，还学习了最新的欧洲现代派诗歌，打开了眼界，也从另一角度更深领悟了中国古典诗词“诗中有画，画中有诗”的意蕴。日后，艾青的诗里多绘画雕塑的感觉，如《大堰河》诗中那些色彩和姿势“泥黑的脸颜”“你拥抱过我的直伸着的手”，这对他的诗的表现力多有助益。

抗日战争爆发后，艾青和家乡渐行渐远，到汉口、重庆等地参加抗日救亡运动，从事革命文艺宣传。1941 年，他毅然赴延安，从此笔下更多北国山水，如《北方》：“我爱这悲哀的国土它的广大而瘦瘠的土地，带给我们以淳朴的言语与宽阔的姿态，我相信：这言语与姿态坚强地生活在大地上，永远不会灭亡；我爱这悲哀的国土古老的国土呀，这国土养育了那为我所爱的世界上最艰苦与最古老的种族。”虽然地分南北，他对祖国土地的爱仍和《大堰河——我的保姆》《我爱这土地》的情感和内涵一脉相承，只是从“乡土的歌者”变成更广泛的“土地的歌者”，不过，仍是“爱得深沉”，这是“大堰河”教给他的，童年的记忆永生不变。

阅读链接：

吴福辉：《中国现代文学发展史》（插图本），北京大学出版社，2010 年版。

艾青：《艾青》，人民文学出版社，2006 年版。

骆寒超、骆蔓：《时代的吹号者——艾青传》，浙江人民出版社，2005 年版。

秀文异彩

浙江的散文史，特别值得自豪。一部现代散文史，半部在浙江。文人学士大量涌现，名篇佳作层出不穷。

引 言

浙江文学源远流长。晋室南迁，士人随之迁往江南，浙江便是重要落足之地。中原文化随之而来，北方文风与本地文学交汇，遂成浙江文学之初兴，王羲之、孔稚珪、沈约等一批散文家涌现。

唐宋时期浙江散文获得快速发展。唐代古文的兴起与浙江散文的发达，使浙江文学到达一个更高层次。南宋文化中心搬到江南，杭州又是江南的核心，浙江文学极一时之盛。

明清时期至近代，浙江散文发展先声夺人，继续呈现繁荣景观，并向现代创作转型。文人学士大量涌现，名篇佳作层出不穷。

浙江的现代散文史，特别值得浙人自豪，汇聚了大量的文学精粹创作。可以说，一部现代散文史，半部在浙江。

充满谜语的古籍

在各种古籍之中，散落着绍兴文化的闪光碎片，其中最大的一片，就是《越绝书》。“绝”者，为上古越方言“记录”的音译，又有断的意思，故这是一本有关于越国历史的断代记录。

这部书作于东汉，当时的著名学者王充将它列入五大名著之一。有关它的作者是谁，一直众说纷纭，有的说是子贡或者伍子胥写的。这两个作者的可能性是由《越绝书》开篇所提供的。里面写道有人认为这部书是子贡写的。子贡作为鲁国派出的使者，有的时候去齐国，有的时候去吴国，后来他谈论间经常用吴越之事作为比喻，听的人把他的话记下来，就是这本书了。还有一种说法是伍子胥写的。伍子胥心怀忠义，不忍让君上被谗言迷惑，使得社稷倾危，怨恨之下写成此书。或许有人觉得奇怪，怎么一本书的开头竟猜起作者来，著书者本人何在？其实古书大多在代代流传之中，被后人修订增删，这也是中国版本学别具一格的起因。这个开篇应当也是在修订过程中产生的。至于原版本如何，早已湮没为历史的尘埃。

还有一种说法更神秘，倒是比较符合《越绝书》的风格。明代杨慎从书名中看出猜谜游戏，认为其中有隐语，根据一番推论，认为是会稽袁康、吴平所作。这两位何许人也？遍翻史书，不得其录。连收录了大量不知名人物的《会稽典录》中也查不到。如此名书，当年就已名满天下，竟由两位无名隐士写就？颇不合情理。清人李慈铭就觉得十分荒谬。但是这种说法对后世影响深远，几成通说。大概明中期

阅读链接：
刘雪河：《〈越绝书〉书名释疑》,《中国地方志》，2001 年第 6 期。
王志邦：《〈越绝书〉再认识》,《中国地方志》，2005 年第 12 期。
贺双非：《〈越绝书〉的作者、版本及价值》,《图书馆》，2008 年第 4 期。

以后，隐语渐渐流行。尤其是小说家言，野史稗传，多用此春秋笔法，《金瓶梅》《红楼梦》都是较说明问题的例子。索隐派由此大行其道，深入人心。这种说法在此背景下产生，因此大有市场。

另外一种说法较接近历史真相，认为并非由一人完成，而是历经数朝，经多人之手，陆续完篇，其中倾注了不同时代的情感。南宋对此书修订颇多，同样有被征服的历史，同样有复仇之志，越王复国的故事与南宋的精神隐疾与追求暗合，因此受到重视。

《越绝书》作于战国后期，从今天的眼光来看，只是中长篇，然而其中包罗万象，熔铸了文史哲经和山川人物，可以说是古代地邑的百科全书。此书所涉广泛，体裁驳杂，《四库提要》说它“纵横曼衍，博奥伟丽”，其词并不过誉。

因为内容太繁杂丰富，《越绝书》很难被分类，现在的书籍分类乃是现代图书馆制度的一部分，成书越早，越难分类。

它常常被当作一部史书看待，写出了早期于越国消长的过程，并且通过记录人物活动，也涉及了春秋时期，和于越相邻的吴、楚的历史，特别是三国之间关系。在所有历史文献中，对于越国的历史，《越绝书》所载最为丰富权威。

它还被看成是我国地方志的老祖宗。书中记载了于越国和句吴国的国都形态，周围的地理环境，包括山川分布、城池交通、农田水利、矿山工场，乃至宫殿陵墓的分布，十分详尽。于越乃会稽山地，句吴处太湖流域，这两个地区的地貌特征因此保

存了下来。当时记载时间已经在战国后期，对比现在，没有太大改变，因此对考古、历史地理学等学科具有特别重要的作用。

它还是一部兵书。从战略和战术上讨论了吴越争霸的历史背景和两国的政治、经济、军事等多方面力量对比。对排兵布阵、武器装备、运输辎重等方面都有涉及。

它还讨论了如何发展国民经济，进行交通布局，发展畜牧业、养殖业、手工业的设想。它描绘出于越国的手工业分布地图，以山阴城为中心，遍布冶金、船业、伐木、山林和经济作物等，不同城市不同职能。

越絕書
外傳本事
問曰何謂越絕越者國之氏也何以言之按春秋序
齊魯皆以國爲氏姓是以明之絕者絕也謂句踐時
也當是之時齊將伐魯孔子恥之故子貢說齊以安
魯子貢一出亂齊破吳興晉彊越其後賢者辯士見
夫子作春秋而畧吳越又見子貢與聖人相去不遠
脣之與齒表之與裏蓋要其意覽史記而述其事也
問曰何不稱越經書記而言絕乎曰不也絕者絕也

《越绝书》书影

另外，它当然还是一部极富文学性的作品。许多人把它当小说来读。书中所体现的于越民族那种强悍智慧的民族文化心性、神秘古老的社会习俗，无不令人悠然神往。

《越绝书》行文晦涩，还有人发现，它是会意体谜语的老祖宗。

此外，音韵学、地理学、考古学、风俗学、版本学等各门学问，都可以从中找到资料。学者们从中找到先秦的思想资料，又用它与其他典籍互为佐助，彼此印证，这部书内容之丰富可见一斑。上古神书，大多类似。

这部书向来被人重视，历代都有抄本、刻本，版本很多，被编入许多丛书、文卷、杂编等形式文集中，今有《四部备要》本与多种点校本。

神秘浪漫的吴越别史

《吴越春秋》是一部十分有趣的书。有人说它是别史，也有人称为历史散文，还有人说这是演义小说。无论如何，它具备较强的文学性和可读性是勿庸置疑的。今人还据此拍了电视连续剧，创作了剧本等等。

此书乃东汉赵晔所撰。其书今存十卷，主要叙述吴越争霸的故事，前五卷以吴为主，后五卷以越为主。

有人将其分类为史，因它在体例上兼具编年体和纪传体史书的特点，书中重要事件的发生年代都有明确标示，但与其他史书对比查证后，发现这些标出的年代大多有误，因此只好称它为别史。又有人说它是历史演义小说的雏形，因它有主要线索，即吴越争霸。在主线索之外生发出各章，每章各有叙述要点，相对独立。但各章之间又被主线索牵引成篇，有着现代小说的叙事框架。

此外，书中所述，与其说是历史，不如说是故事。这些事，在正史中也有影子，确有其人其事，然而在《吴越春秋》之中，都经过了演绎。或加入传说，或添加想象，添油加醋，多了不少细节，当然生动性、可读性也加强了不少，弥补了正史干巴巴的缺点。

正史叙事，往往简明扼要，点明时间、人物、地点，大致勾勒事情即结束。以文采著称的《史记》,写伍子胥列传只用了百来字,重点说他逃亡途中渡江、乞食两节。太史公当然抓得住要害，两个要点即传子胥之神。但《吴越春秋》又进一步作了小说家式的发挥，把字数增加了七百多字，设置出环环相扣、紧张抓人的情节进程。司马迁只提及击绵女,《吴越春秋》却对这个配角加以发挥，对她的身世详加交代。书中渔父与击绵女为了保护伍子胥，都自杀身亡。这样震撼人心的结局是《史记》不敢妄然下笔的，然而《吴越春秋》为了阅读效果，却可以这样做。

这部书还有一个重要的意义，它记留了许多浙江的神话传说和民间故事。神话对于一个民族历史与文化传承来说，别有要义。中国有正式的历史记载以前，大多是神话历史，之后名教正统，荒村野话渐成野狐禅。后人能够在古书中发现神话的痕迹，当如获至宝。

《吴越春秋》中留存的神话极具浪漫主义色彩，越离奇越有含义，越荒诞越有研究价值。书中将吴越两国的祖先来历，结合入姜嫄“履大人迹”生后稷和夏禹娶涂山氏的传说。还有，公孙圣被杀之后，散入深山化为回声，吴王入山呼之，居然三呼三应。伍子胥、文种死后，“俱浮于海”，成为水上神仙。中国人对于历史人物的评判往往反映在对人物死后结局之中，死而化灵，实则赞扬两人生乃英雄人物也。

说它是一部志怪小说,亦有影子。因其中有大量神话色彩,书中世界也变幻迷离，人神可以沟通，人兽可以互易。袁公比剑，飞身上树，化为白猿，这类情节，至今读来眼熟，不仅后来志怪小说中可见其踪，后世武侠小说，乃至最近网络上十分流行的修真玄幻小说，都是从此一脉而来。

作为一部小说化别史，它的人物描写亦是非常成功的。书中的几位主要人物如伍子胥、范蠡、勾践等人形象都非常丰满，个性鲜明，跃然纸上。尤其是外貌描写，

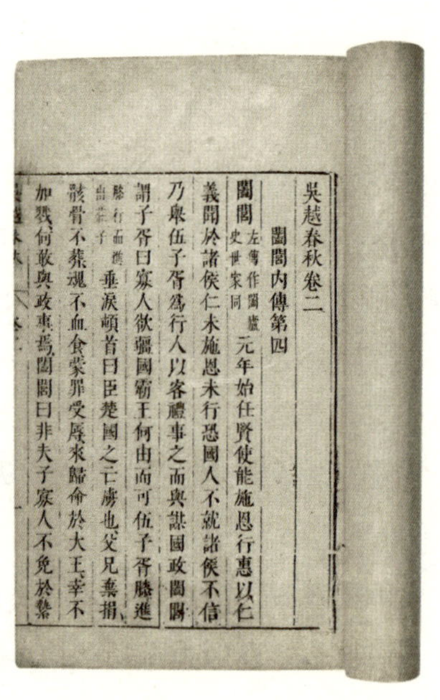
吳越春秋卷二

闔閭內傳第四

闔閭左傳作闔盧史世家同元年始任賢使能施恩行惠以仁
義聞於諸侯仁未施恩未行恐國人不就諸侯不信
乃舉伍子胥為行人以客禮事之而與謀國政闔閭
謂子胥曰寡人欲彊國霸王何由而可伍子胥膝進
膝行而進出莊子垂淚頓首曰臣楚國之亡虜也父兄棄捐
骸骨不葬魂不血食蒙罪受辱來歸命於大王幸不
加戮何敢與政事焉闔閭曰非夫子寡人不免於縶

《吴越春秋》书影

相由心生，伍子胥乃伟丈夫，“身长一丈，腰十围，眉间一尺”，好一位身高体壮、眉目开朗的大丈夫。著名刺客专诸当然是勇士，书中写他“碓颡而深目，虎膺而熊背”。白喜（伯嚭）生性残忍嗜杀，就写他“鹰视虎步”。以外貌衬托性格的写法，在《吴越春秋》以前，还没有被大量应用过，算是创举。后世被广泛借鉴，几成定例。近代武侠小说反其道而行之，越瘦小柔弱武功越高，也是因为这种描写方式被用了太多年太多次之后，为了增加阅读兴味，只得反用之，其实模式未脱以貌写心这一套路。

东汉另有一部奇书《越绝书》，也是写吴越争霸这一段历史，后人会不由自主将两者并列比较，互相印证。不过，《越绝书》

较为驳杂，除了历史，还有地理专章，还讲占气等等，不如《吴越春秋》可以当一部情节连贯的小说来读。不过，这两部书在吴越文化上的特点都非常鲜明。吴越之民与神话共生，颇具神秘色彩，他们崇尚勇武，敢剑轻死，这些地域文化色彩在这两部书中都有着强烈的反映。两部书的作者都是吴越人士，由吴越之士写吴越之史，有些荒诞不经也可以理解了。

智言慧思

为什么 / 我的眼里 / 常含泪水？因为 / 我对这土地 / 爱得深沉……

——艾青《我爱这土地》

无意苦争春，一任群芳妒。

——（南宋）陆游《卜算子·咏梅》

阅读链接：

曹林娣：《论〈吴越春秋〉中伍子胥形象塑造》，《中国文学研究》，2003 年第 3 期。

曹美娜：《〈吴越春秋〉作者赵晔生平解说与考证》，《重庆工业大学学报》，2009 年第 9 期。

于淑娟：《〈韩诗外传〉与〈吴越春秋〉中要离传奇的文本考察》，《东疆学刊》，2005 年第 4 期。

山水总动员：对假名士的一篇檄文

提到南朝时期的骈文,《北山移文》是必提之作。

这篇文章由孔稚珪所写，其人生于 447 年，卒于 501 年。他的名字有时也写作孔珪,字德璋,会稽山阴（今浙江绍兴）人。刘宋时,曾任尚书殿中郎。齐武帝永明年间,任御史中丞。499 年,迁太子詹事。死后追赠金紫光禄大夫。他支持征讨北魏，曾为此上书。

孔稚珪在世时就富有文名，豫章王萧嶷的儿子曾请沈约和孔稚珪写作碑文，可见他在上层社会中颇获认可。史书上说他“不乐世务，居宅盛营山水”，“门庭之内，草莱不剪”，有点特立独行。而且他对皇帝喜欢的人也从不稍假宽容，其弹章劾表，著称一时。

孔稚珪本人放浪形骸，对“身居江湖，心存魏阙”的假隐士当然痛恨。为此，他写下著名的骈文作品《北山移文》，痛快淋漓地揭露了这类假隐士的面目，极富讽刺性，且行文间锋芒毕露，极尽挖苦之能事。

《北山移文》的“移文”,即“檄文”之意,用来批评声讨他人。北山，据历史地理学家考证，即为钟山，在建康城（今南京市，南朝京都）以北，故名北山。声讨谁呢？声讨“周子”之流先隐后官、假终南捷径以求功名利禄的行为与嘴脸。

有关周子的身份，学界有不少争论，从唐代起就论辩不绝，直到最近，还有不少论文专门讨论这个问题。《北山移文》能够引起历代如此热议，也从侧面说明这篇文章的流传之广、影响之大。

较普遍观点认为，“周子”叫周颙，字彦伦，有文才闻名于世，曾任剡令。后来又当过长沙王后军参军、山阴令，还担任过国子博士，不可谓不热衷官事。在五臣注《文选》中，吕向说：“其先，周彦伦隐于北山，后应诏出为海盐县令。”

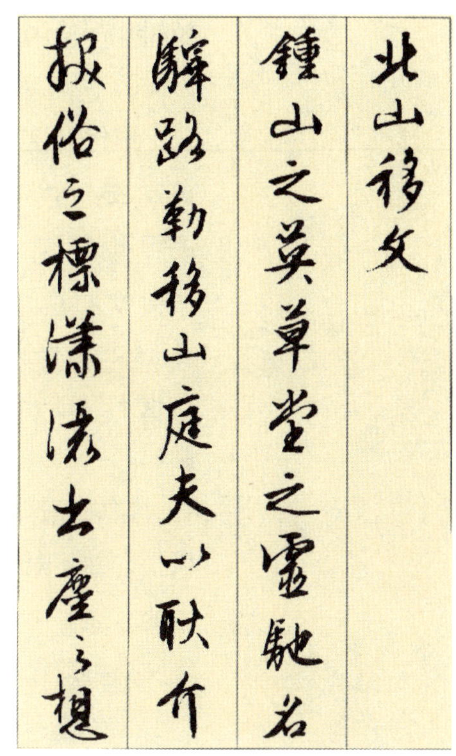

明　文徵明行书《北山移文》

文章有点游戏之作的味道，通篇夸张。比如写周子隐居北山时的清高而不可一世之态，“将欲排巢父，拉许由，傲百氏，蔑王侯，风情张日，霜气横秋”，挖苦之极。全文用北山之神的口气，拟人化的手法，对周子极尽讽刺之能事，说他“先贞而后黩”，判若两人。这位隐士一旦蒙诏，就丑态百出，以至于“形驰魄散，志变神动”，媚态毕露。还写他居官之后如何上捧下踩，热衷吏务，原来入隐是为了出仕。

对这位假隐士真官迷深恶痛绝的当然是作者本人，但文章拉来了北山的山神、明月、青松、白云、涧石和钟山的一草一木以壮声势，最后全山总动员，将钟山的芳杜、薜荔、碧岭、丹崖、蕙路、渌池，以及岫幌、云关、轻雾、鸣湍，甚至连树

枝树叶都使用上，一起把周子骂得狗血淋头，发誓再不让他踏入此山半步。谁让他负了这里的清风明月?

历代对这篇文章的评论很多，清人许琏所说较为中肯，他说，这是六朝时代极具雕绘的作品，立意文字都仔细考量，字字句句精辟，最妙的地方是在衔接之处转折得法。而且虽然遣字用句十分仔细，却没有一语拾人牙慧，前后对比，立意愈显。

《北山移文》对后代影响颇大。后人说它是“唐人轨范”，这也不算过分。宋人宋白的《三山移文》，就明显地受到它的影响。

像周颙这样的情况，自两晋以来比较普遍，因此此文笔锋所指，并不限于具体某人，实为针对所有以隐居经历为入仕资本的官迷。中国的隐士文人传统，历来厌恶热衷仕途之人，这篇文章可谓代表之作。

阅读链接：

吴正岚：《论孔稚珪的隐逸观念和宗教信仰的关系——兼论〈北山移文〉》，《南京大学学报》，2001 年第 6 期。

王瑶：《论希企隐逸之风》，见《中古文学史论》，北京大学出版社，1998 年版。

王运熙：《孔稚珪的〈北山移文〉》，见《汉魏六朝唐代文学论集》，上海古籍出版社，1981 年版。

完美的散文

《兰亭集序》最为出名之处，在于它的书法。其实它行文亦佳妙，文学性也很强。无论从主题、内容、行文、书法，它都臻于至妙。世上近乎完美之作大多难以存世，也难怪其原本行踪渺渺，难以追寻，成为千古悬念。

东晋名士聚居会稽山的山水之间，谈玄论道，放浪形骸。王羲之曾在会稽山阴的兰亭（今绍兴城外的兰渚山下）召集这些名流高士雅集。其中有司徒谢安、辞赋家孙绰、矜豪傲物的谢万、高僧支道林及王羲之的儿子王献之等人。

兰亭雅集的主要内容是“修禊”，此乃古俗。农历三月上旬的巳日（上巳日）到水边袚祭，用香草蘸水洒身，祈春去疾。

《兰亭集序》最主要的内容就是记叙了三月三的名士雅集，其中最著名的项目就是曲水流觞，后世文人对这个风雅的游戏倾慕不已，模仿吟咏不绝。小溪蜿蜒，四十二名士列坐水边，由书僮将斟酒的羽觞放入溪中，溪流时舒时缓，杯子顺流而下，停滞在谁的面前，就由谁吟诗作赋，否则罚尽觞中之酒。据文中记载，有十一人各成诗两首，十五人成诗各一首，十六人作不出诗各罚酒三杯，王羲之的小儿子王献之也被罚了酒。清代诗人曾作打油诗取笑王献之：“却笑乌衣王大令，兰亭会上竟无诗。”

有曲水流觞，又有诗，有诗则可成集，诗集又必得有序，于是公推王羲之为序。当时他薄酒微醺，鼠须笔，好蚕纸，心手相应，挥洒自如，写下了二十八行、

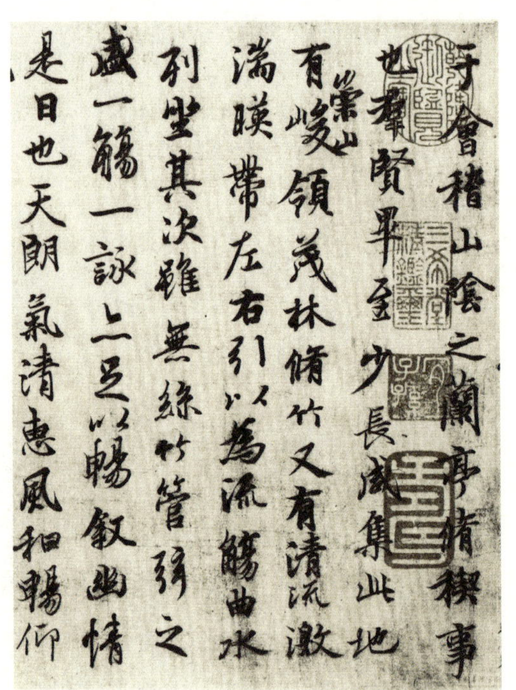

东晋　王羲之《兰亭集序》局部

三百二十四字。也就是被后人誉为“天下第一行书”的《兰亭集序》。

《兰亭集序》表现了东晋名士的共同理念。文章极其酣畅，叙事夹议，描景纵情，文笔变化多端，富有思辨。先交代时间、地点、人物、事件，将文人游戏写得令人悠然神往，把兰亭山水渲染成人间极境，同时神思悠悠，享受人间清乐。后半部分乐极生悲，从美景良友，却引发人生苦短、终有一散的忧思。快乐有时尽，生命有时尽，兴味有时尽，欢乐之后，各种虚妄，东晋名士们的虚无感总是如影随形。人事变迁，历史变幻，伤春悲秋之后，作者却没有沉沦，而是在时不我待之际，接驳文脉，前载古人，后引来者。

读毕全篇，情绪随作者一起跌宕起伏，见景心喜，喜极生悲，

悲尽兴来。笔随心声，忽而舒缓，忽而激越，丝丝相扣，极尽起伏之能事。整篇文章情绪极其饱满，一气贯成，气势之间有温婉，温婉之间有转折，转折之下线索连贯。其文气正如其书法，既摇曳多变又互相配合。所言者，从人生至乐而人生至悲。所写者，一代文人至雅而颓之情怀。所表者，文人趣味、韵味与情味。所书者，中国书法的登峰之作。此文，接近完美。

《兰亭集序》一问世就是公认的至宝，王氏家族一直秘密珍藏。直传到他的七世孙智永，他少年时在绍兴永欣寺出家为僧，三十余年来，一直临习这份真迹。智永和尚无后，临终前将《兰亭集序》传给弟子辩才。辩才对《兰亭集序》极其珍爱，将其密藏在阁房梁上，从不肯示人。唐太宗得知宝迹所在，派监察史萧翼把这份珍宝骗到手。得宝之后，唐太宗命欧阳询、虞世南、褚遂良等书家临写。以冯承素为首的弘文馆拓书人，也奉命将原迹双钩填廓摹成数副本，分赐皇子近臣。我们现在所见的多种摹本，即出于此。据说唐太宗死后，侍臣们遵照他的遗诏将《兰亭集序》真迹作为殉葬品埋藏在昭陵。

阅读链接：

陈浩：《兰亭学述略》，《绍兴文理学院学报》，2009 年第 1 期。

陈雅飞：《中国大陆〈兰亭序〉真伪论辩回顾》，《浙江大学学报》，2004 年第 3 期。

李洲良：《钱钟书对“韵”的阐释》，《北方论丛》，2003 年第 6 期。

字字珠玑的写景经典

在古代散文传统中，书信乃是重要一格。不少文学家都借书信抒怀，为文体之一种。不少书信流芳至今，实是散文中的精品。

南朝梁著名文学家吴均就写过一封这样的骈体信件，叫《与朱元思书》。吴均（469—520），字叔庠，吴兴故鄣（今浙江安吉县）人。他曾担任过闲职文官，一生散淡。他创有吴均体，以描写自然景色为能事，山川溪石，在他笔下成就特别的美景，被时人所模仿，一时成为风气。

《与朱元思书》篇幅短小，全文不过 144 字，却将富春江边风光写尽了，中国文字之玄妙，尽显于此。

《与朱元思书》意境图

因其短小，不妨将原文照录于下：

风烟俱净，天山共色。从流飘荡，任意东西。自富阳至桐庐一百许里，奇山异水，天下独绝。

水皆缥碧，千丈见底。游鱼细石，直视无碍。急湍甚箭，猛浪若奔。

夹岸高山，皆生寒树，负势竞上，

互相轩邈，争高直指，千百成峰。泉水激石，泠泠作响；好鸟相鸣，嘤嘤成韵。蝉则千转不穷，猿则百叫无绝。鸢飞戾天者，望峰息心；经纶世务者，窥谷忘反。横柯上蔽，在昼犹昏；疏条交映，有时见日。

美文如画，一开始就绘出一个大背景，“风烟俱净，天山共色”，高格调开篇已定。忽然又插入一句寄托了人类情感的“从流飘荡，任意东西”，此为神来之笔，缥缈之间又维贯文气，成为千古名句。

在淡淡背景之上，画出缥碧的水，急如箭的水流猛浪，再添游鱼细石，画面生动了，有了变幻。

水上添山，山上加树，山与树互相衬托，再与泉石呼应。再加动物，愈加生动。好鸟鸣蝉，猿啼鸢飞，一切都活了起来，连山都有了生命力。“千百成峰”，石亦有奋发的生命之力。

全文似乎单纯写景，然而却极含蓄地传达了淡泊名利的隐士风范。“鸢飞戾天者，望峰息心；经纶世务者，窥谷忘反。”轻轻两句插入，浑无痕迹间，已明心志。

骈文主要特点是以四六句式为主，句式两两相对。这是一篇骈文，骈四俪六，基本上遵循了骈文的文体要求，但大量对偶。比如“泉水激石，泠泠作响；好鸟相鸣，嘤嘤成韵”“蝉则千转不穷，猿则百叫无绝”。取得了极为上口的节奏感。意象表达颇为精到。整篇文章疏密相间，诵读之间，可以感觉到节奏多变，忽而紧张，忽而舒缓。一百多字，如一泻而下，则无余味，如处处阻滞，则扫兴乏味。其间的节奏一唱三叹，正是恰到好处。骈文大都注重藻饰和用典，但这篇文章却遣词清丽，几乎没有用典，自然浑成，读之令人忘俗。

阅读链接：

施永庆：《吴均行年著述考略》，《山东师范大学学报》，1999 年第 5 期。

黄崇浩：《吴均生平与著述考索》，《文献》，1998 年第 4 期。

李文良、张宇华：《山水佳作骈体典范——赏析〈与朱元思书〉的写作艺术》，《名作欣赏》，2010 年第 11 期。

笔下深情胜于千军万马

《与陈伯之书》是南朝梁文学家丘迟写的一封著名的劝降信，是当时骈文中的优秀之作。

公元 505 年，梁武帝要北伐，让临川王萧宏领兵前往。到了寿阳，有北魏大将陈伯之屯兵于此，与梁军对垒不下。萧宏就让自己的记室丘迟以个人名义给陈伯之写信，劝他反出北魏，投降梁军。《与陈伯之书》就此出世。

丘迟是吴兴乌程人，也就是今天的浙江湖州。8 岁就能写文。最早在南齐当官，以秀才的身份升任殿中郎。就是在南齐，丘迟与陈伯之曾经同殿为臣，一个是文官太中大夫，一个是武将冠军将军、骠骑司马。也因为这段渊源，萧宏才让丘迟写信给陈伯之。丘迟后来又仕梁，梁武帝很欣赏他的文才，颇器重他，让他担任永嘉太守、司空从事中郎等职。丘迟虽有才名传世，但留下的诗文不多，《与陈伯之书》是当时经典，也是他留给今人不多的精彩作品之一。

丘迟与陈伯之不仅曾是一朝同事，而且一文一武，都闻名于世。丘迟少年时即文名满天下；陈伯之则从小膂力过人，少年时好武尚勇，不肯好好从事农活，平时游手好闲，农熟的时

候就仗刀抢劫，长大了还当过海盗。陈伯之少一只左耳，就是当海盗时遇到骁勇的船主被砍掉的。陈伯之武艺高强，好勇斗狠，当时的南齐车骑将军王广之是他同乡，他就前去投奔参军，果然英勇善战，屡屡博得军功，积功升为将军、司马。

陈伯之先是齐臣。齐朝的东昏侯萧宝卷继承皇位之后，大行昏政，不管北魏逼国甚急，把抗魏名臣尚书令萧懿给杀了，怕他家人报复，又派人刺杀当时在雍州当刺史的萧懿之弟萧衍。萧衍就是后来的梁武帝。刺杀未成，萧衍不能坐以待毙，被迫起兵造反。萧宝卷让陈伯之带兵平叛，谁知陈伯之反而被萧衍劝降，成为梁将。可是他仕梁之后，又朝秦暮楚，想叛回南齐。不久，梁把齐给灭了，梁武帝还给陈伯之封了官，让他当丰城县公、征南将军、江州刺史。可惜这位莽夫无知无识，哪懂治理城邦，把政务弄得一塌糊涂。他生怕梁武帝为此处罚他，再次叛出南梁，投奔北魏，带着八千士兵，屯兵寿阳，正好又遭遇了梁武帝派出的伐魏军队。

这番历史要想讲清楚颇为不易，一员大将投来降去，奔波于三个政权之间，关系纠结。但也正因为他以前的历史如此，梁朝可知此将虽猛，却是个反复小人，可以诱之以利，晓之以理，外加军事威胁，不战而屈其兵。丘迟此信，应此而写。

陈伯之固然勇猛，却不识字。丘迟了解这点，他给陈伯之的这封信也写得相当明白易懂，如当面陈述。书信虽然采用骈体，但是极易上口，合辙押韵，对仗工整。丘迟十分了解陈伯之的经历，对症下药，句句都落在对方的个人前途和故国之情上面，分析陈伯之现在的处境，说出了他心中隐忧，字字打在心坎上。对陈伯之的现状，有目的地逐层分析，赏其才，痛其过，忧其身，望其归。诚挚恳切，都是为对方考虑的话。可谓循循善诱，无一句虚言。最后申明南梁政策，保证陈伯之归降之后人身安全、荣华富贵。既有利害陈述，又有感情召唤，娓娓而谈，都是知心话，无可辩驳。这封信所围绕者，无外乎一个“情”字，特别选取可以打动人的、满含深情的细节入文，让陈伯之感觉写信人完全与他同一立场，是在帮他弃暗投明，挣得前

程。陈伯之一听之下，立即拥兵来降。丘迟也因这封信立下大功，升了中书郎。

《与陈伯之书》之所以有名，不仅是写得好，效果佳，而且它在文学形式上也有独特之处。它是富有音韵美的骈文，但基本没怎么使用典故。全文基本上使用了偶体双行的四六句式，但参差有致，变化摇曳，富有音乐性与节律感。突破了古板的定式，而且克服了南朝骈文形式华美、内容空洞的弊病。言之有物，情动于衷，具有独到之处。

智言慧思

时来天地皆同力，运去英雄不自由。

——（唐）罗隐《筹笔驿》

阅读链接：

阮爱东：《丘迟年谱》，《湖北大学学报》，2002 年第 4 期。

方永耀：《感人肺腑的骈文杰作——读丘迟〈与陈伯之书〉》，《名作欣赏》，1980 年第 2 期。

山风：《情理所至金石为开——丘迟〈与陈伯之书〉赏析》，《语文教学通讯》，1984 年第 5 期。

当战争消弭历史间，檄文还在

作为中国人，很少有人不知道那首脍炙人口的诗《鹅》:“鹅，鹅，鹅，曲项向天歌。白毛浮绿水，红掌拨清波。”这就是骆宾王的作品。

中国有神童文化，骆宾王就是其中著名的一个，号称 7 岁能诗。他是婺州义乌人，为初唐四杰之一。他曾担任临海县丞，所以骆临海也是他的指代。

他出生于 640 年左右，什么时候去世的，找不到记载。武则天光宅元年，也就是 684 年，李敬业起兵征讨武则天，骆宾王担任其秘书，代为起草了著名的《讨武氏檄》。李敬业兵败之后，骆宾王的下落众说纷纭，难有定论，不同史书记载颇为不同。其一说是被杀。另一说是逃亡。还有一说投水自尽。不过流传最广的，却是他到灵隐寺出家为僧了。其人踪迹渺渺，当然也无法得知具体卒年了。

骆宾王少有才名，却怀才不遇，落魄一生。但他的诗文成就很高，否则也无法在初唐四杰中占一席之地。他的诗文，在唐中宗时就被编辑成集，流传天下。

除诗的成就之外，他的文章也写得十分佳妙。这篇《讨武氏檄》，就极为著名。《讨武氏檄》是现在通行的篇名，真正的原名是《代李敬业传檄天下文》，但不如前者铿锵有力，人所共知，现在也不妨用之。

武则天临朝称制之后，想进而登位称帝，她的企图天下昭然，当然引起唐室忠臣反弹。李敬业打着故太子李贤的旗号，在扬州起兵倒武。骆宾王成为入幕之宾，当上了艺文令，也就是起草各种文书的职位，因此军中文檄，皆出其手，这篇檄文也不例外。

阅读链接：

骆祥发：《骆宾王全传》，上海人民出版社，2011 年 10 月版。

莫山洪：《论骆宾王文学思想及对其骈文创作的影响》，《柳州师专学报》，2005 年第 3 期。

谢亚鹏：《成也性格败也性格的骆宾王》，《文史天地》，2010 年第 5 期。

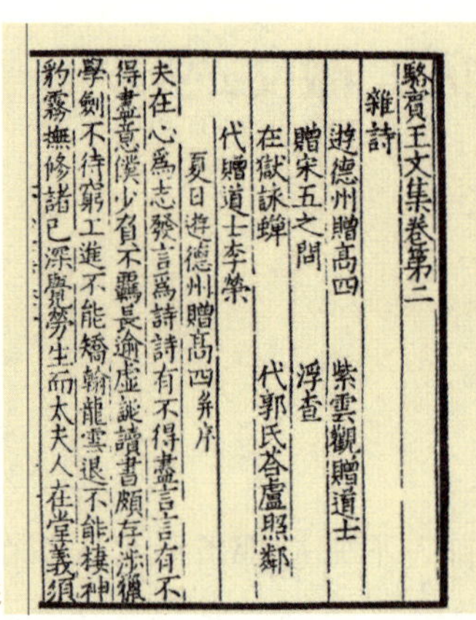

駱賓王文集

四部叢刊集部

駱賓王文集卷第二

雜詩

遊德州贈高四　紫雲觀贈道士

贈宋五之問　浮查

在獄詠蟬　代郭氏荅盧照鄰

代贈道士李榮

夏日遊德州贈高四并序

夫在心爲志發言爲詩詩有不得盡言言有不得盡意僕少負不羈長逾虛誕讀書頗存涉獵學劍不待窮工進不能矯翰龍雲退不能棲神豹霧撫修諸已深覺勞生而太夫人在堂義須

《骆宾王文集》书影

《讨武氏檄》不仅大骂武则天弄权残亲、广为株连的残暴，更抒写了在武则天政权之下骆宾王本人长期郁郁不得志、受压抑遭压迫的不满心情，可谓一次总爆发。文章立论十分迂腐，不过是维护李唐正统，进行人身辱骂。然而铺陈慷慨，说理分明，论据充分，行文更是琅琅上口，号召天下，极富煽动力。作为文章来欣赏，其形式极富美感，事理昭然，理直气壮，气势夺人，辞句脆利。难怪闻一多以诗人的自觉，认为骆宾王文如其人，必是“天生一副侠骨，专喜欢管闲事，打抱不平，杀人报仇，革命，帮痴心女子打负心汉”之人（《宫体诗的自赎》）。

作为檄文，它历数武氏之罪，读来惊心动魄，连武则天本人也不免动容。据《新唐书》记载，此文流布天下，武则天初观此文，尚谈笑自如，当读到“一抔之土未干，六尺之孤何托”句时，拍案惊奇，问身边人这篇檄文是谁写的，叹道：“有如此才，而使之沦落不偶，宰相之过也！”通常引用此典，是说明武则

天肚量之大，爱才心之盛，然而也可说明此文感染力之强，才气之充沛，令人心折。

一千多年前写的这篇檄文流传千古，至今琅琅在人口上，而李敬业的讨武之征，在军事史上却难觅其踪。其战由一文而存之，真乃文章千古事也！

全文不长，句句经典，兹录于下：

伪临朝武氏者，性非和顺，地实寒微。昔充太宗下陈，曾以更衣入侍。洎乎晚节，秽乱春宫。潜隐先帝之私，阴图后房之嬖。入门见嫉，蛾眉不肯让人；掩袖工谗，狐媚偏能惑主。践元后于翚翟，陷吾君于聚麀。加以虺蜴为心，豺狼成性。近狎邪僻，残害忠良。杀姊屠兄，弑君鸩母。神人之所共嫉，天地之所不容。犹复包藏祸心，窥窃神器。君之爱子，幽之于别宫；贼之宗盟，委之以重任。呜呼！霍子孟之不作，朱虚侯之已亡。燕啄皇孙，知汉祚之将尽。龙漦帝后，识夏庭之遽衰。

敬业皇唐旧臣，公侯冢子。奉先帝之成业，荷本朝之厚恩。宋微子之兴悲，良有以也；袁君山之流涕，岂徒然哉！是用气愤风云，志安社稷。因天下之失望，顺宇内之推心。爰举义旗，以清妖孽。

南连百越，北尽三河；铁骑成群，玉轴相接。海陵红粟，仓储之积靡穷；江浦黄旗，匡复之功何远！班声动而北风起，剑气冲而南斗平。喑呜则山岳崩颓，叱咤则风云变色。以此制敌，何敌不摧？以此图功，何功不克？

公等或居汉地，或协周亲；或膺重寄于话言，或受顾命于宣室。言犹在耳，忠岂忘心。一抔之土未干，六尺之孤何托？倘能转祸为福，送往事居，共立勤王之勋，无废大君之命，凡诸爵赏，同指山河。若其眷恋穷城，徘徊歧路，坐昧先几之兆，必贻后至之诛。请看今日之域中，竟是谁家之天下！移檄州郡，咸使知闻。

隐士的梦

顾况《仙游记》乃是名文，但是评价一直不算很高。了解中国文化传统的，一眼就能看出，这篇文章，是对陶渊明《桃花源记》的模仿。钱钟书在《管锥编》中说它是刻意模仿，而“风致远逊”。郭预衡也说它不是创新之文。

事实上，陶渊明的名篇《桃花源记》自从问世以来，对中国文化与文学的影响可谓深远之极，大量仿作纷纷问世。从当时到现在，都不断有人探寻桃花源究竟位居何处。《仙游记》虽属于此类，但对于浙江而言，它有特殊的意义。因其所反映人事心态，都在这块土地、在这个区域历史传统之下发生的，作者的寄托，也发生在特定的背景之下。研究《仙游记》，可以得知当时的区域历史面貌。

凡有这类文章，必有人考证文中所记到底何处。《仙游记》里提到，就在“瓯闽之间”，迷路的砍柴人误入其间，看到农田、泉竹、果药、连栋架险，还有300余户人家。根据其中的描写，平阳人认为写的是自己家乡，民国时期的《平阳县志》收入此篇，算是认领了出处。描写中，最具识别性的就是那句“连栋架险”，那不就是廊桥吗？由此，意见比较集中，顾况所写的仙乡，应

華陽真逸遺像

顧華陽集 逋翁公像 十 雙峰堂

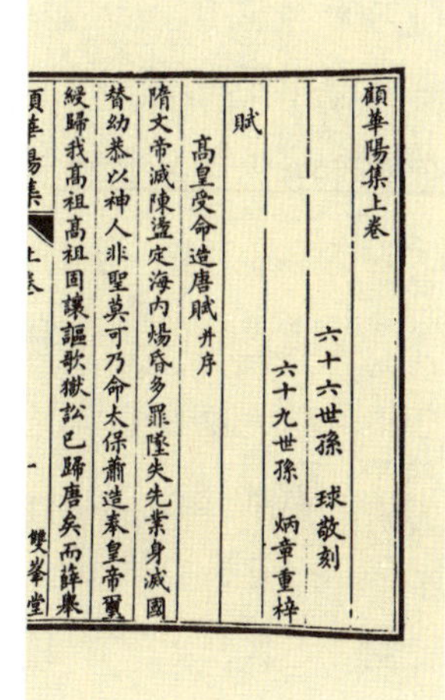

顧華陽集上卷

六十六世孫 球敬刻

六十九世孫 炳章重梓

賦

高皇受命造唐賦并序

隋文帝滅陳盪定海内煬昏多罪墜失先業身滅國

替幼恭以神人非聖莫可乃命太保蕭造奉皇帝璽

綬歸我高祖高祖固讓謳歌獄訟已歸唐矣而薛舉

顧華陽集 上卷 一 雙峰堂

同治元年重刊

顧華陽集

雙峰堂藏板

《顾华阳集》书影

是如今泰顺县的仙稔乡仙居村。

仙居这个地方，从名字就可以知其处。神仙居处，历来是理想的归隐之处。许多名门望族，都慕名全族迁居于此。因此仙居的归隐与耕读文化传统十分深厚。唐代的温州地处僻远，与外界沟通极少，在当时是一个极富神秘色彩的地方，因此作为世外桃源，颇为合适。其实，谁都知道，仙乡不过假托。顾况不过把他生活中所见的场景采集起来，描绘出一个不存在的地方。不过，从中倒也可以看出，唐代就已经有廊桥存在。

顾况是唐人，诗书画鉴赏都十分在行。生于开元十五年（727），卒于元和十年（815）。他平生与人唱酬颇多，因此事迹多可见于众人诗作之中，这亦是历史学家考证人物生平的重要路径。大历六年（771），他到永嘉任盐官，就在任上，写了《仙游记》，这也是泰顺人认为写的就是自己身边村落的重要依据。顾况还写有一篇《莽墟赋》，内容差不多，只是主角的名字不同。

从顾况的另一些文章，比如《释祀篇》《祭裴尚书文》等可以观察到顾况写作《仙游记》时的心情。当时他在温州，眼见洪水、灾疫等等给人民造成的痛苦和种种惨状，他一方面记下了人民生活的困苦，另一方面又幻想有一处乐园供人安乐，在那里，没有“人情之险鄙，征税之愁辛”，人民安居乐业。

桃花源的梦，总无断绝，从今人仍然痴心寻觅现实中的桃花源就可得知。历代文章，多有此类题材，亦说明现实无情，不得已而仙游！

智言慧思

夫三尺童子至无知也，指犬豕而使之拜，则怫然怒。今丑虏，则犬豕也。堂堂天朝，相率而拜犬豕，曾童稚之所羞，而陛下忍为之耶？……臣备员枢属，义不与桧等共戴天。区区之心，愿斩三人头，竿之藁街。然后羁留虏使，责以无礼，徐兴问罪之师，则三军之士不战而气自倍。不然，臣有赴东海而死耳，宁能处小朝廷求活耶？

——（南宋）胡铨《戊午上高宗封事》

阅读链接：

（唐）顾况：《顾况诗集》，江西人民出版社，1983年版。

朱金城：《顾况及其诗歌研究》，福建师范大学2007年硕士论文。

郑顺婷：《论顾况的题画诗》，《井冈山大学学报》，2006年第3期。

一清如水的陆贽

陆贽像

陆贽是唐德宗李适的肱股之臣。李适还是太子的时候，就听说了这位陆先生的人品才名。德宗刚登基时，很想中兴唐室，就将陆贽调任为翰林学士，后来又升祠部员外郎，参与中央决策。

陆贽，生于天宝十三年（754），卒于永贞元年（805），浙江嘉兴人。18岁就中了进士，登博学宏词科。其人律己极严，非常正派，作风谨慎到可谓慎笃。为了怕人讲闲话，平时不通宾客，任何财务过手均不留一文。欧阳修《新唐书》里有一则记载，讲的是陆贽早年的一件事。陆贽曾在华州任县尉。某次回老家探母，途经寿州，按规矩礼节性地拜访寿州刺史张镒。张镒早闻他的名声，料定他今后必然有大出息，招待甚周。临走之前，还送了一大笔钱财。中国人说话婉转，张镒只说“请为母夫人一日费”，意思是东西不多，是孝敬伯母的，使得陆贽无从推却。陆贽虽然年轻，却无论如何不肯收下。双方推让良久，陆贽见对方难以下台，“敢不承公之赐”，拿了一团茶叶。当时陆贽不过一小小郑地县尉，长官赐物，他能够如此坚辞，非一般人所能做到。

德宗登基时间长了，日渐荒谬，视天下为财库，当皇帝的也有私欲。但心腹陆

阅读链接：

宁薇：《论陆贽的文学思想》，《牡丹江大学学报》，2010 年第 12 期。

田恩铭：《陆贽与中唐文学》，陕西师范大学 2005 年硕士论文。

高洁：《陆贽和他的骈体公文》，《秘书》，2005 年 10 月期。

贽却极其清廉严正，使得当君上的也不好意思伸手。皇帝于是私下悄悄地对他说："内相（陆贽时任中书侍郎同平章事），你也太清廉，简直太偏执了，地方官送些土特产是人情之常，你拒收的话，会驳了对方的脸面。一些小东西嘛，收下也无妨。"陆贽一听，半点情面也不留，当即反驳说："陛下！不可如此！小小的东西收下了，以后不免送起金玉来。贿赂的路子一开，就再难禁绝了。地方官来套交情，如果和他们私下往来，那么涓滴细流，必然成溪壑之灾。对于小官吏，小东西，小地方，就应当严禁这种风气。"

水至清则无鱼，这样的臣子，不但不容于朝中其他大臣，甚至难容于君上。他后来被人陷害，差点被李适处死。但他的官声才名实在太大，其人品天下皆知，皇帝怕犯众怨，改为流放四川。陆贽在四川忠州十年，闭关自守，一个人静静读书，许多人连他的面都没有见过。为了怕再遭奸人诽谤，白纸黑字的文章都不再写了。但他终究是关心黎民疾苦的文人，不能写议论文章，就收集民间医方，编成《陆氏集验方》五十卷。当时就刻印发行，流传至今。当时他流放的地方常有瘴气，百姓多病，陆贽此书，也算是解决实际问题。

皇帝不认同陆贽的真挚劝谏，一群宵小又围攻造谣，想要不被放逐，怎么可能？陆贽在边陲十年，德宗死后，顺宗接位，马上下诏让这位忠直的老臣子回到长安辅政。可惜，诏未至，人已亡，一代良臣，就此陨落。

陆贽从未自夸过文章如何，但他的文章与他的为臣之道一

样，影响深远。讲到中唐文学史，无法回避这个人物。作为举足轻重的大家，他最拿手的文体是骈文。由于长期从政，需要起草大量公文，他的许多名文都是公文，许多诏书都经他之手起草定稿。他擅长骈体公文，可以说，将这一文体推向了顶峰，成为最杰出的骈体公文代表人物。这些文章都是与时事政治有关，充满论辩色彩，逻辑严密，应用性强。而且晓之以理，动之以情，必要的时候，充分表达情感。德宗时，曾有藩镇叛乱，举国人心惶惶，他代君起草了罪己诏，其文曲尽情理，真挚动人。前线的将士听到诏书的宣读后，痛哭流涕，誓死效忠。叛乱者理屈词穷，失尽天下人心，只得上表谢罪。

陆贽的大量奏议，本身就是非常好的政论文，长达数千字，甚至洋洋万言。文中对于时局剖析分明，议论精当。能够把道理阐述明白，分析问题见肉见血，本身就有着非常感人的力量。再加上以骈文写就，音韵锵然，读之如行云流水，更增气势。比如《均节赋税恤百姓六条》《论裴延龄奸蠹书》，都是千古名文。

陆贽不算是古文家，本人也以骈体见长，但他的文章体现出向散文转化的趋向。贞元八年（792），他主持进士科试，韩愈、欧阳詹、李观等 8 人登第，时称“龙虎榜”，后人称之为“天下第一”，而他便为韩愈等人座师。从他取士的眼光来看，也可知其文不执著典故，不崇尚词藻，而是鞭辟入里，以深刻透彻见长。从文体意义来说，他改造了骈文，将其从美文写作转换到应用文写作，《陆宣公奏议》就是典型例子。他对骈文的改革，对后来韩愈的古文运动有着启发性的作用，宋朝苏轼等人的奏折写作，也受其正面影响。

不第才子的奇书

讲到唐代浙江的文士，有一个无法回避的人物，他就是罗隐。罗隐，字昭谏，号江东生，浙江新城（今富阳新登）人。罗隐本来名罗横，多年科举不第，忧忿灰心之下改名为隐。生于唐文宗大和七年（833），卒于梁太祖开平三年（909）。

罗隐自20岁参加第一次科举，到55岁最后一次应试，皆不中。罗隐的才名在其年幼之时即闻名于江浙。从古至今，著名才子之所以屡试不中，大都有一个共同点，即直言敢语。罗隐屡次在试卷中放笔时疾，颇为朝廷所忌，被认为是不宜当官，无法取中。当然，他的出身不够显贵，也是原因之一。他的祖父罗知微，曾担任福建福唐县令，其父罗修古，未有一官半职，因此罗隐可以说是出身庶族。

罗隐长相丑怪，也妨碍了他在仕途上的发展。据说当时宰相郑畋的女儿很喜欢罗隐的诗，手不释卷。有一次罗隐去府上拜访郑相，她听说后偷偷去看这位著名才子，结果大倒胃口，连罗隐的诗文都从此不看了。古人无照片，只能通过这些故事想象他的相貌。貌乃天生，却成为一生隐痛，对于罗隐而言，何其痛苦。

罗隐的人生经历与满腹才华交织，使得他愤世嫉俗，又诙谐讽刺。他的半生颠沛、仕途坎坷、穷愁失意，种种寄人篱下之凄惨，都成就了他的诗与文。在诗文之中，他保留着精神世界的独立不驯，成为广大寒族士子的心声之鸣。

罗隐在文学史中的地位非常显著，虽然诗名亦盛，但相比之下他的讽刺性小品文则更具时代性。自选的杂文集《谗书》就是他杂文创作的代表之作。这个文集共五卷，六十篇，篇幅颇不小。当时他困居长安，按他自己的说法，是“上不中等，一第落落，传食诸侯，因人成事”(《谗书·投知书》)，不但仕途失意，连生存也成了问题，不免发不平之鸣。

为什么叫“谗书”呢？那是作者的自嘲、自讽、自伤。他说：“每个人的命运不同，同样一件事情，对于他人而言是荣耀，往往对我就是羞侮；他人能得此富贵，我却因此困穷。所以，我的这部书就是‘自谗’。”可贵的是，虽然他怀才不遇，谋生维艰，但他并没有自怨自艾，迁怒社会，将小小眼光圈定在个人命运之中，而是用非常积极的态度参与社会事务，心怀苍生，针砭时弊，落笔大胆，却并不偏激。这部书也因此传世，今天读来，仍然一唱三叹。他有《秋虫赋》：“物之小兮，迎网而毙；物之大兮，兼网而逝。网也者，绳其小而不绳其大。吾不知尔身之危兮，腹之馁兮，吁！”秋虫就是蜘蛛。蛛网虽韧，逮得住小虫子，碰到大虫子却完全不起作用，反而把织网的蜘蛛一起吃了。唉，蜘蛛，你可曾意识到这样对你有多危险？以虫喻国，以网喻法，短短两句，言尽于此。

罗隐不但看得出、而且写得出统治者的虚伪——济民是虚，窃国是实。如《英雄之言》，矛头直指刘邦和项羽。前人只看到这两位大英雄争夺天下的豪情，罗隐却看到他们以黎民苍生为刍狗、成就个人霸业的不仁。他笔下一环紧扣一环，逻辑严密，结论有力，发前人所未见，以讽刺为最大特色，写得情绪激愤、悲凉激切。他在《英雄之言》中写道：“视玉帛而取者，则曰牵于寒饥；视国家而取者，则曰

救彼涂炭。”偷东西的人，为自己辩解说是因为饥寒。把国家当成自己东西的人，却说他是上应天命，天应民心，救民于水火。

历代文人都对罗隐的《谗书》评价很高，元朝大德年间进士黄贞甫认为《谗书》“气节凛然，烨烨方册间，每以未睹全书为恨”，“读者当知公之气节尽在书，而不可以徒以文辞视例之”。还有与黄贞甫同时代的方回（《罗昭谏谗书》），为罗隐《谗书》作跋，称赞罗隐其文其人。沈德潜在所著《罗隐年谱·牟言》，首先就谈到“罗隐谗书多所讥刺”，罗洪称罗隐“人品之高，见地之卓，迥非他人所及”（《北江诗话》卷六）。

鲁迅的名篇《小品文的危机》，将罗隐的《谗书》作为晚唐小品文的代表之作。章培恒、骆玉明主编的《中国文学史》也给《谗书》很高的评价：“晚唐讽刺短文写得最好的就是罗隐，而《谗书》是罗隐讽刺短文的结晶。”刘开扬在所著《罗隐评传》称单以《谗书》而言，罗隐可以称之为晚唐小品文第一人。是否第一，不能妄言，但罗隐《谗书》所表现出的那种思想的光彩和讽刺的锋芒足以让罗隐名垂青史。

阅读链接：

刘开扬：《罗隐评传》，复旦大学出版社，1995年版。

（清）吴任臣：《罗隐传》，中华书局，1984年版。

鲁迅：《小品文的危机》，见《鲁迅杂文集》，春风文艺出版社，1997年版。

苏轼在浙江的散文创作

北宋大诗人苏轼曾两次到浙江为官，出任杭州通判、杭州知府和湖州知州。在浙期间，写下不少散文。在杭州时写的，较为有名的是希望为杭州百姓做些实事的《杭州乞度牒开西湖状》。此文因西湖被淤泥所堙塞大半，景致全失，所以他上书要求清淤，复开西湖盛景。文章说："杭州之有西湖，如人之有眉目，盖不可废也。"然后举出西湖不可废的五大理由，对杭州的发展有极大的影响。《钱塘六井记》记述协助知州疏浚六井，造福百姓，解决了杭州百姓常饮用近海苦水的民生问题。更多的是为浙江百姓消解灾难，上书求朝廷发放粮米，解救灾民。《奏浙西灾伤》两状都是讲到浙江粮米的事。

《墨妙亭记》《三槐堂铭》则是苏东坡在湖州所写。《墨妙亭记》记述了当时有位地方官很喜欢碑刻，专门修了一个亭子，将僵仆断缺于荒陂野草之间的石碑收集起来，是谓"墨妙亭"。文中最精彩的一段是：

> 或以谓余，凡有物必归于尽，而恃形以为固者，尤不可长，虽金石之坚，俄而变坏。至于功名文章，其传世垂后，乃为差久。今乃以此托于彼，是久存者反求助于速坏，此即昔人之惑，而莘老又将深檐大屋以锢留之，推是意也，其无乃几于不知命也夫。余以为知命者，必尽人事，然后理足而无憾。物之有成必有坏，譬如人之有生必有死而国之有兴必有亡也。虽知其然，而君子之养身也，凡可以久生而缓死者无不用；其治国也，凡可以存存而救亡者无不为，

阅读链接：

（北宋）苏轼：《东坡志林》，青岛出版社，2010 年 4 月版。

牧彤：《东坡三养》，《党史天地》，1995 年 12 月。

振如：《为民办实事的苏东坡》，《瞭望》，1991 年第 33 期。

至于不可奈何而后已。此之谓知命。是亭之作否，无足争者，而其理则不可不辨。

主题思想就是知天命而尽人事。

《三槐堂铭》也在湖州任上所写，是应学生王巩所请题写的铭词。三槐堂，是北宋初年兵部侍郎王祐家的祠堂，庭中有三棵槐树，乃王祐手植，王巩正是王祐的曾孙。为人题写的铭文不外乎歌功颂德，这篇文章除了行文流畅、挥洒自如以外，还贯穿着德行教育。认为王祐的子孙多贤德，正是仁善积德所致。文章夹叙夹议，用心良苦。

苏轼与大和尚们交往颇多，知杭州时，苏轼应怀琏弟子之请撰写了《宸奎阁碑》，将怀琏所宣扬的禅宗与心性之说贯通起来谈论，将禅、儒、道三者融合。怀琏算是苏轼最早结交的知名禅师，也正是通过他，苏轼接触到了真正意义上的禅宗，从此迷醉其间。苏轼任杭州通判时，甚至将父亲苏洵最喜爱的一幅由贯休所绘的罗汉图送给怀琏。怀琏老年在明州颇为困窘，苏轼得知后坐卧不宁，带信给明州知府请求照顾。怀琏圆寂之后，又为其写祭文。

另一位与苏轼交往极深的大和尚是辩才元净（1011—1091）。辩才先在杭州上天竺寺传法，后来又转去南山龙井。他虽然讲授天台教义，但是却特别看重西方净土法门。苏轼两次治杭，与他往来尤多，诗文中经常提到他。在《辩才大师真赞》中提到自己曾听大师说法。元净去世时，苏轼写了著名的《祭龙井辩才文》。

苏轼为人，极富情趣，他的文章亦有谐趣。

范仲淹留给浙江的“三记”

谈到范仲淹与浙江的渊源，必须要提到他在浙江所作的“三记”：写于睦州（今建德市）的“祠记”，写于越州（今绍兴市）的“堂记”，写于杭州的“塔记”。

北宋景祐元年（1034）四月，范仲淹谪官睦州，上任后非常重视教育，“大兴州学”。在市政方面，主持疏浚梅城西湖，修筑了南北堤坝，这也是“范公堤”的由来。公事之余，范仲淹寻访东汉隐士严光（字子陵）的遗迹及其后人，修建祠堂，为之写作《严先生祠堂记》。

宋　范仲淹手书《伯夷颂》

“云山苍苍，江水泱泱；先生之风，山高水长”，正是这篇祠记中的名句。先生之风，到底是什么风呢？是富贵不能淫的文人风骨，是独立于权贵的铮铮傲骨。范仲淹的名教思想与严光事迹中所显示的个性气质不谋而合。为严光立祠作记，大为褒扬，正是寄托了范仲淹的自身追求，最终要宣扬的是“而使贪夫廉，懦夫立，是大有功于名教也”。

“堂记”是指《清白堂记》，为范仲淹在越州任上所写。宝元元年（1038）十一月，范仲淹知越州（今绍兴市）。重视教育的范仲淹，一上任便兴教办学，延请名师，开办学堂。其间，他在卧龙山（今府山）蓬莱阁的西面发现了一口废井，将其淘澄之后，其水居然佳妙。文人习气发作，遂名之曰“清白泉”。又在井边上造了一个亭子，取名为“清白亭”，还把井东面原有的一座凉堂改名为“清白堂”，并为之亲撰一篇《清白堂记》，明说井水之清白，实落笔于为官做人之清白。

这篇文章的中心语汇就是“清白”两字。正如文末所要求的，来“清白堂”的人、登“清白亭”的人、饮“清白水”的人，都不可辱没“清白”两字。井有井德，官也有官德，都必须以清白为核心。井德“所守不迁”，官德亦是如此，心怀百姓的信念要信守不迁。井水“所施不私”，为官也要天下为公，不怀私心。文中说井德是“清白而有德义，为官师之规”，而且“绠不可竭”。“圣人画井之象，以明君子之道”，范仲淹在这篇“堂记”里所宣扬的“圣人”思想、“君子之道”，和他在《岳阳楼记》中所说的“古仁人之心”，“祠记”中所说的“名教”思想同出一辙。

皇祐元年（1049）正月，范仲淹来到杭州担任知府。到杭州的第二年，当地就发生了大灾荒，范仲淹在杭州独创“救荒三策”，首次采用以工代赈的方法，开展救荒，成效卓著。朝廷以此为楷模，让全国学习经验。

而一到杭州，范仲淹就去天竺山寻访了老朋友。那位老和尚已经十多年不曾下山，与范公相会之后，当即演奏音乐，并约定，他圆寂之后，要请范仲淹写祭文。这位擅长音乐的大和尚就是日观大师。不久日观圆寂，范公果然践约写了《日观大师塔记》。

在《塔记》中，范仲淹描摹了大师的演奏不卑不亢、沉稳自如，乃雅乐中一流演奏家所特有的风度。范公还把日观师和自己一生所景仰的音乐老师、宫廷国手崔遵度相比肩，以衬托和尚的音乐修养。

从这篇文章来看，范仲淹认为治乐如治国，这位心怀天下的文人可以将天下万事都和国家政务联系在一起。《塔记》的最后作铭，曰：“山月亭亭兮师之心，山泉泠泠兮师之琴，真性存兮孰为古今，聊志之兮天竺之岑。”此诗将佛性、灵性、天竺山水与入世之心结合在一起，是典型的范仲淹文风体现。

范仲淹在杭执政了差不多两年，在孤山，杭州人民为他建起了“范文正公祠”，在梅东高桥筑起了“范明王庙”，以颁先生遗爱，所谓“里巷之人皆知其名”。

阅读链接：

方健：《范仲淹评传》，南京大学出版社，2001 年版。

牟永生：《范仲淹与佛教考议》，《湖南社会科学》，2012 年第 2 期。

王福鑫：《范仲淹与宋代旅游》，《长沙大学学报》，2007 年第 4 期。

纵横恣肆的叶适

叶适是永嘉学派的代表人物，讲究事功经济的思想至今对浙江精神有深远的影响。他的文学创作是与哲学思想结合在一起的，相辅相成。

叶适（1150—1223），字正则，浙江永嘉人。家中几代都不富裕，甚至可以说贫匮，因此颇了解民间疾苦。按他自己的说法，年纪不大的时候，就心怀天下，研习如何治乱。中了进士之后，辗转任了不少地方官职，也担任过不少中央官职，调任频繁，但官都不大，可说不得重用。后来被弹劾回乡，索性读书著述，写了一部《习学记言》，是相当有系统性的以经史百家为条目的著作。

25岁时，他就向朝廷上了《上西府书》，之后34年间，他不断上书。这些政论文正是他散文创作中很大的一块。另外，他还留下许多“记”和“碑版之作”。后人对他的评价很高，认为是南宋时期的一方大家。

无论是何种体裁的文章，叶适写来，都是落在实处的。处处着眼现实，取材现实，服务现实，分析现实，改善现实。他说过，文章如果对社会没有益处，就算再花巧也没用。又认为，

不要一味模仿古人，而应与时俱进，立足当下。

作为一个有系统思想的哲学家，叶适的文章基本上都是思想的体现，以扎实的经学史学作为基础，进行说理分析，条剖缕析，特别细致。和南宋大部分人一样，叶适以强国复土为己任，他的许多上表都是谈论这桩大事。“二陵之仇未报，故疆之半未复”，“天下之公愤，臣子之深责”，天下事无过此者矣！叶适孜孜多年，无不为此。往往在文章开头，先痛陈家国之痛、君臣之辱、人民之痛，说明复国大业的重要性、紧迫性。然后又通过种种客观分析，比如敌我对比、人才经济兵力比较等等，仔细分析之后得出结论，大事并非不可行，敌人并非强大无敌，只要我方意志坚定，抓紧时机，“三年必立，五年必成”，大业指日可待。然后针砭时疾，指出在思想、军事、吏治、人才等方面阻碍复国大业种种因素，并提出解决方案、改革方针。《上孝宗皇帝札子》《上光宗皇帝札子》和《上宁宗皇帝札子》等都体现出这种备战思路。可怜叶适多年钻研现实，关注民生，心怀故国，三十几年来历经三朝而矢志不渝，其方针策略却始终没有得到足够的重视，一腔热血付诸东流。虽然壮志未酬，但他的文章却名垂千古，与其思想，一样不朽。

叶适的文章非常热情，行文激越，富有论辩色彩，读之不由自主被它们感染、说服。他学养深厚，思路也敏捷，写来气势夺人，可谓纵横激昂。

在行文上，叶适很注意形式感，风格十分突出。文章结构往往经过精心架建，能够容纳下强大的内容，供文字往来驰骋。他主张“文欲肆”（《观文殿学士知枢密院事陈公文集序》），用词华丽，善用比喻，排比工整，多重词浓情，具有战国纵横之文风，可谓汪洋恣肆，雄辩滔滔，奋发图强之风扑面而来。清代阮元称叶适文章“笔力雄肆，足可以振刷浮靡”。

阅读链接：

（南宋）叶适著，刘公纯等点校：《叶适集》，中华书局，1983 年版。

傅剑平：《纵横家与中国文化》，台湾文津出版社，1995 年版。

刘师培：《文章学史序·学术文化随笔》，中国青年出版社，1999 年版。

南宋的政论文

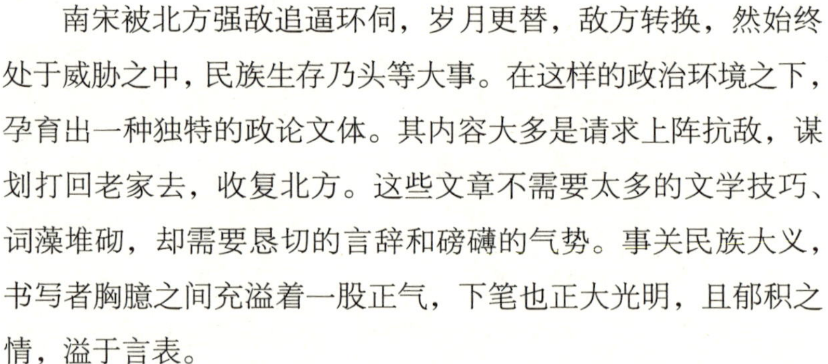

南宋被北方强敌追逼环伺，岁月更替，敌方转换，然始终处于威胁之中，民族生存乃头等大事。在这样的政治环境之下，孕育出一种独特的政论文体。其内容大多是请求上阵抗敌，谋划打回老家去，收复北方。这些文章不需要太多的文学技巧、词藻堆砌，却需要恳切的言辞和磅礴的气势。事关民族大义，书写者胸臆之间充溢着一股正气，下笔也正大光明，且郁积之情，溢于言表。

初迁临安，文人志士多心怀故土，恨不得血溅沙场，以雪前耻。当时不断举办各种誓师仪式，各种檄文纷纷出炉，经常有人伏阙上书，在朝门之前叩头出血，请求出征抗战。这些慷慨激越的政论文，都广为传诵。如宗泽的《乞毋割地与金人疏》《请驾还汴疏》，李纲的《论天下强弱之势》《请立志以成中兴疏》，张浚的《论恢复事宜疏》，陈东的《上高宗第一书》等，都是千古名篇。其中最著名的当数名将岳飞的《五岳盟誓记》和诤臣胡铨的《戊午上高宗封事》。

岳飞在征战途中，作了《五岳盟誓记》，其中有句云："自中原板荡，夷狄交侵，余发愤河朔，起自相台。总发从军，历

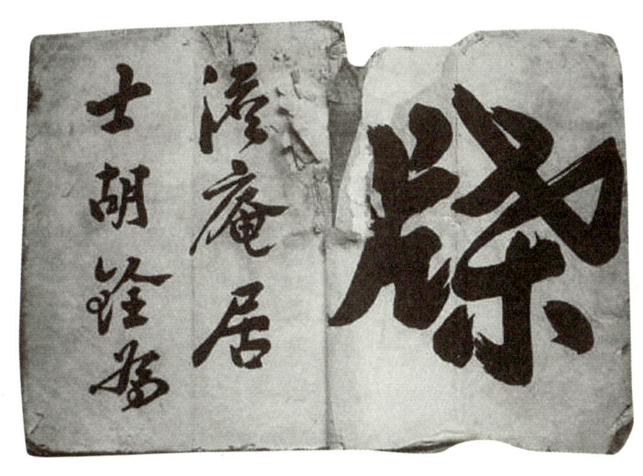

胡铨书法

二百余战。虽未能远入荒夷，洗荡巢穴，亦且快国仇之万一。今又提一旅孤军，振起宜兴。建康之城，一鼓败虏，恨未能使匹马不回耳！”岳飞向有文才，多有名句。他的豪情盛气贯注文中，大义凛然，英雄盖世，真可谓快国仇，提孤军，洗荡巢穴。“恨未能使匹马不回”一句，被后人多吟诵。从文中遥想当年，战况之惨烈，国仇家恨之积郁，更是喷薄欲出。

胡铨的《戊午上高宗封事》则专为弹劾秦桧。当时秦相弄权，主张议和，数次派出王伦到金国求和。胡铨当年不过一枢密院编修耳，却对小朝廷苟安心态忍无可忍，上书曰：“夫三尺童子至无知也，指犬豖而使之拜，则怫然怒。今丑虏，则犬豖也。堂堂天朝，相率而拜犬豖，曾童稚之所羞，而陛下忍为之耶？……臣备员枢属，义不与桧等共戴天。区区之心，愿斩三人头，竿之藁街。然后羁留虏使，责以无礼，徐兴问罪之师，则三军之士不战而气自倍。不然，臣有赴东海而死耳，宁能处小朝廷求活耶？”其文用语尖利，不留半分情面，不但骂金人为丑虏、猪狗，更把向猪狗下拜者骂得体无完肤。更说自己宁死也不愿厚着脸皮呆在小朝廷中忍辱偷生，明

显矛头直指高宗苟安。这封书当时极为轰动，书坊立即将其刻印流传，士子百姓争睹争诵，说出了当时普遍的心声。

至南宋中叶，偏安有年，主战派的情绪略见缓和，政论文则以出谋划策为主。永康人陈亮修习的本来就是济世之学，不断上书针对时政，言事议政。他也是主战派，《上孝宗皇帝第一书》中痛陈恢复中原，让皇帝不要苟安而痛失良机，言锋直指道学家，说他们都是些中了风不知道痛痒的家伙，君父之仇未报，却一辈子安于偏隅。见面还低头拱手以谈性命，他们知道什么是性命！真可谓字字见血，毫不容情。

辛弃疾也有非常精彩的政论文，比如著名的《美芹十论》和《九议》，分析敌我形势，不但全面，而且精辟。在摆事实讲道理的基础上，提出应该设置更有进取性的国策，具有令人信服的力量。

南宋的政论文蔚为大观，在气势和逻辑上都有独到之处，较之北宋散文，有其特色，因此在文学史上占有重要位置。

另外，南宋的理学家基本上也是文学家，政论文以外，许多文学性散文也出自他们的手笔。比如吕祖谦擅长写山水游记，叶适也是佳作纷呈。甚至给人古板印象的朱熹也对文学下过不少功夫。他写了《记孙觌事》，将孙某人那副讨好仇寇还沾沾自喜的无耻面目，写得如在眼前，仅用二百多字就传达出其人其态以及作者的价值立场，写作技巧不可谓不高超。他还有许多描写山水风景的佳作，夹杂着叙述旅途见闻，都韵味深长，文字优美。

在北宋，理学家与文学家分占两垒，甚至互相轻视。但到了南宋，却呈现出合体的趋向，这一现象，说明了理学与文学之间的互相影响正在加深，两者的容纳能力有所扩展。这种情况对以后的散文发展，有着深刻的影响力。

智言慧思

全为实利打算，换言之，就是只要全家。充其极端，做人全无感情，全无义气，全无趣味，而人就变成枯燥、死板、冷酷、无情的一种动物。这就不是“生活”，而仅是一种“生存”了。

——丰子恺《丰子恺文集》

阅读链接：

杜海军：《吕祖谦文学研究》，学苑出版社，2003 年版。

孙琴安：《中国评点文学史》，上海社会科学院出版社，1999 年版。

李春：《叶适集·别集序》，中华书局，1983 年版。

宋末的遗民笔记

周密是《齐东野语》《志雅堂杂钞》《癸辛杂识》《武林旧事》等多部笔记文集的作者。他生活在1232年到1298年之间，字公谨，号很多，有七八个，较出名的有草窗、四水潜夫等。曾担任过义乌县令。

他有一个号叫华不注山人。华不注山，在齐鲁大地上，是周密先祖的定居之地。周密生活的时代，宋已失去半壁江山，他出生在江南。但终其一生，他都不忘祖籍，取这个号，也正是表明自己的来处在北方。他常常自称齐人，认为自己是客居于吴。更说自己虽然身在吴地，但一颗心无时无刻不放在齐地。其实，他所日思夜想的故土与他从未谋面，早就沦陷敌蹄。周密的故园之思，并非来自幼时一点一滴的情感积累，实在是从南宋整个复国文化中生发出来的，将故国寄托名号。

更惨的是，在他有生之年，连南宋都亡国了。他自然不肯当元朝的官，成了遗民，隐居弁山。一场大火，把家业都烧了，又移居杭州癸辛街。

成为遗民之后，在政治上无为，周密转而以保存宋朝的资料为己任。为此，他写了大量的笔记文集，收集了各方面的资

阅读链接：

王德威：《后遗民写作》，麦田出版社，2007年版。

曾美月：《周密笔记音乐文献的撰述特点与史料价值》，《音乐艺术》，2010年第2期。

刘静：《周密研究》，四川大学2005年博士论文。

料，成为后世研究宋朝文化的重要依据，大量考据文章都以这些笔记为证据。《齐东野语》较多补充了正史以外的逸事佚文。《武林旧事》则博闻广记，留下了大量掌故，记载了杭州作为都城的城市风情、文艺旧事、社会风俗等多方面内容。里面还提到了许多杏林之事，录下了当时的医药制度、医学史料，对医药典藏进行了注释，记下了许多养生知识，还提供了许多医案。另外，周密对医药也有浓厚的兴趣，长期搜集验证各种方子，证明可用后，都记载于此书，作为验方传世。《志雅堂杂钞》则偏向收藏方面，他本人善书画，艺术修养很高。这部杂钞，确实杂，书画、碑帖、古玩、杂项、卜卦、仙佛、医药，无所不包，其中还有有关文艺评论和文史知识。《云烟过眼录》则记载了他所过眼的，各家收藏的古玩珍奇、书画作品等，对它们进行评说。这也是收藏界著名的"谱录"，上过此谱的，自然是有来历，可以在拍卖市场上获得肯定。《澄怀录》编辑抄录了前人散文中关于写自然风光和田园生活的许多片断，也间接表达他甘于山林的情怀。他的作品实在太多，还有《草窗旧事》《癸辛杂识》《浩然斋雅谈》等几十种。

笔记文集在宋代得到长足的发展，数量、质量上都有大进。这也是周密选择这一形式的文学大背景。周密不仅家学渊源深厚，而且触类旁通，所以知识结构非常宽广。再加上他交游广阔，见闻丰富，也为笔记写作提供了大量素材。周密笔头实在，大多据实记载，这也是他的作品成为以后考证依据的原因。

作为遗民的周密，在写下这些笔记文集时，当是别有怀抱。对于他，这是怀旧，也是反思。除了史料价值之外，他的笔记文集隐含着强烈的故园追念之情。虽然是据实直书，但真正的零度叙述是不存在的。宋民入元，周密的书写中注入了史家自觉，是保留历史，回溯往事，要吸取教训，再图奋发。在使命感的驱动下，著述之外，他不仅四处奔走，图谋以武力复国，更教授学生延续文脉。

周密的遗民创作是积极的，是在身份限制之下有所作为，后人应体察其苦心。

宋濂与他笔下的王冕

明初有一位著名大儒，朱元璋称他为“开国文臣之首”，刘基赞许他“当今文章第一”，四方学者尊之为“太史公”，在文学史上，他与刘基、高启并称明初诗文三大家。当得起如此赞誉者，就是浦江人宋濂。

宋濂字景濂，号潜溪，几个别号都与道教有关，分别为玄真子、玄真道士、玄真遁叟。

宋濂乃一代名儒，之后不少人才都是他的学生，他也以儒家正统自居，写文章宗经师古，取法唐宋。立国之初，明朝礼乐大多是他制订的，由此也可见其一代宗师之地位。

宋濂像

他一生写了不少文章，以传记小品和记述性散文为最多。他强调要有感而发，因此文章的内容比较充实，从生活中引出发人深省的思想。当然，这些思想，基本都是符合封建道统的道德观念。

宋濂亦有文人气的一面，著名的《送东阳马生序》讲述自己早年贫寒却求学不辍的经历，十分动人。因这篇文章，抄书成为雅事，成为读书人的标准动作。他虽然常常板起道学面孔，行文也十分简

洁，不多作渲染，但对各阶层的不同性格的人物，却另有一种世情上的体贴，这也使得他的文章不那么呆板，再加上语言修养和纯熟技巧，描写人物个性十分出色，片断细节也生动可爱，这些都使得他的文章成为明初文学风尚的典范。

可惜，他所服务的皇帝朱元璋却根本没有把他放在大儒的地位之上加以尊崇，反而称之为“文人”。“文人”一词，在当时可是带有侮辱色彩的。其实，明朝所建立的高度集权体制之下，根本无法容忍大儒的存在。大儒，意味着负有社会思想引领者的职能，其地位隐然高于政权之上。这是朱元璋所无法容忍的。宋濂在儒学界的地位越高，就越遭忌。他老年辞官归里之后，朱元璋还因为他的孙子牵涉到胡惟庸案，想要杀他。经人力劝之后才改为流放，当时宋濂已经年老体衰，不堪跋涉，竟病死在去茂县的路上。一代大儒，就此死于权手。

宋濂为人为文都方正，以名教为本，可是他却以极动人的笔调写过元末狂士王冕。《王冕传》中那位狂放的艺术家形象活灵于纸上。貌似两种形态的人生，却有着某种微妙的联系。宋濂在王冕身上所寄托的情怀，颇可玩味。中国知识分子的遗世独立，内心骄傲，正是某种源远流长的基因。

王冕是诸暨人。他家境贫寒，小时无书可读，是一个放牛郎。放牛时，他偷偷来到学舍，听人家背书，边听边在心里默诵。晚上回来，书记熟了，却把牛给忘了。《儒林外史》就以王冕放牛的故事作为开篇。这位读书痴儿因此老是挨打，索性住到庙里，半夜爬到大佛膝盖上，凑近佛灯看书，一点也无顾忌惧怕。

《王冕传》完全写出王冕的狂气。宋濂点出，王冕虽然富有画名，但他一生都亲自参加各种农业劳动，作画不过副业，卖画易米，交纳租税，补贴生活而已。他的生活困窘，创作书画不是为了消遣闲愁，当然也不矫揉造作。

他平时在沙土上练画，随写随抹，师法自然。他生计困顿，却不失侠义，听说他的朋友在他乡去世，留下儿女无人抚养，就不远千里，到河北葬友，把朋友的孩

子带回家来，收养在身边。

王冕曾游历北京卖画，有个元朝大官很喜欢他的画，但是却常派几个粗笨小厮，对他呼来喝去，令他非常不快，跑回浙江。回来之后，就四处宣扬天下将要大乱，会有大变故。当时还算天下太平，时人都骂他胡言乱语，“斥为妄”。王冕却说：“那个妄人可不是我，爱谁谁！”他不理众人的议论，顾自带着妻小到九里山隐居。好在他干惯农事，自己种了三亩豆子，六倍粟米，梅花上千树，桃树杏花各五百株，芋头一畦，韭菜许多。开凿引水，池中养了上千尾鱼。自己造了三间草庐，题名为“梅花屋”，俨然一自给自足的小农场。

王冕敢说敢言，这正是狂士之态。而时人不予认可，这也是狂士的共同遭遇。王冕经常批评元朝的各种不良，又公然宣扬要改朝换代，当然是一位不容于当朝的人。宋濂为他立传，当然别有怀抱。

阅读链接：

徐永明：《不同处境下宋濂的活动及创作》，《浙江大学学报》，2005 年第 5 期。

许建中、李玉亭：《宋濂与台阁体》，《浙江社会科学》，2008 年第 2 期。

张思齐：《宋濂文章论的宗教意识》，《中华文化论坛》，2003 年第 3 期。

传说中的文曲星刘基

刘伯温（1311—1375）在浙江的民间故事中占据很重要的地位，许多民间传说都以他为主角，将其神化。伯温是他的字，名为基，青田县南田乡（今属浙江省文成县）人，所以也有人叫他刘青田。因其于明洪武三年（1370）被封诚意伯，人们又称他刘诚意。明武宗正德九年（1514）追赠太师，谥文成，所以后人又称他刘文成、文成公。他生活的年代在元末明初，是明朝开国皇帝朱元璋的重要辅臣，有人将他与诸葛武侯相提并论，因为他们都精通天文、兵法、术算等多种技能。

刘基与宋濂是同门，当然也精通经史。儒学之外，尚崇道家。刘伯温是经世济用的人才，不以儒家温柔敦厚的教训为然，写出文章来饱含讽谕之气，强调文章的社会功能，也肯定讽刺性诗文的地位。作为浙人，刘基受以事功实用为思想基础的永康学派与永嘉学派的影响颇深，重历史，重实用，在学问上涉猎广泛。

刘基的散文形式非常多样，但是他最喜欢写作的，就是寓言，大概占总量的三分之一。其中的名著有《郁离子》，是他明智地及时弃官归隐之后所写。此书内容十分奥妙繁复，颇富创造性。书名的来源与中国传统的术数有关。离为火，而火是人类文明的起源。郁是繁盛的意思。郁离，则是高度发达的文明。从书名就可以看出，虽然已经归田，刘基仍然没放弃他勤问世事的风格。

从柳宗元之后，刘基无疑是寓言体集大成者，在中国文学史里颇具代表意义。其中篇篇短小精悍，想象纵横，语言简洁明利，且颇有古风，将深刻的哲学义理

阅读链接：

张秉政、赵家新：《刘基寓言文学“寓”的特征》，《淮北煤炭师范学院学报》，1995年第1期。

盛久远、陈守文：《“三不朽伟人”刘伯温在杭州》，《杭州》，2010年第11期。

万玉本：《重读〈卖柑者言〉》，《文学教育》，2010年第3期。

寄托于形象的描绘之中，回味无穷，有极大的发掘空间，可以从中感受到作者的种种人生苦闷，对生命意义的各种追问，以及对灵魂世界的探索。

刘基学问广泛，才学高绝，精力旺盛，他的创作量十分巨大。除了寓言之外，还写了大量游记。他的游记，大多作于元末。名篇很多，比如《游云门记》《出越城至平水记》《活水源记》《登普济过明觉寺至深居记》《松风阁前记》《松风阁后记》《白云山舍记》等等。

这些散文大多善于描绘歌颂，文采斐然，具有辞赋的特色，赋予自然界各种意象意义，使用多种比喻，可谓美文。当然，他也有像柳宗元风格的清新之作，白描简述，晓畅不繁，清丽自然。而且，这些游记大多寄情山水，讽喻人世，落实到对哲理的探求之中。

刘基故里碑

刘基还写有大量杂文，也都十分精彩。选入语文课本的《卖柑者说》就是其中的名篇。“金玉其外，败絮其中”这一名句，骂尽腐朽本质，淋漓尽致。

刘基作为一个儒者，自然也向往隐士的生活，他最终也归隐山林。然而终究，他是一位入世之人，曾辅佐朱元璋争夺天下，也曾位极人臣。他的文章也是如此，既有来自学人的思考，对哲学的探究，对底层的悲悯，对名山风物的神往，对特权阶层的讽刺，也有作为国家治理者的忧思，具体的决策建议，乃至语出如锋，霸气十足。读刘基，可见中国知识分子之千秋家国梦。

命耶运耶？化为文章

徐渭，就是民间十分熟悉的徐文长，在中国最有知名度文人排行榜中，一定能够高登榜单靠前位置。他的一生经历太过丰富坎坷，传奇色彩浓重，才能多样，身份多样，事迹丰富。他是民间故事的主角，是当代书画拍卖的热门，也是文学史上的专章。

这位身世畸零的才子，出身于1521年绍兴山阴城的一个官宦大家。许多传说都特别点明，他的生母乃是一位姬妾，甚至可能只是通房，连妾的名分都没有。中国人冠以父姓，讲究父亲家庭如何，特别是男性，甚少提及是否庶出。但徐渭的庶出身份，却被时人、后人反复提及，实在是他性格太过偏激，人们不免想追根溯源，探究他的幼年生活。

徐家设有私塾，徐渭就在此发蒙。6岁就习《大学》，过目成诵，一教就会，实在是天才儿童。10岁时就写了一篇《释毁》，洋洋万言，一挥而就。20岁时成为生员。然后，和许多性格狂放的少年天才一样，徐渭八试不取，40岁才中了一个举人。

科举偏爱温柔敦厚之人，徐渭虽因不合规寸，无法适应，但却不甘雌伏。作为“越中十子”之一，他也曾开馆授课，然而终于不甘寂寞，谋职于浙闽总督幕中。作为胡宗宪的幕僚，他代写各种疏议，筹谋划策，甚至出奇计，大破倭寇，看来他军事才能也不小。

有一次胡宗宪在舟山捕到一头白鹿。古人把白化兽出世视为祥瑞，认为是盛世

的表现，照例要上表贺喜。徐渭作为幕僚，代写了《进白鹿表》《再进白鹿表》《再进白鹿赐一品俸谢表》等一众贺表上献朝廷。这些表都是些溢美之词，当然写得花团锦簇，极尽渲染之能事，充分表现了其文学功底。皇帝读了之后大为赞赏，对这份文字功夫十分激赏，读到别出机杼的美文时，都用御笔圈出来，让身边的臣子摘抄集句成一个小册子。大学士姚汾，也对徐渭的文章大为赞赏。

当时正是严嵩弄权，胡宗宪投靠之。严嵩过生日，徐渭又代笔写了《贺严公生日启》，当然也是华词丽藻，吹捧有加。谁知后来严嵩倒台，胡宗宪作为同党也被捕入狱，在狱中自杀身亡。明嘉靖四十三年（1564），徐渭为旧主写了《十白赋》哀悼之，辞恳意切，颇为动人。严嵩案越查越广，胡宗宪的案子也深查广牵，作为高参的徐渭，恐受牵连，终日担惊受怕，精神极度抑郁，终于精神分裂，发起狂来。他在狂态之中，写下《自为墓志铭》，自己给自己写墓志铭，狂气充溢，读之令人郁绝。他还九次自杀，用长锥子刺入耳内，深达数寸，又用大椎自碎肾囊，都没死成。这种极其惨烈的自杀方式，震惊世人。

过了两年，他在狂病发作时，杀死了妻子，触犯刑律，在大牢里关了七年。七年之中，他写就了《周易参同契注释》。他的学问并没有疯。

万历元年（1573），新帝登基，照例大赦天下，状元张元忭爱他的才华，早就留意机会，趁机解救他出狱。当时，徐渭已 53 岁。他晚年谋生，唯靠卖画。但他又有风骨，不肯卖与

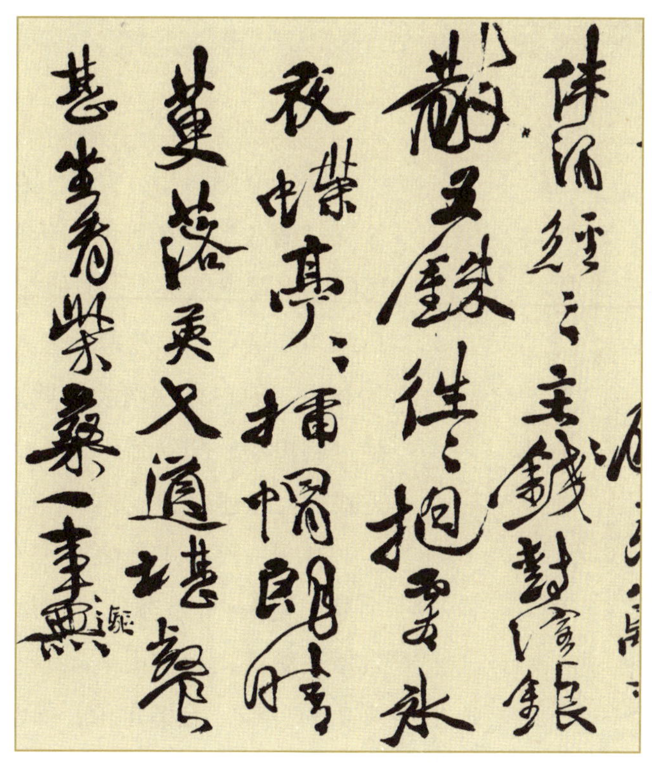
明 徐渭书法

达官贵人，因此收入极为有限，历年积聚的几千卷书都卖光填了肚子，肚子饿得睡不着，只得在月色之中独自徘徊，分散注意力。他十分自闭，几乎从不出门，更不欢迎来客。门前冷落，肚中无食，唯有冷月与狗相伴。徐渭73岁才去世，死时情状极惨。几间东倒西歪屋，床上连张席子都没。倒毙床头，只有忠狗一头相伴。

明清两代，知名的才子数量不少，都是多才多艺型，但是像徐渭这样的人才不多。他在诗词、文章、戏曲、书法、绘画、军事等各方面，都可以独当一面。后人写这些专门史，都要辟专章介绍他。他写诗，被袁宏道推为明朝第一人。他的戏剧，被汤显祖极力推崇。他的画名更响，郑板桥有一印，上刻“青藤门下走狗”。徐渭自号青藤，也以之为书房名，是他极有名的号。齐白石则恨不得早生三百年，为青藤磨墨伸纸，当个小书童，如果青藤不接受，就守在门外，饿死也不走开。板桥、白石一代大家，能为青藤付出如此景仰之心，非真功夫赚不到。

纵然潦倒一生，九死九生，平民百姓倒是非常喜欢徐渭。徐文长的故事被各种民间传说描摹，他也成为一个文化符号。中国的老屋难以保存，但他在绍兴的小小故居，那间青藤书屋，历经400余年，仍然留存供人瞻仰不绝，这也可说明民间对他的尊重。他自称“南腔北调人”，是极富平民气息的，纵然不受上层重用，却受到广大民众的喜爱。历史往往用这种曲折的方式进行叙述。

有明一代多狂士，徐文长便是典型的代表人物。他那篇《自为墓志铭》，半是颠狂，半是清醒，积仇深重，狂泻笔端，既自傲又颓废，满腔不平，不平而鸣，只求一死。墓志铭是对人一生的总结，盖棺定论，徐渭本人既还活着，却自写墓志铭，求死之意不言而喻。这篇天下至文，心酸至极，悲愤至极，实在是人间文字的极致。文章开篇写："谓道类禅，又去扣于禅，久之，人稍许之，然文与道终两无得也。贱而懒且直，故惮贵交似傲，与众处不浼袒裼似玩，人多病之，然傲与玩，亦终两不得其情也。"文与道，傲与玩，两不得其情！

如此全才，存于天地之间，却得如此命运，命耶？运耶？时也，势也。抱着必死之心的徐渭在《自为墓志铭》中对命运、对人生、对价值的拷问，今天看来，仍然触目惊心。

阅读链接：

谢谦：《游于艺：徐渭的艺术精神》，《四川大学学报》，2002年第4期。

黄利萍：《徐渭绘画艺术中的本色思想》，《艺术百家》，2007年第2期。

汪沛：《俗与趣：徐渭诗歌的新视域》，《殷都学刊》，2007年第3期。

生活艺术的百科全书

李渔（1611—1680），终其一生，未登功名之榜，在文学艺术方面却大大有名，他在戏曲上的成就最为突出，旁及多种杂项。李渔的号也十分出名，是谓笠翁，祖籍浙江兰溪。今天的兰溪城内就有一条李渔路。

李渔含着银钥匙出生，家中的亭台阁园在当地首屈一指。小时也曾延请名师授课，但一入科场，却每每失利。终于失去耐心，索性游戏人间。

李渔虽然无法适应科考，却是个多方面的才子，当时人称李十郎。戏曲方面他能够自组戏班，文学方面他除创作戏本之外还有多卷本行世。《金瓶梅》就是他校勘的，这部开中国小说多种先河的作品，全赖他才得以传世。著名的中国画范本《芥子园画谱》也是他及女婿主持编辑。芥子园是李渔在金陵一所别业的名号。中国文人常将学医作为雅事，李渔对于医道亦有涉猎。美食方面，他也有一套，尤其是江南饮馔，别有心得，不仅会吃，还懂得烹饪。美食如何配器，他也能讲究出个道道。乃至园林设计、室内装潢、花草种植，他都有所研究。

这些都是别才，本人悟性当然要高，但都要银子堆砌出来。虽家财万贯，亦不够挥霍。李渔决定以自己最突出的才能谋生。他热爱戏剧，而且颇有实践经验，家中组有戏班，买齐备装，训练戏子，全套班底俱备，且创作有多个热门戏本。1666年，李渔开始带着家庭戏班子巡演四方，他的班子本子好、服装好、舞台好、演员好。他本人亲自担任戏班主，优势当然不言而喻。一时邀请如潮，生财有道。生活优裕，

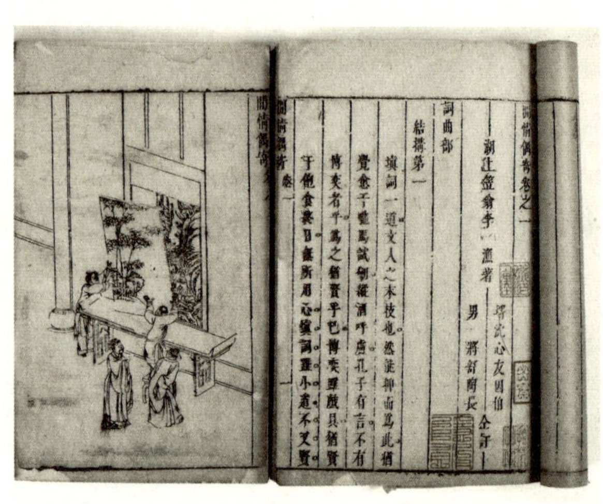

閒情偶寄卷之一
湖上笠翁李漁著
詞曲部
結構第一
塡詞一道文人之末技也然能抑而爲此猶
覺愈于馳馬試劍縱酒呼盧孔子有言不有
博奕者乎爲之猶賢乎已博奕雖戲具猶賢
于飽食終日無所用心塡詞雖小道不又賢

《闲情偶寄》书影

李渔兴致也好，这段时间，他的文学创作最为丰富多产。可惜，作为台柱的乔、王二姬相继染病去世，满台无主，戏班难以为继。李渔断了财路，再也无法维持富足生活，陷于困顿，终于在贫病交加之中去世。

一代才子，将他的各种才华写成《闲情偶寄》。林语堂说这本书是中国人生活的袖珍指南。事实上，这样精致的生活，绝不是普通人所能享有。金钱、才华、闲情兼备，才有可能一尝滋味。书中所表现的生活艺术，几百年来，令人悠然神往。因此这本书历经多年而其热不衰，至今还是同类书籍中的畅销书。

中国从不缺才子，也不缺热爱生活的才子。但是真正能够把生活当成艺术来研究，分门别类，细加阐述，唯有《闲情偶寄》。上文所述李渔的才能种种，都在书中有专章，其中所表现出的修养与情趣，非才子而不能。可是，《闲情偶寄》虽然承继了晚明小品文中那种对生活细节与物质享受的尊重态度，却未得其髓，对于生活享受，就事论事，颇有沉溺之嫌。

李渔不求功名，自然也少有顾忌。他甚至专门研究女性如何梳妆，性生活如何节制，穷人如何找乐子……其中有诸多妙论，比如评判美女，他认为女性有“态”者才上佳。何才为“态”，他又有各种解释，多样比喻，津津有味，趣味横生。

同为怀才不遇，李渔活得兴兴头头，用世俗生活的种种乐趣消弭了无法作为于主流社会的遗恨。生活情趣，一直是文人追求，但更多发生于私下闲话，将生活当成一件正经事来处理、来著述，本来是正统知识分子所轻视的事。但是李渔的《闲情偶寄》却将这个潜在的传统登堂入室，这也实在是他想得太妙，写得太好。

智言慧思

天地间最健全的心眼，只是孩子们的所有物，世间事物的真相，只有孩子们能最明确、最完全地见到。我比起他们来，真的心眼已经被世智尘劳所蒙蔽，所斫丧，是一个可怜的残废者了。

——丰子恺《丰子恺文集》

阅读链接：

俞为民：《李渔评传》，南京大学出版社，1998 年版。
黄果泉：《雅俗之间：李渔的文化人格与文学思想研究》，中国社会科学出版社，2004 年版。
钟筱涵：《李渔的自适人生观》，《华南师范大学学报》，2002 年第 2 期。

肯当走狗的才子

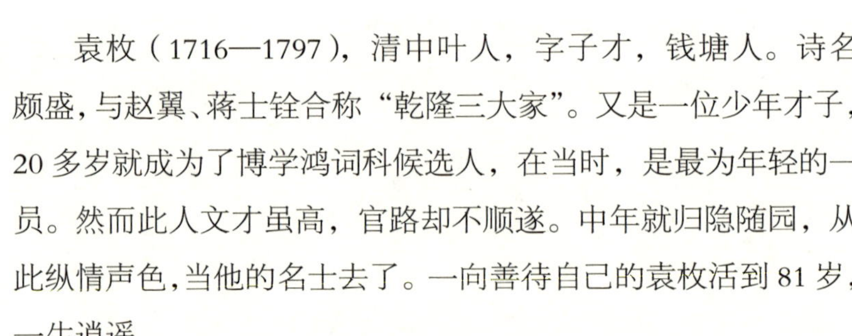

袁枚（1716—1797），清中叶人，字子才，钱塘人。诗名颇盛，与赵翼、蒋士铨合称“乾隆三大家”。又是一位少年才子，20多岁就成为了博学鸿词科候选人，在当时，是最为年轻的一员。然而此人文才虽高，官路却不顺遂。中年就归隐随园，从此纵情声色，当他的名士去了。一向善待自己的袁枚活到81岁，一生逍遥。

随园可是豪宅，袁枚在其中大行离经叛道之事，完全不以道德观念为意。他又好色又贪财，还结交权贵，犯了读书人的各种大忌。比他小二十多岁的绍兴人章学诚，是著名的史学家，为人方正，又好抬杠，实在看不惯袁枚的所作所为，写了许多篇文章，大骂他是人渣，罪该凌迟。刘墉在当袁枚的父母官期间，也被他的荒诞所惊，觉得实在太败坏世风，不能坐视不理，差点要为民除害。袁枚闻风，赶紧上前结交，狂拍马屁，成功过关。

清人洪亮吉在《北江诗话》中形容袁枚是“通天老狐”，当代书画家启功也说他为人处世，门槛极精。的确，袁枚的关系网铺得很大，上拜高官，下纳学生，与当时各派名士还互通往还，上下左右通吃。他明明很会溜须拍马，但方式方法却十

分巧妙。两江总督尹继善在自己的诗集中有一条注解，说袁子才非请不到。袁枚所施，正是欲擒故纵之计，披件斯文外衣，行走狗之事，还让权贵们心痒难搔，趋之若鹜。相比于袁枚的世故，真正狷介的郑板桥等人，就显得十分天真了。

袁枚写有《随园诗话》，影响很大。他本人诗名极盛，诗话也写得好。袁枚好吃，《随园食单》更是闻名，后人多有依此单开宴的。

好色者大多怕死，这位好色的怪叔叔亦难免。七十几岁得了重病，担心自己时日无多，决定提前开追悼会冲喜。他给自己写了许多挽诗，还拉来一群名士如赵翼、姚鼐、洪亮吉、钱大昕等人写挽联挽诗，阵容之齐整，一时无两，搞得非常轰动。袁枚所为，大多如这般亦庄亦谐，忽正忽邪，难以揣测有几分真几分假。

中国的读书人，尽管有的人凭热血学问入世，有的人飘然远引，还有的寄情山水，甚至专谈生活的艺术，但无论正统隐士狂生，都视阿谀权贵、奴颜媚骨为耻。袁枚偏偏不讲这一套。他不但怀疑道统，还根本否认道统的存在。把道统都当作腐儒酸气，一拂即散。他说得无赖："从古到今，谁见过道者来？道这个东西，根本是虚的，没形没状，什么传统，受统，谁看到有人能把它担在肩上背在背上？"没有实质的东西，他根本不认，当然也将一切意识形态，包括读书人的所谓傲骨独立视为无物。反正只要达到目的就可以了，至于手段如何，有什么可拘泥的呢？此人真是异数，从小读圣人之书，也写得一手好诗文，完全是从文人传统中生长出来的，竟能轻松摆脱无人敢质疑的价值观。其中是非，还真发人深思。毕竟，以如此才学地位，肯公然服侍权贵以谋取好处而毫无愧色者，唯袁枚一人而已。袁枚之巴结权贵，是肯于，是敢于，如果只说甘于，则未免小瞧了他。对于他而言，这只是获取财富博得助力的一个手段而已，至于道德人品，根本不在他的心上，全没有折腰之辱。

这般人品，也是性情中人。妹妹去世，袁枚写了名作《祭妹文》，读之令人泪下，结尾尤其感人："呜呼！身前既不可想，身后又不可知；哭汝既不闻汝言，奠

汝又不见汝食。纸灰飞扬，朔风野大，阿兄归矣，犹屡屡回头望汝也。呜呼哀哉！呜呼哀哉！”后人梁羽生写《白发魔女传》，结尾写道卓一航遥望练霓裳所居的南雪峰，悲从中来，不可遏制，感慨说：“往事已矣，来者又未必可追。”其情其境，就脱胎于此。

凡有机会攻击道学八股者，袁枚从不错过。他有一篇《麒麟喊冤》，颇具黑色幽默，以寓言形式揭露伪善。他著有《子不语》，其中多托神鬼之口言说心声。但他其实既不信神也不怕鬼，连佛都敢调戏。袁枚曾把佛像衣彩层层剥去，指叩胸脯，最后连自己都觉得太过无礼。面对菩萨都敢狂态如此，他事可想而知。

这等人物，在论诗时当然持性灵说。事实上，袁枚是乾嘉时期最主要的诗论家之一。他著有多部诗论，重要的有《随园诗话》《补遗》《续诗品》等。他对历代诗人诗作，各个流派的演变聚合都有心得，并总结了诗歌创作的各种方法论，写出自己的经验体会，品评诗坛，把性灵理论阐释得相当系统完整。

尽管袁枚的种种行为，尤其是甘当权贵走狗这条，或不获认可，或遭人鄙视，但他仍然是一代名士，食、色、艺、文，乃至园林居所，都充分享受过了，享尽清福去世之后，还得姚鼐为之作墓志铭。古人尊重逝者，墓志铭总是挑好的说，姚鼐就点出了袁枚一生最好的几点：在文章上，无论是古文还是骈文，都能熟练掌握古人的作文之法，说出自己的话。在诗歌上，才气发挥得更加充分，一般人感而难言的曲折之处，都能表达

到位，自成一体，多为时人仿效。《随园诗文集》是知名著作，其价值得到广泛认可，上至朝廷，下至百姓，都珍视喜爱它。甚至声名远播，有很多人专门来寻取学习这部书。袁枚的仕途虽然不顺，没当过什么显赫的官，但近百年以来，能够充分享受到山林之乐，又在文字上获得巨大名声的，袁枚可算第一人。

姚鼐的这番评价，虽是赞美之词，但也中肯，都说中要害。袁枚一生，活得实在！

阅读链接：

（清）袁枚：《随园诗话》，浙江古籍出版社，2011 年版。

王标：《城市知识分子的社会形态——袁枚及其交游网络的研究》，上海三联书店，2008 年版。

徐萍：《袁枚与儿童文学》，《云南民族大学学报》，2004 年第 2 期。

以世俗的名义

小品文古已有之，滥觞之于先秦。到了明代蔚为大观，创作十分旺盛，连作品集的名字中都出现小品两字，比如《文饭小品》。小品，本来是佛学用语，指的是佛经的简略版本。运用到文学领域，应指篇幅上的短小，而不是说内容或主题有何特定。短篇杂记，均可为小品。因此，小品文包容范围极广，只要篇幅短小，书信、序跋、日记，都可归入。

晚明的小品文创作成就特别高，当时社会风气颓丧，崇奢尚靡，离经叛道。小品文逸出文学正宗之外，既闲适任性，又语多讽刺，正是小人坦荡荡，剑走偏锋。明人写作小品文的精髓遗风至今，仍然是当代小品文的典范。林语堂的幽默闲适就取法公安派袁宏道等人的小品创作。

明初时正统文人喜欢写寓言小品，刘基、方孝孺、贝琼等人，都是寓言大家，其精神也正是讽喻现实。经多次文字狱磨难后，寓言亦难露其刃，渐渐式微。明中期流行的小品从情感到行文，都是淡淡的，最典型者乃归有光，平淡的语气里叙些家常事。从文学而言，能将日常写得如此淡美，是极见功力的，亦是文学中重要的一支。当时的名士如祝枝山、唐寅、文徵明等，也偶尔写此类小品，但不成气候。

到了明后期，长期压抑、高度集权的社会政治，终于逼出了思想解放的风潮。长篇大论不能说，就用小品文当匕首和投枪。直接针砭时弊有危险，批判性言论遂扭曲成对日常生活的极致追求，对物质的变态肯定，乃至寄情声色，放纵人欲。主流意识形态不容解放，就解放日常生活，这亦是一种来自个体的反抗，体现出主体意识的觉醒与加强。知识分子不再将千秋家国梦卖于官家，而是以展露个性、寻求个体自由的方式出现。

这番道理说来深奥，其实在作品中，字里行间，呼之欲出，仅靠阅读直感就能传达给读者这种强烈的要求解放与自由的呼声。周作人就说张岱等人的小品是“别有新气象，更是可喜”。这番新气象，就是清新的个性解放之气象。小品文在晚明是精神突围之作，汇集了一大批作家队伍。有李贽、三袁（袁宗道、袁宏道、袁中道）、徐渭、张岱、屠隆、汤显祖、陈继儒、赵南星、李日华，钟惺、王思任、冯梦龙等等。不仅有作品，还有理论指导，自成一派，且不同作家间风格迥异，形式多样，体裁灵活，各种互补，终成体系。纵然名教中人对小品文不齿，但它不再微不足道，而是从此发展到与诗词曲赋并列的位置之上。

正经文章总喜欢说文章千古事，一字一句谨慎不已，欲示教于天下。小品文却是纵情尽兴之作，只贪一晌之欢，表达自我，娱乐自我，兼娱他人而已。最可贵的就是这点个性自由的光辉，笔头之下，方寸之间，总要写我心言我事。哪怕它表面看似追求享受，沉溺繁华，其实正是真性情之体现。

小品文虽小，却以小见大，见微知著，如小小钻石，精光四射，正是假道学的对头克星，自有它的锋锐之处。

晚明小品文有一层表皮，它选用的题材多是生活化的细节，大多取材于极个人化的场景。不少作者喜欢写自己，讲自己如何过日子，怎么打点生活细节，不厌其烦，乐在其中，这是晚明文人特有的表达。

在表达上当然直露胸襟，题材上已经屈就，就是为了笔下剽悍畅快。因此在小品文中，常常能看到一个个真我，几多坦率，几度真情，一身胆气。越是偏邪，越不怕说，儒家正统爱讲归隐，许多小品文里就讲自己极爱繁华。袁宏道叹道："世人所难得者唯趣。"这点趣，就是坦露真我的乐趣。在极度思想禁锢之下，能够得到这点真趣的人不多，真是得学问易，得趣者难。小品文创作，也正是凭此挣脱束缚，表达性灵。

阅读链接：

吴福秀、钱敏：《论晚明小品文中的禅境》，《安徽文学》（下半月），2008 年第 6 期。

杨绪敏：《论明代空疏学风形成和嬗变的原因及影响》，《北方论丛》，2006 年第 5 期。

刘晓东：《晚明士人生计与士风》，《东北师范大学学报》，2001 年第 1 期。

养生宝典：风雅之作

明代最多消遣之作，写来供闲时赏玩，说些风花雪月、玩物养生的闲事。高濂所著的《遵生八笺》就是其中一部典型代表作。

现在大家往往把它看作一部养生著作，因为其中有许多保养的内容，但其实它甚是多元，内容所涉很广。有出自佛道思想的养生格言，按时节调理身体的方法，各种珍玩器具的介绍，八段锦以及其他强身健身化气归元的方法，各式各样的食物，古玩鉴赏的方法，还有种花植草的技巧，各种秘书验方，甚至历代以来百位隐士的事迹。

自名八笺，是因它在体例上按内容分类，每类一笺，共八笺。从它纷繁的内容来看，具有多方面的资料价值，对于各种分类史，均有参考意义。这类书都富有情趣，讲究心性调和，寄情书画，于琴棋之中修身养性，是上层知识分子的风雅之作。

高濂，钱塘人，字深甫，号瑞南道人。大概推断他生活在明嘉靖、隆庆至万历年间。曾经当过掌管朝会礼仪和郊庙祭祀赞礼的官员，但时间不长。虽然富有家财，大部分时间都隐居西湖，也往返京杭之间。他热爱藏书，在跨虹桥上筑有山满楼，专为藏书之用。所藏以宋版书为多。他对音乐有心得，自己会谱会奏，每次宴客，对着满座宾、杯中酒，他都会弹奏高歌以娱嘉宾。闲来无事，就把邻居都叫来，开讲宋江故事，主客两欢。诗词歌赋自然样样来得，鉴赏品评也是强项。对琴棋书画、古玩鉴赏、茶酒烹调、医药佛道都有研究。朋友又多，与当时的文学界、艺术界的大

家们交流频繁。因此他的书中讲养生不仅讲究饮食应时，心境平和，更要求与艺术修养相结合，获得较高的精神意境后得以长寿。

这部书在当时就很轰动，算是独步一时，因信息量大而备受赞誉。但今人所注意的，却大多在养生的部分。据朋友为他写的序言中说，高濂从小身体虚弱，常常生病，所以他特别注重保养身体以及医药方面的知识，四处拜访名医，结交高人，积累了许多养生去疾的知识和心得。他在八笺以前已经编过不少书，数量甚至比袁中郎（即袁宏道）的还多。多年积累，再结合自身实践，才有了《遵生八笺》。

高濂生活的时代，特别流行生活的艺术。他比李渔的时代要早些，也不像李渔这样晚年缺钱，他从没落魄过。差不多时代，

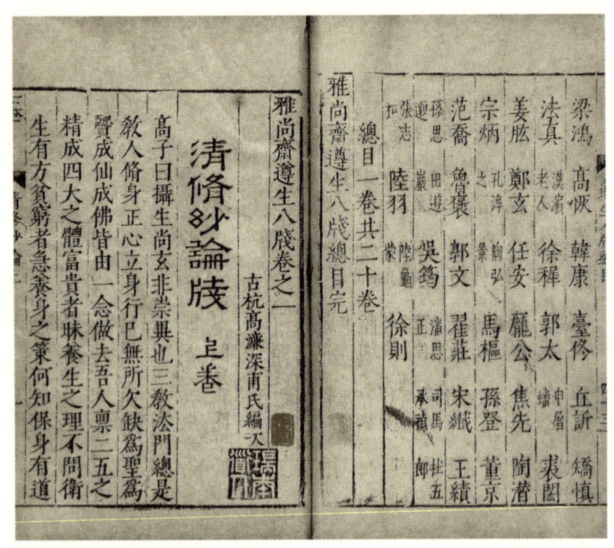

梁鴻 高恢 韓康 臺佟 丘訢 矯慎
法真 漢濱老人 徐穉 郭太 申屠蟠 袁閎
姜肱 鄭玄 任安 龐公 焦先 陶潛
宗炳 孔淳之 陶弘景 馬樞 孫登 董京
范喬 魯褒 郭文 翟莊 宋纖 王績
孫思邈 田遊巖 潘思正 司馬承禎 杜五郎
張志和 陸羽 陸龜蒙 徐則
總目一卷共二十卷
雅尚齋遵生八牋總目完

雅尚齋遵生八牋卷之一
古杭高濂深甫氏編次
清脩妙論牋 上卷
高子曰攝生尚玄非崇異也三教法門總是教人脩身正心立身行已無所欠缺為聖為賢成仙成佛皆由一念做去吾人禀二五之精成四大之體富貴者昧養生之理不問衛生有方貧窮者急養身之策何知保身有道

《遵生八笺》书影

袁中郎写过《瓶史》，文震亨作过《长物志》，李渔著有《闲情偶寄》，周嘉胄创作了《香乘》，这些书都是关于如何有情趣地对生活进行设计，对比来看，《遵生八笺》写在李渔之前，比文震亨眼界要宽，比袁中郎的耐读，比周嘉胄的丰富。不过这些书，都是些文人雅事，将日常生活艺术化。

这部书在清朝很受皇家欢迎，康熙皇帝与慈禧太后的许多养生思想都从此而来，《遵生八笺》甚至作为秘籍陪葬皇陵。有了这层皇家养生秘籍的光环，它在民国也很有影响力，张学良、宋美龄晚年每天要翻阅，还常常作为养身宝典向亲友推介。这部书至今热潮不衰，随着现代养生潮流兴起，正越来越受关注。

智言慧思

一个没有英雄的民族是可悲的奴隶之邦，一个有英雄而不知尊重英雄的民族则是不可救药的生物之群。

——郁达夫《悼鲁迅》

阅读链接：

陈云飞：《高濂〈遵生八笺·四时幽赏〉对茶都品质生活的启示》，《茶叶》，2007年第2期。

刘理想：《〈遵生八笺〉中怡情养生实践方式初探》，《江西中医学院学报》，2010年第1期。

周朝生：《〈遵生八笺〉保健按摩法》，《安徽中医临床杂志》，1994年第1期。

繁华落尽梦湖山

说起张岱，世人都知他是张宗子，他的号“陶庵”也非常有名。山阴（今浙江绍兴）人，出身显贵，天分又好，凡名师古书无不具备，因此博闻多记，天文地理无所不知，各项学问都有涉猎，经史子集更是读得烂熟。

他所涉既广，用功又勤，一生著作等身，洋洋大观。他也写过《自为墓志铭》，铭中自列十五种自著书目，另外还有《王郎诗集》《有明于越三不朽图赞》《石匮书后集》《奇字问》《老饕集》《陶庵肘后方》《茶史》《桃源历》《历书眼》《湄朗乞巧录》《柱铭对》《夜航船》、杂剧《乔坐衙》、传奇《冰山记》等共三十余种。特别值得一提的是《夜航船》，内容差不多相当于一部百科全书，有二十大类，四千多条目，简直包罗万象。

人人都只能活一辈子，张宗子却因明亡清兴，活出了两样人生。在前一段人生里，他的生活是满目繁华，奢侈放纵，美好到不真实，不惜福，事后回想起来，恍如一梦。他在《自为墓志铭》里讲，小的时候当的是纨绔子弟，极爱繁华。喜欢住精洁好房，用漂亮的小侍女，养娈童，穿鲜衣艳服，吃美食，骑骏马，喜欢点起华美的亮灯，燃放满天烟火，爱听戏，调弄乐器，爱集古董，喜买花鸟。而且还是个茶客，藏了许多书，爱诗成魔。这般自况，非关吹嘘，实为白描。

只是前事越尽兴，后半生越惘惘。甲申之后，年届知命的张岱沦为遗民。后四十年，他身为遗民，日益潦倒，靠些许回忆过活。年近五十，国破家亡，改朝换代，一切都不同了。张岱隐居山间，繁华落尽，只余破床破几，几本残书，缺口砚台，琴少弦，锅缺耳，着布衣，吃蔬食，甚至常常断炊。然而他自甘清贫，撰写明史，纪传前朝，这就是《石匮藏书》。他把著此书当作自己的使命，每次想自杀时，看到这部没有完篇的明纪传，便挣扎存活，独守山居，著述不已。他不愿如钱谦益、阮大铖一般投靠清廷，以求保全，他宁可披发入山，状如野人，断粮忍饥。旧时朋友看到他这副情状，都又惊又怕不敢招呼，可是他却无怨无悔。

忆及前事，他写了《陶庵梦忆》，回想前事，直如梦中。那些前尘往事，或风雅或美好，却总萦绕着淡淡忧郁，那份挥之不去的悲凉隔着时光，沉沉落在心上。正因守得寂寥，才能写得繁华。若明朝不亡，张宗子继续当年声色犬马的生活，他的笔调会大大不同。同样的生活，同样的观感，很可能会写成炫耀，写成浮滑。而有了这份经历，使得江山生活的美，有了沉淀，变得厚重。更可贵的是，张岱对于自身命运，安之若素，他这份绚烂归于平淡的情怀，用五十年的享用打底，又用几十年的隐居调和，竟化元归真，成就人生至味。愈是平淡，愈是悠长。淡淡几句，点到为止。古往今来的忆往之作，有几部比得上它的厚重回味?

由此也可知，宗子真乃世家子，有福时尽情享受，无福时安居茅庐，胸襟非同一般，遭此剧变，笔头竟收得住怨气戾气，文章示人，仍旧从容。他与徐青藤一样，都为自己作《自为墓志铭》，其中情感一样沉郁累积，痛不可当。可是他不发狂，不颠乱。这就是中国文字的魅力，一样夫子自道，青藤的读之令人绕室，欲大呼欲痛嚎，如利刃刺心。宗子却令人泪盈盈，偏落不下来，钝刀割肉，愈久愈痛，回味三日，余痛犹在。

余澹心写有《板桥杂记》，也用和《陶庵梦忆》同样的手法，但那份余韵，却

阅读链接：

李敬泽：《一个世界的热闹，一个人的梦》，《北京青年报》，2010 年 10 月 28 日。

[英] 史景迁：《前朝梦忆——张岱的浮华与苍凉》，广西师范大学出版社，2010 年版。

（明）张岱：《西湖梦寻》，浙江文艺出版社，1984 年版。

写不出来。张岱的《西湖梦寻》在体例上参考了田汝成的《西湖游览志》和《续志》。《西湖梦寻》乃是杭州遭兵灾之后，文学家用文字追寻前梦的历程。从各条线路分别记录当年胜景，每个景致前都写有一篇小序，并且摘录相关的古诗文陈列文末。他自己也写了不少诗，都附在上面。书中虽讲西湖风物，但也有不少他以前生活的资料。比如，他的祖父在西湖有一所别墅叫寄园，他本人曾在李氏岣嵝山房读书。写书时，他已阔别西湖二十八载，其间，西湖“无日不入梦”，“未尝一日别”，那片深切的故园之思在他多年后重回西湖之际，更被打得粉碎。经清兵洗劫，又无从建设，使得“一带湖庄，仅存瓦砾”。“凡昔日之弱柳夭桃、歌楼舞榭，如洪水淹没，百不存一矣。”张岱为寻梦而来，却只得梦碎湖山，黯然之下，他写道：“余为西湖而来，今所见若此，反不若保我梦中之西湖，尚得安全无恙也。”于是“作《梦寻》七十二则，留之后世，以作西湖之影”。这部忆往，是为了将昔日的美好永存心间。现实可以改变，记忆却谁也夺不走。他将这份感受写入了《自序》，说明这是《梦寻》一书的由来与宗旨。宗子文风含蓄隐忍之极，在他所有的文章之中，这几句最是直截了当，也被引用最多。

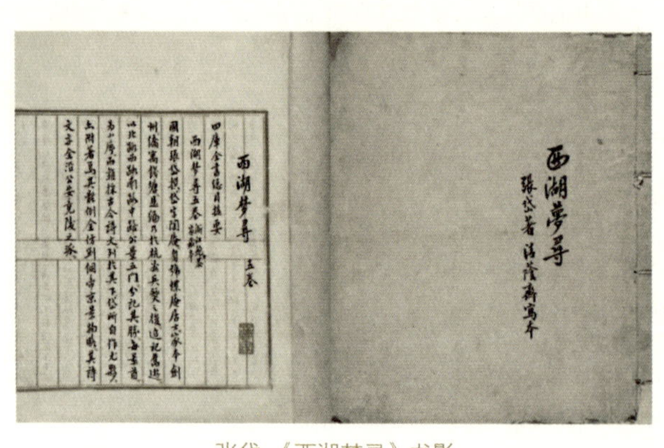

张岱《西湖梦寻》书影

一代才子，两样人生，文学有时就这般残酷，没有痛，就没有文。

人生的三重境界

王国维像

王国维，浙江海宁人。生于清光绪三年（1877），因此在辛亥革命后以遗民自居，跑到日本隐居京都，拒为民国之民。1922年，他接受北大聘书，回京任国学门通讯导师。1927年6月,却留下遗书,投湖自尽。遗书中说“经此世变，义无再辱”，到底是什么引发他的遗民之恨，以至赴水，至今还争论不休，成为谜团。

王国维字静安，号观堂，他的文集以号为名。他国学基础浑厚，功力深沉，又曾留学日本，学习西方文明，对外交和近代科学有所心得。因此他是近代通儒，治学范围广阔，编译、音韵、古文字、文艺评论等，多有涉猎，俱有心得。

他流传最广的著作就是《人间词话》。这是一部具备了西方美学眼光的中国文学批评论著。从体裁上，中国久有诗话、词话一类的评论传统，这部书也沿袭体例。但在其中所闪现的理论光辉，则为以往所未有。晚清以降，西学东渐，其治学方法也逐渐占据学界正统。在文艺评论界开创之功，就是这部词话。

《人间词话》使用的术语、逻辑及概念都相当传统，但是观点是西式的，眼光是舶来的，进行总结、抽象、归纳的方式方法也是以西方哲学为基础。王国维本人奉叔本华、尼采为精神导师，自然受其深刻影响。当时中国正处于传统与西方的试

探性融合之际，这部词话投国人所好，旧派人觉得它规矩之中有新意，新派人又发现了西学的苗头，引为知已。因此在学界极为叫好，成为晚清以来最有影响力的著作之一，至今仍然在学界被广泛引用和讨论。

这部词话最著名的就是提出了境界说。

词以境界为上，境界高则自成高格。讨论词学的时候，讨论气质神韵不如看境界高下。他举王维的“大漠孤烟直，长河落日圆”为例，认为“此等境界，可谓千古壮语”。

境界亦分高下，王国维用西方哲学思维进行了概括与抽象后，分出了三重境界。又用中国诗论方式，以三句名词作为三重境界的表现。这三重境界有多种应用，文学创作可用之，寻求真相可用之，修佛炼性可用之，后人又引申为成就事业，甚至追求异性，妙用无穷。

第一重境界乃“昨夜西风凋碧树，独上高楼，望尽天涯路”。此是北宋词人晏殊《蝶恋花》中的名句。一夜风紧，西风吹落满树绿叶。一早起来，只见枝杈，满地凋落。那是理想追求被现实泯灭的残酷景象。如何实现理想的境界？前路茫茫，被打压，被摧残，希望仿佛远去，人生无限渺茫。

第二重境界是“衣带渐宽终不悔，为伊消得人憔悴”。这是北宋词人柳永《蝶恋花》中的名句。到了这一境界，目标已经明确，路径也已确定，只是路漫漫，求索过程颇为辛苦。哪怕憔悴，仍然不悔，这番深情哪能付之阙如，当然是认准了方向。再苦再累都无妨，只要努力有了方向，每一分付出都会有一分

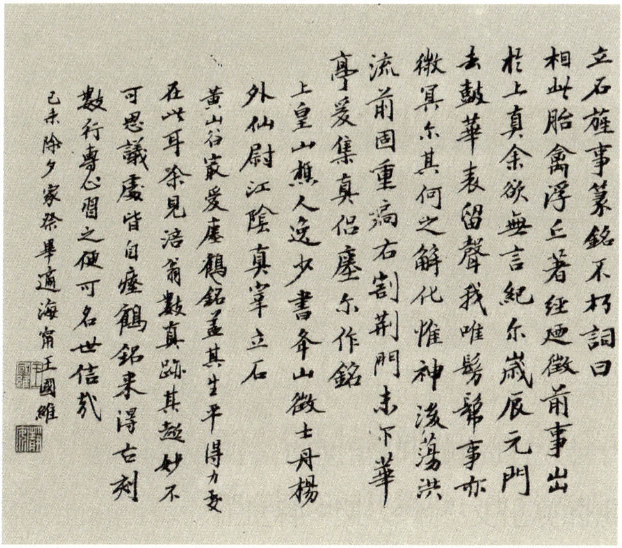

王国维书法

收获。

第三境界是“众里寻他千百度，蓦然回首，那人却在灯火阑珊处”。此为南宋爱国词人辛弃疾《青玉案·元夕》中的名句。百转千回，上下求索，这番苦功不是白下的。寻求的路上，不免回回又复复，一千次地检讨，一万次地反省，却仍然在这条路上勇往直前。直到有一天，突然的邂逅，意外的遭逢，历尽人生所寻觅的，就在灯火若明处。这番惊喜得来不易，却实在是心血的结晶，是必来的礼物。这一重境界，苦尽甘来，豁然开朗，卓然跃立，猛地突入一幕新天地，仿佛来到了另一个宇宙，又仿佛不可捉摸的一切都尽在掌握。这时所感受到的精神愉悦，又岂是南面为王这样的俗事所能易者？

阅读链接：

王国维：《王国维遗书》，上海古籍书店，1983 年版。

姚柯夫：《〈人间词话〉及评论汇编》，书目文献出版社，1998 年版。

叶嘉莹：《王国维及其文学批评》，河北教育出版社，1997 年版。

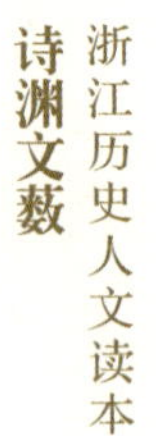

越缦堂日记

前段时间，有关鲁迅洗脚的问题被讨论得非常热烈。鲁迅日记里有 105 处出现“濯足”。根据现代人的认识，洗脚是每天必须的功课，既然被郑重其事记入日记，且隔十天半月才出现一次，说明必有特别之处。因此有些人就猜测此为性生活的隐语。

事实上，若读过李慈铭所作之《越缦堂日记》，便可知当代之前的绍兴人，洗脚一事确非日常必行事务。《越缦堂日记》里每隔一段时间便会在日记末尾出现“濯足”、“夜濯足”等字样，与鲁迅日记排文用字都非常相似。鲁迅本人在《怎么写（夜记之一）》一文中说道:“《越缦堂日记》近来已极风行了。”《鲁迅日记》写道：“购《中国学报》第二期一册，报中殊无善文，但以其有《越缦日记》，故买存之。”除鲁迅之外，胡适在他的日记中也坦然承认自己重新提起写日记的兴趣是受了《越缦堂日记》的影响，并载曰：“连日病中看李慈铭《日记》，更觉得此书价值之高。”

缪荃孙撰《清史稿·列传二百七十三·文苑三》中如此介绍李慈铭：

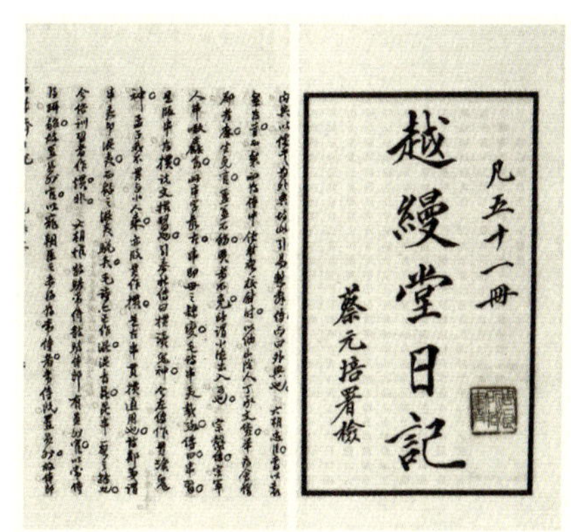

《越缦堂日记》书影

李慈铭，字爱伯，会稽人。诸生，入赀为户部郎中。至都，即以诗文名于时。大学士周祖培、尚书潘祖荫引为上客。光绪六年，成进士，归本班，改御史。时朝政日非，慈铭遇事建言，请临雍，请整顿台纲。大臣则纠孙毓汶、孙楫，疆臣则纠德馨、沈秉成、裕宽，数上疏，均不报。慈铭郁郁而卒，年六十六。慈铭为文沉博绝丽，诗尤工，自成一家。性狷介，又口多雌黄。服其学者好之，憎其口者恶之。日有课记，每读一书，必求其所蓄之深浅，致力之先后，而评骘之，务得其当，后进翕然大服。著有越缦堂文十卷，白华绛跌阁诗十卷、词二卷，又日记数十册。

《越缦堂日记》与《翁同龢日记》《湘绮楼日记》《缘督庐日记》齐名，并称“晚清四大日记”。早在李慈铭在世时，就被“士友多传抄之”，同治、光绪间文人圈内甚至有“生不愿做执金吾，惟愿尽读李公书”之语。

李慈铭的日记之所以备受学界青睐，一方面固然在于李慈铭本人的名望，另一方面则是由于日记本身的内容和价值。日记洋洋数百万言，对清咸丰到光绪近四十年间的朝野见闻、人物评述、名物考据、书画鉴赏、山川游历以及北京等地的社会风貌等内容均有翔实记述，足资后代学者参考借鉴；日记中还记录了大量的读书札记，仿《四库全书总目》之例，撰写书籍介绍及评论，内容涉及经史百家；日记中还录有李慈铭本人的诗词、骈文作品，对于研究作者本人的文学创作颇具参考价值。

阅读链接：

那秋生：《李慈铭的日记与诗赋》，《书屋》，2010 年第 1 期。

蔡彦：《李慈铭与蔡元培》，《上海高校图书情报工作研究》，2008 年第 4 期。

唐微：《李慈铭阅读形象面面观》，《图书馆杂志》，2011 年第 8 期。

一部现代散文史，半部在浙江

现代散文史，半部与浙江有关。翻开中国现代散文史，有关浙江的名篇佳作历历在目，这方水土不仅养人，更以充郁的文气滋润文学之风。

若想体会杭州人的悠闲自得，可坐在西湖边的楼外楼，遥想七十年前的丰子恺，在湖边写生，看在湖滨旅馆摆测字摊的老翁,收了摊来钓虾。用饭粒钓个五六只,开水一浸,下酒喝（丰子恺《吃酒》)。可是郁达夫在《杭州》中，却写足了杭州人的缺点。

固然对“杭铁头”有诸般批评，但桂花开了，能在翁家山上访香闲饮；茶园绿了，可在小和山逛山品茗，郁达夫笔下的此山此景，几十年过去，风物竟毫无二致（郁达夫《迟桂花》)。同样的景色，在徐志摩浓得化不开的笔下，却丝丝缠缠，难以分解（徐志摩《丑西湖》)。虽然鲁迅写了《阻郁达夫移居杭州》，郁达夫还是筑居在了杭州。

有了鲁迅《论雷峰塔的倒掉》与《再论雷峰塔的倒掉》，西湖十景似乎成为一种病，塔更是压迫的象征物。但是在俞平伯的眼中，杭州永远是那么温润柔美，是烟火气里的神仙人家

（俞平伯《城站》）。

说到绍兴，谁会错过鲁迅兄弟？《朝花夕拾》里满满的故乡情，写得那么沉郁，那么痛心，又那么低回而情长。周作人仔仔细细地写干菜笋头虾壳汤（周作人《腌菜》），苦雨斋里的家乡风味信笔拈来，豆腐、荠菜、腌菜、黄酒、糯米食、烤越鸡、鲞冻肉，除了乡愁之外，更多寄托了回归古文的性灵追求。

如果说周作人、俞平伯是平淡而微涩，徐志摩是浓郁逼人，那么朱自清便是清丽流畅，他描写仙居梅雨潭的名篇《绿》，传颂天下，以一文而名一景，当之无愧。

上虞的白马湖曾会聚一班文人，白马湖散文在现代文学史上无法缺席。夏丏尊《平屋杂文》，充满着白马湖的“土气”，大多在这个时期完成。丰子恺散文，郁达夫评之为“清幽玄妙”，还弥漫着宗教香火的烟息，而李叔同幽微淡远，由绚烂之极而回归于平淡。俞平伯、刘延陵、朱光潜乃至叶圣陶，都淡远平悠。

在鲁迅的带领下，一批以文章为匕首和投枪的杂文家产生，茅盾、陈望道、徐懋庸、唐弢、柯灵等，写出了大批具有战斗性的杂文。后来牺牲在日本人屠刀之下的陆蠡，也是其中一员，他的散文有着显著的浙东土性，硬气强悍，不畏强暴。《水碓》《竹刀》等篇都是用浙东常见之物来发不平之鸣。

而另一些从杭嘉湖地区走出去的作家，比如施蛰存，则充分体现了水性，《灯下集》何其闲适灵逸。另一些海派散文家则各显神通，穆时英、章依萍、章克标、钱歌川等，他们不像左翼作家这样严肃地批判，可并非没有自己的立场。章克标的《文坛登龙术》，今天读来，仍不过时。宁波人苏青，作为一个女作家，写得泼辣大胆，她的《论女人》现在还被不少白领女性奉为宝典。

阅读链接：

方爱武：《浙江现代散文发展史》，杭州出版社，2011 年版。

陈丽萍：《中国现代散文中的杭州想象》，浙江师范大学 2011 年硕士论文。

《现代名家散文》，百花文艺出版社，2004 年版。

后　记

2011 年 9 月 1 日，习近平同志在出席中央党校 2011 年秋季学期开学典礼时，发表了《领导干部要读点历史》的讲话，强调领导干部不管处在哪个层次和岗位，都应该读点历史，从中汲取有益于加强修养、做好工作的智慧和营养，不断提高认识能力和精神境界，不断提升领导工作水平。

为贯彻落实习近平同志讲话精神，服务省委、省政府中心工作，传承和弘扬浙江优秀历史文化，浙江省社科院发挥自身优势，及时启动了《浙江历史人文读本》（以下简称《读本》）课题研究和编写论证工作。2011 年 12 月至 2012 年 1 月，我们走访了省委办公厅、省委组织部、省委宣传部、省委党校等相关单位及领导、专家，多次座谈论证，大家一致认为，启动《读本》课题研究非常必要，也很有意义，在贯彻落实习近平同志讲话精神、提供省级区域历史人文读本等方面，走在了全国前列。2012 年 2 月，省社科院将此课题列为本院 2012 年重大课题，以本院历史所为主，组织院内骨干科研人员和浙江文化艺术研究院、杭州师范大学历史系等单位的专家学者，成立课题组，并正式开展研究和编写工作。2012 年 10 月，本课题正式立项为浙江省哲学社会科学规划课题。

《读本》由八个分册组成，每个分册分为若干专题，每一专题由若干子目组成。在体例上，《读本》不是“纵不断线”的通史书写，也不是专一的史料考证或理论论述，而是重在根据有鲜明特色、有重大意义、有突出影响、有重要成就的“四有”原则选取和设立各个子目，撷取浙江历史文化中最灿烂夺目的片断、最精华的材质，尤其是能在中国历史文化中称得上“第一”或“第一流”的人、事与历史场景，经深入探究、浓缩淬炼、精心构思，书写成一个个清新简明、意蕴深长且兼具历史气息和时代特质的“浙江意象”，为广大读者揭示浙江历史上的璀璨人文。

省社科院党委自始至终高度重视本课题的实施，从人员组织、经费落实、书稿审阅、出版发行等各个方面、各个环节精心组织，严格把关，确保质量。院领导及时关注课题进展，全程参加课题研讨，解决面临的各种困难。院学术委员会详细评审了课题方案，各分册评审专家精心审阅了全部书稿，提出了大量真知灼见。课题组成员本着对历史、对社会高度负责的使命感和责任心，精诚合作，全力投入，反复打磨，精益求精，力求学术基础扎实规范、内容选择主题突出、文字表达生动可读，着力创作优秀历史文化当代传承的精品。

省委书记夏宝龙十分重视关心《读本》编撰工作，于百忙之中亲自为《读本》作序，充分体现了省委领导对贯彻落实习近平同志讲话精神、对优秀历史文化及其当代应用的重视以及对我院工作的指导、关怀和支持。

省委组织部、省委宣传部、省社科联、省出版联合集团、省文化厅、省委党校、省委党史研究室等部门和单位的相关领导、专家对《读本》编写给予大力支持。特别是省委宣传部高度重视本课题，要求我院以省级礼品书为目标，精心编写，重视质量，打造精品佳作。省委常委、省委宣传部部长葛慧君亲自担任《读本》编撰指导委员会主任，常务副部长胡坚亲自担任编辑委员会主任，副部长鲍洪俊给予《读本》出版以大力支持。省委组织部干教处，省委宣传部理论处、党教处，省文化厅非遗处负责人积极谋划，多方协调，给予我们极大帮助。

浙江古籍出版社的负责人和各位责任编辑、美术编辑，认真负责，精心编校，为《读本》的出版做了大量增光添色的工作。

在此，我们对以上单位、领导和专家，表示衷心的感谢和诚挚的敬意！

由于浙江历史悠久厚重，《读本》所涉内容面广量大，作者水平有限，编写时间较紧，书稿中难免存在一些不尽如人意之处，敬请各位读者批评指正！

课题组

2013 年 5 月

图书在版编目（CIP）数据

诗渊文薮 / 吴晶，郑绩著 .— 杭州：浙江古籍出版社，2013.5

（浙江历史人文读本）

ISBN 978-7-5540-0060-1

Ⅰ.①诗… Ⅱ.①吴… ②郑… Ⅲ.①地方文学史—浙江省 Ⅳ.① I209.955

中国版本图书馆 CIP 数据核字（2013）第 103992 号

诗渊文薮

吴晶　郑绩　著

出版发行　浙江古籍出版社

（杭州体育场路 347 号　电话：0571-85176986）

网　　址　www.zjguji.com

责任编辑　关俊红　马樱滨

责任校对　余　宏

封面设计　刘　欣

责任印务　贾　敏

照　　排　杭州立飞图文制作有限公司

印　　刷　浙江海虹彩色印务有限公司

开　　本　787 × 1092　1/16

印　　张　24.25

字　　数　320 千字

版　　次　2013 年 7 月第 1 版

印　　次　2013 年 7 月第 1 次印刷

书　　号　ISBN 978-7-5540-0060-1

定　　价　60.00 元